Y0-DYH-594

PUBLISHER'S NOTE

This Bantam edition contains the first English-language book publication of the diary of Che Guevara, Bolivia: November 7, 1966–October 7, 1967, as originally published by **Ramparts** magazine on July 3, 1968. We believe it is our publishing responsibility to make available to the widest possible audience documents of historical and international importance. And it is in this spirit that Bantam Books has published the authorized text of **The Diary of Che Guevara.**

THE
DIARY OF
CHE
GUEVARA

Bolivia: November 7, 1966–October 7, 1967

The authorized text in English and Spanish

Introduction by Fidel Castro

Edited by Robert Scheer

BANTAM BOOKS · TORONTO · NEW YORK · LONDON

THE DIARY OF CHE GUEVARA
BOLIVIA: NOVEMBER 7, 1966–OCTOBER 7, 1967
*A Bantam Book / published by arrangement with
Ramparts Magazine, Inc.*

PRINTING HISTORY
Ramparts edition published July 1968
Bantam edition published July 1968
2nd printing
3rd printing
4th printing

Published simultaneously in the United States and Canada

*Bantam Books are published by Bantam Books, Inc., a subsidiary
of Grosset & Dunlap, Inc. Its trade-mark, consisting of the words
"Bantam Books" and the portrayal of a bantam, is registered in the
United States Patent Office and in other countries. Marca Registrada.
Bantam Books, Inc., 271 Madison Avenue, New York, N.Y. 10016.*

PRINTED IN THE UNITED STATES OF AMERICA

EDITOR'S NOTE TO
THE RAMPARTS EDITION

This special edition of Ramparts Magazine contains the first English-language publication of the Diary written by Ernesto Che Guevara during 12 months of the guerrilla campaign in Bolivia. The introduction by Prime Minister Fidel Castro was written to coincide with the Diary's publication. Ramparts Magazine Inc. has been granted the exclusive copyright for publication of the Guevara Diary in the United States, for the accompanying photographic material and for the introduction by the Instituto Nacional del Libro of the Republic of Cuba. We find it fitting that Che's Diary was made public by his Cuban compañeros rather than by those against whom he fought, and we feel privileged to have been involved in its first publication.

ROBERT SCHEER
Editor, Ramparts Magazine

CONTENTS

[A NECESSARY INTRODUCTION
by FIDEL CASTRO]

I T WAS CHE'S HABIT during his days as a guerrilla to
write down his daily observations in a personal diary.
During the long marches over abrupt and difficult
terrain, in the middle of the damp woods, when the lines
of men, always hunched over from the weight of their
mochilas, munitions and arms would stop for a moment to
rest, or when the column would receive orders to halt and
pitch camp at the end of a long day's journey, one could see
Che—as he was from the beginning affectionately nick-
named by the Cubans—take out his notebook and, with the
small and almost illegible letters of a doctor, write his
notes. What he was able to conserve from these notes he
later used in writing his magnificent historical narrations of
the revolutionary war in Cuba. They were of revolutionary
content, pedagogic and human.

This time, thanks to his invariable habit of jotting down
the principal occurrences of each day, we have at our dis-
posal rigorously exact, priceless and detailed information
concerning the heroic final months of his life in Bolivia.

These notations, not exactly written for publication,
served him as a working guide in the constant evaluation
of the occurrences, the situation and the men. They also
served as an expressive outlet for his profoundly observant
spirit, analytical but often laced with a fine sense of humor.
They are soberly written and contain an uninterrupted co-
herence from the beginning to the end.

It should be kept in mind that they were written during
those rare moments of rest in the middle of an heroic and
superhuman physical endeavor—notwithstanding Che's ex-
hausting obligations as chief of a guerrilla detachment in
the difficult first stages of a struggle of this nature—which
unfolded under incredibly hard material conditions, reveal-

7

ing once more his particular way of working and his will of steel.

In the diary, detailed analyses of the incidents of each day, the faults, criticisms and recriminations which are appropriate to and inevitable in the development of a revolutionary guerrilla are made evident.

In the heart of a guerrilla detachment, these criticisms must take place incessantly, especially when there is only a small nucleus of men, constantly confronted by extremely adverse material conditions and an enemy infinitely superior in number, when a little carelessness or the most insignificant mistake can be fatal and the chief has to be extremely demanding. He must use each occurrence or episode, no matter how insignificant, as a lesson to the combatants and future leaders of new guerrilla detachments.

The formation of a guerrilla is a constant call to the conscience and honor of every man. Che knew how to touch on the most sensitive fibers of the revolutionaries. When Marcos, repeatedly admonished by Che, was warned that he could be dishonorably discharged from the guerrillas, he said, "First I must be shot!" Later on he gave his life heroically. The behavior of all the men in whom Che put his confidence and whom he had to admonish for some reason or another during the course of the struggle was similar. He was a fraternal and human chief who also knew how to be exacting and occasionally even severe, but above all, and even more so than with the others, Che was severe with himself. He based the discipline of the guerrilla on their moral conscience and on the tremendous force of his own personal example.

The diary also contains numerous references to Regis Debray and makes evident the enormous preoccupation stirred up in Che by the arrest and imprisonment of the revolutionary writer whom he had made responsible for carrying out a mission in Europe, although in reality he would have preferred Debray to remain in the guerrilla. This is why he manifests a certain inconsistency and occasionally some doubts concerning his behavior.

For Che it was not possible to know of the odyssey lived by Debray and the firm and courageous attitude he took in front of his capturers and torturers while he was in the clutches of the repressive forces.

However, he did emphasize the enormous political im-

portance of Debray's trial, and on the 3rd of October, six days before his death, in the midst of tense and bitter happenings, Che stated: "An interview with Debray was heard, very valiant when faced with a student provocator," this being his last reference to the writer.

Since in this diary the Cuban Revolution and its relation to the guerrilla movement are repeatedly pointed out, some might interpret the fact that its publication on our part constitutes an act of provocation supplying an argument to the enemies of the Revolution—the Yankee imperialists and their cohorts, the Latin American oligarchies—for redoubling their plans for blockade, isolation of and aggression toward Cuba.

For those who judge the facts in this way it is well to remember that Yankee imperialism has never needed pretexts to perpetrate its villainy in any part of the world and that its efforts to smash the Cuban Revolution began with the first revolutionary law made in our country; for the obvious and well-known fact is that imperialism is the gendarme of the world, systematic promoter of counter-revolution and protector of the most backward and inhuman social structures in the world.

Solidarity with the revolutionary movement might be used as a pretext but shall never be the cause of Yankee aggression. Denying solidarity in order to deny the pretext is ridiculous ostrich-like politics, which has nothing to do with the internationalist character of contemporary social revolutions. To cease solidarity with the revolutionary movement does not mean to deny a pretext but actually to show solidarity with Yankee imperialism and its policy of domination and enslavement of the world.

Cuba is a small economically underdeveloped country, like all those countries dominated and exploited by colonialism and imperialism. It is situated only 90 miles from the United States' coast, having a Yankee naval base on its own territory, and confronts numerous obstacles in the carrying out of its economic and social development. Great dangers have threatened our country since the triumph of the Revolution but not because of this will imperialism succeed in making us yield, since the difficulties which a consequent revolutionary line entails are not important to us.

From the revolutionary point of view, the publication of Che's diary in Bolivia admits no alternative. Che's diary

9

fell into Barrientos' possession who immediately sent copies to the CIA, the Pentagon and the United States government. Newspapermen connected with the CIA had access to the document in Bolivia and have made photostatic copies of it—but with the promise to abstain from publishing it for the moment.

Barrientos' government and his highest military chiefs have abundant reasons for not publishing the diary since it confirms the tremendous incapacity of the Bolivian Army and the innumerable defeats which it suffered at the hands of a small fistful of determined guerrillas who captured almost 200 arms in combat in a few weeks.

Che also describes Barrientos and his regime in terms which they deserve and with words that cannot be erased from history.

On the other hand, imperialism had its reasons: Che and his extraordinary example gain increasing force in the world. His ideas, his image, his name, are the banners of the struggle against the injustices of the oppressed and exploited and stir up a passionate interest on the part of students and intellectuals all over the world.

Right in the United States, members of the Negro movement and the radical students, who are constantly increasing in number, have made Che's figure their own. In the most combative manifestations of civil rights and against the aggression in Vietnam, his photographs are wielded as emblems of the struggle. Few times in history, or perhaps never, has a figure, a name, an example, been so universalized with such celerity and passionate force. This is because Che embodies in its purest and most disinterested form the internationalist spirit which characterizes the world today and which will do so even more tomorrow.

From a continent oppressed by colonial powers yesterday and exploited and kept down in the most iniquitous underdevelopment by Yankee imperialism today, there surges this singular figure who is converted into the universal breath of the revolutionary struggle, even in the imperialist and colonial metropolises themselves.

The Yankee imperialists fear the force of this example and all that may contribute to reveal it. The intrinsic value of the diary, the living expression of an extraordinary personality, is as a guerrilla lesson written in the heat and tension of each day. It is inflammable gun powder. It is the

real demonstration that Latin American man is not impotent in the face of those who would enslave the peoples with their mercenary armies and who prevented the publication of this diary until now.

It could also be that the pseudorevolutionaries, opportunists and charlatans of every kind who call themselves Marxists, communists, or give themselves any other titles, are interested in keeping the diary from being known. They have not vacillated in qualifying Che as wrong, as an adventurer, and when referring to him in the most benign form, they call him an idealist whose death is the Swan Song of the revolutionary armed struggle in Latin America. "If Che," they exclaim, "the highest exponent of these ideas and an experimented guerrilla fighter, was killed in guerrilla warfare and his movement did not liberate Bolivia, this only demonstrates how wrong he was!" How many of these miserable characters have been happy about the death of Che and haven't even blushed to think that their position and reasoning coincide completely with those of the most reactionary oligarchies and with imperialism!

In this way they justify themselves or justify treacherous leaders who at certain moments have not vacillated in playing a game of armed struggle with the real purpose of destroying the guerrilla detachments, as could be seen later, putting the brake on revolutionary action and asserting their shameful and ridiculous political deals because they were absolutely incapable of any other line; or they justify those who do not want to fight, who will never fight, for the peoples and their liberation and who have caricatured the revolutionary ideas turning them into a dogmatic opium without content or any message for the masses, converting the organizations of the people's struggle into instruments of conciliation with external and internal exploiters and proponents of politics which have nothing to do with the real interest of exploited peoples on this continent.

Che contemplated his death as something natural and probable in the process and tried to emphasize, especially in the last documents, that this eventuality would not impede the inevitable march of the revolution in Latin America. In his message to the Tricontinental Congress, he reiterated this thought: "Our every action is a battle cry against imperialism . . . wherever death may surprise us, let it be welcome, provided that this, our battle cry, may have reached

11

some receptive ear and another hand may be extended to wield our weapons."

He considered himself a soldier of this revolution without ever worrying about surviving it. Those who see the end to his ideas in the outcome of his struggle in Bolivia could with the same simplicity negate the validity of the ideas and struggles of all the great precursors and revolutionary thinkers, including the founders of Marxism who were unable to culminate their work and see during their lifetimes the fruits of their noble efforts.

In Cuba, neither the death in combat of Marti and Maceo, later followed by Yankee intervention at the end of the Independence War, frustrating the immediate objective of their struggle, nor of the brilliant proponents of the socialist revolution like Julio Antonio Mella, assassinated by agents at the service of the imperialists, could impede in the long run the triumph of a process which began 100 years ago. And absolutely no one could doubt the profound justice of the cause and the line of the struggle of those Fathers, nor the actuality of the profound principles which never failed to inspire the Cuban revolutionaries.

From Che's diary it is possible to gather how real the possibilities of success were and how extraordinary the catalyzing power of the guerrilla was. On a certain occasion, in the light of the weakening and rapid deterioration of the Bolivian regime, he said, "The government is disintegrating rapidly; it is a pity we don't have 100 more men right now."

Che knew from his experience in Cuba how often our small guerrilla detachment was on the verge of being extinguished. This could have occurred because of the likelihood of the hazards and imponderabilities of war, but, if we had indeed been extinguished, would it have given the right to anybody to consider our line erroneous or to use this as an example to discourage the revolution and to instill impotency in the people? Many times in history the revolutionary processes have been preceded by adverse episodes! Didn't we in Cuba have the Moncada as an experience almost six years before the final triumph of the armed struggle by the people?

For many, between the 26th of July, 1953—the attack on the Moncada quarters in Santiago de Cuba—and the 5th of December, 1956—the disembarkment of the "Granma" —the revolutionary struggle in Cuba, faced with a modern

12

and well-equipped army, lacked all perspective, and the action of a handful of fighters was viewed as a chimera of idealists and deluded beings "who were profoundly mistaken." The smashing defeat and the total dispersion of the inexpert guerrilla detachment on the 3rd of December, 1956, appeared to confirm completely the pessimistic omens. But only 25 months later, the remains of that guerrilla force had developed the power and acquired the necessary experience to annihilate that army.

In all ages and under all circumstances there will always exist abundant reasons not to fight, but that will be the only way not to obtain liberty. Che did not outlive his ideas, but he fecundated them with his own blood. With all certainty the pseudorevolutionary critics with their political cowardice and their eternal lack of action will survive to evidence their own stupidity.

It is notable, as can be seen in the diary, that one of those revolutionary specimens, the kind becoming typical in Latin America, like Mario Monje, wielding the title of Secretary of the Communist Party of Bolivia, pretended to dispute with Che over the political and military position of head of the movement. Furthermore, he alleged his previous intention to resign his party position over that dispute; it seems that according to him it was enough to have had this title to claim such a prerogative.

Mario Monje, naturally, had no guerrilla experience, nor had he ever engaged in battle. Plus the fact that his self-conceived ideas of a Communist should have long since obliged him to dispense with the vulgar and mundane chauvinism overcome by our forefathers in the struggle for the first independence.

With such a concept as to what the anti-imperialist struggle on this continent should be, such "communist chiefs" haven't even surpassed the internationalist level of the aboriginal tribes conquered by European colonizers at the time of the conquest.

Therefore, this chief of the Communist Party did nothing more than enter into shameful, ridiculous and unmerited claims to power, caring not that this was Bolivia, with its historic capital, Sucre, both places named in honor of their first liberators who were Venezuelan, and whose final liberation was the result of the cooperation of the political, military and organizational talent of a true revolutionary

13

titan whose cause furthermore did not know the narrow, artificial and even unjust boundaries of that country.

Bolivia, not having an outlet to the sea, more than any other country needs the revolutionary victory of its neighbors for its own liberation so as not to be exposed to a flagrant blockade. Furthermore, Che was the man who could have accelerated this process, due to his enormous prestige, capacity and experience.

Che had established relations with leaders and militants of the Bolivian Communist Party before the split among them occurred, entreating them to help the revolutionary movement in South America. Some of these militants, with authorization from the Party, worked with him on diverse tasks for several years. A special situation was created when the division within the Party took place, due to the fact that the militants with whom he had been working became part of one group or the other. However, Che did not conceive of the struggle in Bolivia as an isolated fact, but as part of a revolutionary liberation movement which would not delay in extending to other South American countries. It was his purpose to organize a movement devoid of sectarian spirit which would permit the incorporation of all those who wanted to fight for the liberation of Bolivia and the rest of the peoples subjugated by imperialism in Latin America.

However, during the initial phase of the preparation of the guerrilla base, he had depended mainly upon a group of valuable and discreet collaborators, who had remained in Monje's party when the division took place. It was due to deference to them that he invited him to visit the camp first, although he really wasn't the least bit sympathetic toward him. Later, he invited Moises Guevara, a mining and political leader who left that party in order to cooperate in the formation of another organization, and from which he later withdrew due to disagreements with Oscar Zamora—another Monje, who had once promised to work with Che on the organization of an armed guerrilla fight in Bolivia, and who later withdrew his commitments and cowardly folded his arms when the hour for action arrived, becoming one of the most poisonous critics in the name of "Marxism-Leninism" after Che's death. Without vacillating, Moises Guevara united with Che as he had agreed to do long before he had arrived in Bolivia, offering his support and giving his life heroically for the revolutionary cause.

The group of Bolivian guerrilla fighters who had remained in Monje's organization until then did likewise. Led by Inti and Coco Peredo, who later proved to be brave and outstanding combatants, they left him and firmly supported Che. But Monje, not satisfied with the outcome, began to sabotage the movement, intercepting well-trained communist militants in La Paz who were going to join the guerrilla. These facts demonstrate that there are men in the revolutionary lines who have all the necessary conditions for fighting and that their development is criminally frustrated only by incapable leaders, charlatans and maneuverers.

Che was a man who was never personally interested in positions, power or honors, but was firmly convinced that in the revolutionary guerrilla fight—the fundamental form of action for the liberation of the peoples of Latin America, based on the economic, political and social situation of almost all Latin American countries—the military and political command of the guerrilla must be united and that the fight can be led only by the guerrilla and not by comfortable bureaucratic offices in the city. He was not willing to compromise on this point, nor to hand over the command of a guerrilla nucleus—destined to carry out during its final development a fight of such ample dimensions in South America—to an inexperienced emptyhead with a narrow chauvinist outlook. Che thought that this chauvinism, which often infects even the revolutionary elements in the diverse countries of Latin America, must be fought against as a ridiculous and sterile reactionary sentiment. "And let us develop a true proletarian internationalism," he said in his message to the Tricontinental Congress, "the flag under which we fight would be the sacred cause of redeeming humanity. To die under the flag of Vietnam, of Venezuela, of Guatemala, of Laos, of Guinea, of Colombia, of Bolivia . . . to name only a few scenes of today's armed struggle—would be equally glorious and desirable for an American, an Asian, an African, even a European. Each spilt drop of blood, in any country under whose flag one has not been born, is an experience passed on to those who survive, to be added later to the liberation struggle of his own country. And each nation liberated is a phase won in the battle for the liberation of one's own country."

In the same way, Che thought that combatants from different Latin American countries should participate in the

guerrilla detachment and that the Bolivian guerrilla should be a school for revolutionaries who would learn in combat. To help him with this task, he wanted to have by his side together with the Bolivians, a small nucleus of experienced guerrilla fighters, almost all of whom had been his comrades in the Sierra Maestra during the revolutionary fight in Cuba, and whose capacity, braveness and spirit of sacrifice were well-known to him. None of these men hesitated in responding to his request, none abandoned him and none gave up.

In the Bolivian campaign, Che acted with the very tenacity, mastery, stoicism and the exemplary attitude which were so characteristic of him. It can be said that being pervaded with the importance of the mission which he had assigned himself, he proceeded with a spirit of irreproachable responsibility at all times. When the guerrilla was careless, he hastened to take it into account, correct it and make note of it in his diary.

Adverse factors unbelievably built up against him; for example: the separation—which should have been for a short time—of part of the guerrilla, in which there was a group of valuable men, some of them sick or convalescent. The loss of contact with each other in a very rough terrain, was prolonged for interminable months and occupied Che's efforts in looking for them. During this period his asthma, which was usually easily controlled with a simple medicine, became a terrible enemy, and without the medicine attacked him unmercifully, converting this into a serious problem due to the fact that the medicines which had been wisely accumulated for the guerrilla were discovered and seized by the enemy. This, together with the annihilation at the end of August of that part of the guerrilla with which contact had been lost, were factors which considerably affected the development of events. But Che, with a will of steel, mastered his physical malaise, and he never slowed down action at any time nor did his spirit fall.

Che had numerous contacts with the peasants. Their character—extremely mistrustful and wary—didn't surprise him, as he knew their mentality perfectly for having dealt with them on other occasions, and he knew that prolonged, patient, arduous work was required to win them over to the cause. But he never harbored any doubt that this would be obtained in the long run.

If the chain of events is followed carefully, it can be found that even when the number of men on which he counted was greatly reduced, in September, some weeks before his death, the guerrilla still maintained its capacity for development, and some Bolivian cadres, such as Inti and Coco Peredo, were already beginning to show magnificent perspectives as chiefs. It was the ambush of Higueras that created an unsurmountable situation for them, the only successful army action against the detachment which Che commanded, killing the vanguard and wounding several other men in broad daylight when they were moving to a peasant zone with greater political development. This objective isn't written down in the diary, but is known by the survivors. It was undoubtedly dangerous to advance by day along the same route that they had been following for several days because of the inevitable constant contact with the inhabitants of the zone they were crossing for the first time. And there was the obvious certainty that the army would intercept them at any moment. But Che, fully conscious of this, decided to take the risk in order to help the doctor who was in very bad physical condition.

The day before the ambush, he wrote: "We reached Pujio, but there were people who had seen us down below the day before, which means we are being announced ahead of time by way of 'Radio Bemba' [1] ..." "The march with mules is becoming dangerous, but I want the doctor to go as best as possible as he is very weak."

The following day he wrote: "At 13:00 the vanguard left to try to reach Jagüey and to make a decision there about the mules and the doctor." That is to say, he was hunting for a solution for the sick man, so as to abandon that route and to take the necessary precautions. But that very afternoon, before the vanguard reached Jagüey, the fatal ambush that brought about an unbearable situation for the detachment occurred.

Some days later, encircled in the Quebrada del Yuro, his last combat was fought.

The prowess carried out by this handful of revolutionaries is deeply impressing. The fight alone against the hostile environment in which their action took place constitutes

[1] RADIO BEMBA: *This is the popular expression that is used in Cuba which refers to rumors that are widely spread from person to person. (Editor's note.)*

an insuperable page of heroism. Never before in history has such a small number of men undertaken such a gigantic task. The faith and the absolute conviction that the immense revolutionary capacity of the peoples of Latin America could be awakened, and the self-confidence and the tenacity with which they gave themselves to this objective, give us a just dimension of these men.

One day, Che said to the guerrilla fighters in Bolivia: "This type of fight gives us the opportunity of becoming revolutionaries, the highest level of the human species, and it also permits us to graduate as men; those that can not reach either of these two stages should say so and give up the fight."

Those that fought with him until the end have become worthy of such honors. They symbolize the type of revolutionaries and men which history is now summoning for a truly hard and difficult task: the revolutionary transformation of Latin America.

The enemy which faced our forefathers during the first fight for independence was a decadent colonial power. The revolutionaries of today have as their enemy the most powerful bulwark of the imperialist camp, equipped with the most modern techniques and industries. This enemy did not only reorganize and re-equip the Bolivian army—where the people had destroyed the previous military repressive forces —and immediately help with weapons and military assistants for the fight against the guerrillas, but they also offer military and technical aid to the same degree to all the repressive forces on this continent. And when these measures are not sufficient, they intervene directly with their troops, as they did in Santo Domingo.

To fight against this enemy, the type of revolutionaries and men of which Che spoke are required. Without this type of revolutionaries and men, willing to do what they did; without the spirit to face the great obstacles which they had; without the profound conviction of the justness of their cause and the unyielding faith in the invincible force of the people which they harbored, in the face of a power such as Yankee imperialism, whose military, technical and economic resources are being made felt in the entire world, the liberation of the peoples of this continent will not be achieved.

The North American people themselves, who are becom-

ing conscious of the fact that the monstrous political super-structure which prevails in their country is no longer the idyllic, bourgeois republic established by its founders almost 200 years ago, are undergoing to an ever greater degree the moral barbarousness of an irrational, obsessed, brutal and inhuman system which engulfs ever more victims from among the North American people in its aggressive wars, its political crimes, its racial aberration, its niggardly hierarchy of the human being, and the repugnant squandering of economic, scientific and human resources of its overgrown, reactionary and repressive military apparatus, all this in the middle of a world which is 75 per cent underdeveloped and hungry.

But only the revolutionary transformation of Latin America could permit the people of the United States to settle accounts with imperialism itself, at the same time and at the same rate that the rising struggle of the North American people against imperialist policy could become a decisive ally of the revolutionary struggle in Latin America.

If this part of the hemisphere does not undergo a profound revolutionary transformation, the enormous difference and lack of balance which was produced at the beginning of the century between this powerful nation, which was rapidly industrialized at the same rate as it progressed by its own law of social and economic dynamics toward imperial heights, and the group of weak and thwarted nations in the other Balkanized part of the American continent submissive to the yoke of feudal oligarchies and their reactionary armies, will be but a pale reflection, not of the already great lack of economic, scientific and technical balance which now exists, but of the frightful lack of balance which the imperialist superstructure will impose at an even greater speed on the peoples of Latin America in the next 20 years.

In this way we shall become ever poorer, ever weaker, more dependent upon and enslaved by imperialism. This dark perspective equally affects the underdeveloped countries of Asia and Africa.

If the industrialized and well-instructed nations of Europe, with their Common Market and supranational scientific institutions, become perturbed by the possibility of getting left behind and contemplate with fear the perspective of being converted into economic colonies of Yankee

19

imperialism, what does the future have to offer to the peoples of Latin America?

If in the light of this real and unquestionable situation which decisively affects the destiny of our peoples some liberal or bourgeois reformist or pseudorevolutionary charlatan, incapable of action, has an answer that is not a profound and urgent revolutionary transformation and one which could gather together all the moral, material and human forces to launch them forth in this part of the world in order to recover the economic and scientific-technical backwardness of centuries, greater still when compared to the industrialized world of which we are tributaries and will continue to be to an even greater degree, especially of the United States—and furthermore is able to give the formula, the magic way to accomplish this, different from the way conceived by Che, one which can wipe out oligarchies, despots, petty politicians, that is to say, nursemaids, and Yankee monopolies, the masters, and to be able to do it with all the urgency which the situation requires, then let him raise his hand to challenge Che.

Since no one really has an honest answer or a consequent action that implies a real hope for the almost 300 million human beings which compose the population of Latin America, desolatingly poor in the overwhelming majority, and which will reach 600 million within 25 years, who have the right to a material life, to culture and to civilization, the most honest thing to do would be to remain silent in the face of Che's gesture and those who fell by his side, defending their ideas with courage, because the heroic deed carried out by this handful of men, led by the noble ideal of redeeming a continent, will always be the greatest proof of what will power, heroism and human greatness can do. It is their example that will enlighten the consciences and preside at the struggle of the Latin American people, because the heroic cry of Che will reach the receptive ear of the poor and the exploited, for whom he gave his life, and many arms will be outstretched to wield the weapons and to achieve their final liberation.

Che wrote his last lines on the 7th of October. The following day, at 13 hours, in a narrow ravine where he proposed waiting for nightfall in order to break the encirclement, a large enemy troop made contact with them.

The reduced number of men of which the detachment was composed on this date fought heroically until dusk—from individual positions located in the bed of the ravine and on the top edges—against the mass of soldiers who had surrounded and attacked them. Among those who fought in positions close to Che, there were no survivors. Since beside him were the doctor (El Médico) in the grave state of health mentioned earlier, and a Peruvian guerrilla, also in bad condition, everything seems to indicate that Che, until wounded, did his utmost to protect the withdrawal of these two comrades to a more secure place. The doctor was not killed during the same battle, but several days later at a not very distant point from the Quebrada del Yuro. The abruptness of the rocky, irregular terrain made visual contact among the guerrilla fighters very difficult and at times impossible. Those defending the position at the other entrance of the ravine several hundred meters from Che, among them Inti Peredo, held off the attack until dusk when they managed to get away from the enemy and leave for the previously agreed point of contact.

It has been established that Che continued fighting despite being wounded until the barrel of his M-2 rifle was destroyed by a shot, rendering it completely useless. The pistol he was carrying had no magazine. These incredible circumstances explain how he could have been captured alive. The wounds in his legs kept him from walking without help, but they were not fatal.

Moved to the town of Higueras, he lived approximately 24 hours more. He refused to exchange words with his captors and a drunken officer who tried to vex him received a slap across the face.

Gathered in La Paz, Barrientos, Ovando and other high military chiefs coldly made the decision to assassinate him. The details of the way they proceeded to carry out the treacherous agreement at the school in the town of Higueras are well-known. Major Miguel Ayoroa and Colonel Andrés Selnich, rangers trained by the Yankees, instructed Officer Mario Terán to proceed with the killing. When the latter, completely drunk, went into the place, Che, who had heard the shots which had just killed a Bolivian and a Peruvian guerrilla fighter, saw that the assassin vacillated, said firmly, "Shoot, don't be afraid!" The latter left, and again it was

21

necessary for his superiors, Ayoroa and Selnich, to repeat the order, which he then proceeded to fulfill, firing with his machine gun from the waist down. The version had already gone around that Che had died several hours after combat, and therefore his executors had orders not to shoot at his chest or head so as not to induce fatal wounds. This cruelly prolonged Che's agony until a sergeant—also drunk —finally killed him with a pistol shot in his left side. Such a procedure is in brutal contrast to the respect that Che had, without a single exception, for the lives of numerous officials and soldiers of the Bolivian army whom he had taken prisoner.

The final hours of his existence in the power of his despised enemies must have been very bitter for him, but there was no man better prepared than Che to be put to such a test.

The way that the diary came into our hands cannot be divulged at the moment; it is enough to say that it required no monetary remuneration. It contains all the notes he wrote from the 7th of November, 1966, the day Che arrived at Ñanchuhuazu, until the 7th of October, 1967, the evening before the combat in the ravine in Yuro. There are only a few pages missing which are not in our hands but they correspond to dates on which nothing of any importance took place, and therefore do not alter the content of the diary in any way.

Although there was no doubt as to the authenticity of the document, all the photostatic copies were submitted to a rigorous examination not only for the purpose of proving the authenticity but also to check on any possible alteration, no matter how small. Furthermore, the dates were compared with the diary of one of the surviving guerrillas, coinciding both documents in all respects. The detailed testimony of the remaining guerrilla survivors who were witnesses to each and every one of the events also contributes to the proof of its authenticity. The result was reached with absolute certainty that all the photostats were true copies of Che's diary.

It was a fatiguing job to decipher the small and difficult handwriting, a task carried out with the laborious participation of his wife and comrade Aleida March de Guevara.

The diary will be published almost simultaneously in France, by the French editor Francois Masperó; in Italy, by

22

editor Feltrinelli; in the German Federal Republic, Trikont Verlag; in the U.S.A., Ramparts Magazine; in France in the Spanish edition, Ediciones Ruedo Ibérico; in Chile, Revista Punto Final; and in other countries.

¡Hasta la Victoria Siempre!

FIDEL CASTRO

RELATION OF PSEUDONYMS
THAT APPEAR IN THE DIARY

Pachungo: *Pacho*
Tumaini: *Tuma*
Bigotes: *El Loro — Jorge*
Estanislao: *El Negro — Mario — Monje**
Papi: *Ricardo — Chinchu*
Antonio: *Olo*
Joaquin: *Vilo*
Apolinar: *Polo*
Moro: *Morogoro — Muganga — El Médico*
Félix: *El Rubio*
Renán: *Iván*
Pan Divino: *Pedro*
Mauricio: *El Pelao — Carlos*
Chapaco: *Luis*

* *This should not be confused with the guerrilla of Joaquin's group whose pseudonym is also "Negro."*

EXPLANATORY NOTE

The pages missing in this diary are the following: January 4, 5, 8 and 9. February 8 and 9. March 14, April 4 and 5. June 9 and 10. July 4 and 5.

NOVIEMBRE, 1966

[7]

A NEW STAGE BEGINS TODAY. We arrived at the farm by night. The trip was quite good. After having entered, by way of Cochabamba, Pachungo and I, adequately disguised, made the necessary contacts and traveled in two jeeps for two days.

On nearing the farm we stopped, and only one of the vehicles approached so as not to arouse the suspicions of a nearby landowner who has been spreading the rumor that our enterprise might be dealing in the manufacture of cocaine. Strange as it may sound, the ineffable Tumaini is pointed out to be the chemist of the group. On approaching the farm during the second trip, Bigotes, who had just learned of my identity, almost ran off a cliff, leaving one jeep stranded on the border of the precipice. We walked approximately 20 kilometers and arrived somewhat past midnight at the farm where there are three party workers.

Bigotes made it clear that he is willing to collaborate with us, whatever the party might do, but he is loyal to Monje, whom he respects and seems to care for. According to him Rodolfo is also willing, and Coco as well, but adds that it is necessary to try to convince the party to fight. I asked him to help us and requested that he not inform the party until Monje, who is traveling to Bulgaria, has arrived. He agreed to both.

[8]

WE SPENT THE DAY in the heavily wooded area by the creek, scarcely 100 meters from the house. We were attacked by some kind of tree ducks, which don't peck but are very bothersome. We have come across the following species here: sheep and cattle ticks, tree ducks, gnats, marigui and mosquitos. Bigote pulled his jeep out with the help of Argañaraz and promised to buy some pigs and chickens from him. I intended to write a report of the incidents,

but left it for next week when the second group is supposed to arrive.

[9]

AN UNEVENTFUL DAY. We made an exploration following the course of the River Ñacahuasu (really a creek) with Tumaini, but we did not reach the source. It runs through steep inclines and apparently the region is seldom frequented. With adequate discipline one could stay there for a long time. A heavy rain forced us out of the thicket and into the house. I picked six sheep or cattle ticks from my body.

[10]

PACHUNGO AND POMBO went out to explore with one of the Bolivian comrades, Serafin. They went somewhat farther than we and they reached the fork of the creek (and a stream) that seems to be good. On returning they stayed in the house loafing and were seen by Algarañaz' driver, who had brought back the men with some purchases they had made. I reprimanded them severely and we decided to move to the woods the following morning where we shall make camp permanently. Tumaini let himself be seen because he is considered to be just another employee of the farm. This will not do; it is necessary to find out whether they will permit us to bring more men, at least our own. I shall feel more at ease with them.

[11]

AN UNEVENTFUL DAY was spent in the new camp on the other side of the house, where we slept.

The infernal insects force one to seek cover in the hammock under mosquito netting (which only I have).

Tumaini went to visit Argañaraz from whom he bought some things like chickens and turkeys. It looks as though there are no great suspicions on his part yet.

[12]

ANOTHER UNEVENTFUL DAY. We made a brief exploration to prepare the ground that will be used for camp when the six of the second group arrive. The zone that was selected is on a mound and is located approximately 100 meters from the beginning of the tomb, and there is a hollow nearby where several caves can be dug for stowing food and other objects. By this time the first of the three groups of two, into which the band has been divided, should be on their way here. By the end of the coming week they should have arrived at the farm. My hair is growing, although very sparsely, and the grey hair is turning blond and is beginning to fall; my beard is growing. In a couple of months I shall be myself again.

[13]

SUNDAY. Some hunters, farm hands of Argañaraz, went by our lodging. They are men of the woods, young and single, and filled with intense hatred for their boss; ideal for recruiting. They informed us that there are houses eight leagues up the river and that there are some ravines with water. There is no other news.

[14]

A WEEK IN THE CAMP. Pachungo looks somewhat unadapted and sad, but he must get over it. Today we began work on a tunnel into which everything that could be compromising will be placed; it will be protected against humidity as well as possible and camouflaged with a log grating. The one-and-a-half meter deep well is already finished and work on the tunnel is well under way.

[15]

WORK ON THE TUNNEL GOES ON, Pombo and Pachungo in the morning, and Tumaini and I in the afternoon. At 6, when we stopped, it was already two meters deep. We in-

tend to finish it tomorrow and to place everything compromising into it. During the night, the rain forced me to flee from my hammock, which gets wet because the nylon cover is too small. There was nothing else new.

[16]

THE TUNNEL WAS FINISHED and the entrance well-hidden; only the path has to be camouflaged; we shall move the things to our little house and store them tomorrow, sealing the entrance with a grating of sticks and clay. The sketch of this tunnel, marked No. 1, can be found in document I. The rest is the same as usual. We can expect news from La Paz, anytime after tomorrow.

[17]

THE TUNNEL IS FILLED with all the articles, including some canned food, that could compromise those in the house, and it has been camouflaged quite well.

There was nothing new from La Paz. The boys in the house talked with Argañaraz, from whom they bought some things, and he insists on participating in the cocaine business.

[18]

NO NEWS FROM LA PAZ. Pachungo and Pombo explored the creek again but are not convinced that it is an appropriate place for camp. We will explore it again with Tumaini on Monday. Argañaraz came and stayed quite a while repairing the road and taking stones from the river. The way it looks, he is not suspicious of our presence here. Everything occurs monotonously: the mosquitos and the sheep and cattle ticks are beginning to cause bothersome sores on the infected bites. It is quite cold in the early hours of the morning.

[19]

No news from La Paz. Nothing new here: we spent the day in hiding because it is Saturday, a day when the hunters are about.

[20]

At noon, Marcos and Rolando arrived. Now there are six of us. Right away, we started to go over the details of the trip. They came later than expected as they had not been notified until last week. They are the ones who traveled the fastest, by way of San Pablo. The arrival of the other four is not to be expected until next week.

Rodolfo came with them and made a good impression on me. Apparently he is more decided to break with everything than Bigote is. Papi violated instructions by informing him of my presence here and so did Coco; it looks like a case of jealousy concerning authority. I wrote to Manila and made some recommendations (documents I and II), and also wrote to Papi answering his questions. Rodolfo came back early in the morning.

[21]

The first day of the enlarged group. It rained hard and the moving to our new location gave us a good soaking. We are already settled. The tent turned out to be a canvas truck cover which becomes wet through and through, but it protects us to some extent. We have hammocks with nylon covers. Some more arms have come; Marcos has a Garand, Rolando will be given an M-1 from the stock. Jorge stayed with us, but in the house; there he will direct the work to be done in order to improve the farm. I requested that Rodolfo send us a reliable agronomist. We shall try to make this last as long as possible.

[22]

Tuma, Jorge and I made an expedition along the Ñaca-huasu River to inspect the newly discovered creek. The

river could not be recognized due to yesterday's rain and made it difficult reaching the desired spot. This is a small stream of water with a well-closed outlet; it could be utilized for a permanent camp if it were prepared adequately. We returned at a little after 9 in the evening. Nothing new here.

[23]

WE INAUGURATED THE OBSERVATORY which overlooks the small house at the farm so as to be forewarned in case of inspection or troublesome visitors. While two go out on exploratory missions, the rest have to do three-hour guard duty. Pombo and Marcos explored the *firme* of our camp as far as the creek, which is still swollen.

[24]

PACHO AND ROLANDO went out to explore the creek; they should be back tomorrow. Last night, two of Argarañaz' farm hands "came strolling by" and paid an "unexpected visit" on us. There was nothing strange; however Antonio, who was on an expedition and Tuma, who officially lives in the house, were absent. Pretext: hunting.

Aliucha's birthday.

[25]

IT WAS REPORTED from the observatory that a jeep had arrived with a crew of two or three men. They turned out to be from the malaria prevention service and left as soon as they had taken blood samples. Pacho and Rolando arrived very late at night. They had found the creek on the map and explored it, following the main course until they found abandoned camps.

[26]

BEING SATURDAY, all of us remained quartered. I asked Jorge to make an exploration of the river bed on horseback

to see how far it reaches; the horse was not here and so he went on foot to request one from Don Remberto (20 to 25 kilometers). By nightfall he had not returned. No news from La Paz.

[27]

JORGE HAS NOT APPEARED YET. I issued an order to keep watch all night long, but at 9 the first jeep from La Paz arrived. Joaquin and Urbano came with Coco, and they also brought a Bolivian, a medical student called Ernesto, who has come to stay. Coco went back and brought Ricardo, Braulio, Miguel and another Bolivian, called Inti, who is also going to stay. Now there are 12 rebels in all, plus Jorge who acts as owner; Coco and Rodolfo will be in charge of contacts. Ricardo brought disturbing news: El Chino is in Bolivia and wants to see me and send 20 men. This will bring problems, because we will be internationalizing the struggle, without having taken Estanislao into consideration. We agreed that he be sent to Santa Cruz and that Coco would pick him up there and bring him back here. Coco left in one jeep early in the morning and Ricardo followed in the other in order to continue on to La Paz. Coco should pass by Remberto's to find out about Jorge. In a previous conversation with Inti, he said that he does not think Estanislao will join the uprising, but that he seems to have decided to cut ties.

[28]

IN THE MORNING, neither had Jorge appeared, nor had Coco returned. They came later on; nothing had happened; they had just stayed on at Remberto's. Slightly irresponsible.

I called the Bolivian group together that afternoon and brought up the question of the offer to send 20 Peruvians; they all agreed to having them sent, but not until we had begun operations.

31

[29]

WE WENT OUT to study the possibilities of the river and to explore the creek that will eventually be our new campsite. The group consisted of Tumaini, Urbano, Inti and myself. The creek was very safe but depressingly obscure. We shall try to find the other one which is located an hour away. Tumaini fell and apparently fractured his ankle. We arrived at the camp at night, after having measured the river. No change here; Coco went to Santa Cruz to wait for Chino.

[30]

MARCOS, PACHO, MIGUEL AND POMBO went on a mission with instructions to explore a more distant creek; they should be away for two days. It rained hard. In the house no changes.

MONTHLY ANALYSIS: *Everything has turned out quite well. I arrived without difficulty, and so did half of the men, although they were somewhat delayed; Ricardo's main collaborators will fight against all odds. The panorama looks good in this isolated region where everything indicates that we shall be able to stay here practically as long as we deem necessary.*

The plans are: to wait for the rest of the men, to increase the number of Bolivians to at least 20 and to begin operations. We still have to find out what Monje's reaction will be and how Guevara's people are behaving.

DICIEMBRE, 1966

[1]

THE DAY PASSED UNEVENTFULLY. At night, Marcos and his comrades arrived, having made a longer run than had been ordered, cutting through the hills. At 2 in the morning I was informed that Coco and another comrade had arrived. I put this off until tomorrow.

CHINO, in a very effusive state, arrived early. We spent the day chatting. The point of the matter is that he will go to Cuba and report the situation personally. Within two months, five Peruvians will be able to join us, that is, once operations have begun; for the time being, two will come, a radio technician and a physician, who will stay with us for some time. He asked for arms and I offered to give him a BZ, some mausers and grenades and to buy an M-1 for them. I also decided to help them send five Peruvians to establish a liaison in order to pass arms from the other side of Titicaca to a region near Puno. He told me of his troubles in Peru including a daring plan to free Calixto, which seems a little fantastic to me. He believes that some of the survivors of the guerrilla are operating in that area but is not absolutely certain of it because they could not reach the zone. The rest of the time was spent exchanging anecdotes. He took leave with the same enthusiasm, departing for La Paz and carrying our photos with him. Coco has instructions to prepare contacts with Sanchez (whom he shall see later) and to get in contact with the chief of information of the presidency, who has offered to help us because he is Inti's brother-in-law. The network is still very primitive.

[3]

NOTHING NEW. There are no exploratory expeditions because it is Saturday. The three farm hands left for Lagunillas to run some errands.

[4]

NOTHING NEW. Everybody is quiet because it is Sunday. I am giving a short informal talk concerning the war and our attitude toward the Bolivians who will soon be here.

[5]

NOTHING NEW. We had intended to go out today, but it rained all day long. There was some alarm caused by several unannounced shots fired by Loro.

[6]

APOLINAR, INTI, URBANO, MIGUEL and myself went out to start the second cave near the first creek. Miguel has come to replace Tuma, who has not yet recovered from the fall. Apolinar has declared that he is joining the guerrilla, but wants to go to La Paz to settle some personal affairs. He was given permission to go but was recommended to wait a while. We reached the creek shortly before 11; the trail was camouflaged and an exploration was made in order to find a suitable place for the cave, but it is rocky everywhere, and the creek trickles through pure stone beds when it runs dry. We put the exploration off until tomorrow. Inti and Urbano went out to try their luck at hunting deer, for food is very scarce and it has to be stretched until Friday.

[7]

MIGUEL AND APOLINAR located an appropriate place and put themselves to the task of building the tunnel; the tools are inadequate. Inti and Urbano returned with empty hands, but at dusk Urbano brought back a turkey which he had shot with an M-1, but since we already had food we left it for tomorrow morning's breakfast. Today we have reached the end of our first month's stay here, but for reasons of convenience, I shall write the synthesis at the end of each month.

[8]

WE WENT UP TO THE *firme* crowning the creek, accompanied by Inti. Miguel and Urbano kept working on the well. In the evening, Apolinar replaced Miguel. Marcos, Pombo and Pacho arrived at dusk, but Pacho was far be-

hind and very tired. Marcos asked me to remove him from the vanguard if he did not improve. I marked the path to the cave, which can be found on sketch II. I left them the most important tasks to carry out during their stay. Miguel will remain with them and we shall return tomorrow.

[9]

WE RETURNED SLOWLY in the morning, arriving close to 12. Pacho received the order to stay when the group returned. We tried to make contact with camp 2, but could not. There was nothing else new.

[10]

THE DAY WENT BY without any new events, except for the first batch of homemade bread. I talked with Jorge and Inti about some urgent tasks. No news from La Paz.

[11]

THE DAY ELAPSED with nothing new, but at night Coco appeared with Papi. He brought Alejandro, Arturo and a Bolivian, Carlos. The other jeep remained behind on the road, the same as always. Later they brought the physician, Moro, Benigno and two Bolivians: both of them *cambas* from the farm in Caranavi. The night was spent making the customary commentaries about the trip and about the absence of Antonio and Felix, who should have arrived already. After discussion with Papi, it was decided that he still has to make two more trips in order to bring Renan and Tania.

The house and the warehouse will be disposed of and $1000 will be given as aid to Sanchez. He will keep the small truck and we shall sell a jeep to Tania and keep the other one. Another trip has to be made to bring arms, and I gave the order to carry everything in only one jeep, so as to avoid making the switch which can be more easily discov-

ered. Chino left for Cuba, apparently with great enthusiasm and expects to come back here when he returns. Coco stayed here in order to go and look for food in Camiri, and Papi has left for La Paz.

A dangerous incident occurred. A hunter, El Vallegrandino, discovered a footprint made by one of us, found a glove which Pombo lost, saw the tracks and apparently told someone. That changes our plans and we must be very careful. El Vallegrandino will go out with Antonio tomorrow to show him where he set his elk traps. Inti told me that he did not trust Carlos, the student, as he began a discussion concerning the participation of the Cubans as soon as he arrived, plus the fact that he had previously said that he would not fight if the party didn't. Rodolfo had sent him because he said that everything was due to a misinterpretation.

[12]

I SPOKE WITH the entire group, giving them a lecture on the realities of war. I emphasized the need for discipline and unity of command and warned the Bolivians of the responsibility that they had undertaken in violating party discipline in order to adopt another line. I made the following appointments: Joaquin, as second military chief; Rolando and Inti, as commissars; Alejandro, as chief of operations; Pombo, services; Inti, finances; Ñato, supplies and arms; and for the time being, Moro, medical services.

Rolando and Braulio had gone out to warn the group that they should wait there quietly until El Vallegrandino had made the exploration with Antonio or had set his traps. They returned at night; the trap is not very far away. They got him drunk that night and he left contentedly with an entire bottle of Singani in his belly. Coco returned from Caranavi where he had bought the necessary food, but he had been seen by several people in Lagunillas, who were surprised by the quantity of it.

Marcos arrived with Pombo later, the former with a wound on his superciliary arch, which had happened while he was cutting a stick. Two stitches were taken.

[13]

Joaquin, Carlos and the doctor went out to join Rolando and Braulio. Pombo accompanied them but under orders to return today. I gave the order to cover the trail and to make another, starting from the same place but coming out at the edge of the river. It was carried out with such success that Pombo, Miguel and Pacho got lost on returning and continued along it.

Apolinar will go to his house in Viacha for a few days; he was given money for his family and was spoken to, recommending absolute secrecy. Coco took leave at dusk, but the alarm was given at 3, because noises and whistling were heard and a dog barked; it turned out to be Coco himself, lost in the woods.

[14]

An uneventful day. Vallegrandino went by the house to inspect the trap, because he had set it yesterday, contrary to what he had said before. The path in the woods was pointed out to Antonio so that he could take Vallegrandino along it, in order to avoid suspicion.

[15]

Nothing new. Measures were taken to leave (eight men) and become permanently installed in camp 2.

[16]

In the morning, Pombo, Urbano, Tuma, Alejandro, Moro, Arturo, Inti and I, heavily laden down, left the camp to stay. The journey was made in three hours. Rolando stayed with us and Joaquin, Braulio, Carlos and the doctor returned. Carlos has proven to be a good walker and a good worker. Moro and Tuma discovered a cave in the river that had rather large fish and caught 17, which will provide a good meal; Moro injured his hand on a *bagre*. We looked for a place for the second cave, as the first one is already

finished, and then stopped our work until tomorrow. Moro and Inti tried to hunt for the elk by themselves, and went out to spend the night lying in wait.

[17]

MORO AND INTI only brought back one turkey. We—Tuma, Rolando and I—engaged ourselves in the making of the second cave which should be ready tomorrow. Arturo and Pombo explored a site to place the radio and then began work on the road to the entrance which is in rather bad shape. At night it began to rain and continued until daybreak.

[18]

THE RAIN CONTINUED throughout the day, but work was carried on in the cave; the required depth of 2.5 meters has almost been reached. We inspected a hill in order to install the radio plant. It looks rather good; we can not be certain until the tests have been made.

[19]

IT WAS RAINY AGAIN today, and the weather did not entice one to walk, but close to 11, Braulio and Ñato arrived with the news that the river was fordable although still deep. On the way out, we ran into Marcos and his vanguard who had come to stay. He will be in command and has received the order to send three or five men, according to the possibilities. We reached our destination in a little more than three hours. Ricardo and Coco arrived at midnight and brought Antonio and El Rubio with them (they were not able to get passage last Thursday); as well as Apolinar, who has finally come to join us. Besides, Ivan came to discuss a whole series of matters. I practically did not sleep all night.

[20]

VARIOUS POINTS were being discussed and all was in order when the group from camp 2, led by Alejandro, came in

with the news that there was a deer with a ribbon tied to its leg which had been shot and was lying on the road near the camp. Joaquin had gone by the place an hour before and had not reported anything. We took it for granted that Vallegrandino had taken it up there and had thrown it down and ran away for some reason or another. A sentry was placed in the rear and two men were sent to detain the hunter if he came back. In a while the news came that the deer had been dead for a long time and was wormy. Later Joaquin returned and confirmed that he had seen him. Coco and Loro brought Vallegrandino so that he could see the animal, and he admitted that it was an animal wounded by him several days ago. This concluded the incident.

It was resolved to hasten the contacts with the man from Information whom Coco had neglected and to have Megía serve as the contact between Ivan and him. This one will maintain relations with Megía, Sanchez and Tania and the one from the party who has still to be selected. Perhaps, he could be from Villamontes, but it has not been determined yet. A telegram was received from Manila stating that Monje is on his way up from the south. They have established a system of contacts, but it does not satisfy me because it clearly shows that Monje is not trusted by his own comrades. They will send a message from La Paz at 1 in the morning, if they have already gone to meet Monje.

Ivan has the possibility of doing business, but the sloppy passport which he has prevents him from doing so; the next step is to improve the document, and he should write to Manila to have this taken care of quickly by his friends.

Tania will soon be here for further instructions; I shall probably send her to Buenos Aires.

It has definitely been decided that Coco, Ricardo and Ivan will leave Camiri by plane and leave the jeep here. When they return they should telephone Lagunillas to report that they are there; Jorge will go at night to inquire for news and will look for them if there is anything positive. Nothing could be received from La Paz at 1. They left for Camiri early in the morning.

[21]

LORO DID NOT LEAVE ME the maps made by the explorer so that I still do not know what type of road there is to Yaqui. We started out in the morning and the walk was carried out without any mishaps. We shall try to have everything here on the 24th, the day when the party is to be held. On the way, we passed Pacho, Miguel, Benigno and Camba who were going to bring the electric plant. At 5 in the evening, Pacho and Camba came back without the plant, which they had left well-hidden in the woods, because it was too heavy. Tomorrow, five men will leave here to bring it. The supply cave was finished; tomorrow we shall start on the one for the radio.

[22]

WE STARTED THE CAVE for the radioman, at the beginning with great success, in soft ground, but soon we came across a hard vein which did not allow us to advance.

They brought the electric plant which is rather heavy, but it has not been tried out due to the lack of gasoline. Loro sent word that he was not sending maps because the report was verbal and would come to deliver it tomorrow.

[23]

WE WENT OUT with Pombo and Alejandro to explore the *firme* on the left. We shall have to break trail, but it gives me the impression that it is easy to walk through. Joaquin came with two comrades, announcing that Loro could not come because the pig ran away and he had to go looking for it. There's nothing new about the journey made by El Lagunillero. In the evening, the pork arrived, good sized, but the drinks were missing. Loro is not even capable of getting these things; he seems to be very disorganized.

[24]

A DAY DEDICATED to Noche Buena. There were men who made two trips and arrived late, but we finally gathered

together and had a good time; some overdid it. Loro explained that the trip of El Lagunillero had not been fructiferous and the only thing positive was the note, which wasn't very precise.

[25]

BACK TO WORK. There were no trips to the starting camp. It has been christened C 24, which was proposed by the Bolivian doctor. Marcos, Benigno and Camba went out to cut their way through the *firme* on our right, coming back in the evening with the news that they had seen something that looked like a barren pampa two hours away; they will reach it tomorrow. Camba came back with fever. Miguel and Pacho opened some paths on the left in order to mislead and made a trail to approach the radio cave. Inti, Antonio, Tuma and I continued on the cave for the radio, which is very difficult because it is a slab of stone. The rearguard took charge of making their camp and of hunting for a position-observation point both ends of the approaching river; the site is very good.

[26]

INTI AND CARLOS went out to explore as far as the point called Yaqui on the map. The trip is calculated to last two days. Rolando, Alejandro and Pombo continued on the cave, which is very difficult. Pacho and I went out to inspect the paths made by Miguel; it is not worth continuing the one through the *firme*. The path that approaches the cave is quite good and difficult to find. Two vipers were killed plus the one yesterday; apparently there are many. Tuma, Arturo, Rubio and Antonio went out hunting and Braulio and Ñato stayed to keep watch in the other camp. They came with the news that Loro had overturned in the jeep and with the explanatory note announcing the arrival of Monje. Marcos, Miguel and Benigno went out to continue building the path of the *firme* but didn't come back during the entire night.

[27]

WE WENT OUT WITH TUMA to try and find Marcos. We were
walking toward the west for two-and-a-half hours until we
reached the source of a small stream descending from the
left side; there we followed the footprints down rather high
cliffs. I expected to reach the camp this way, but hours
elapsed and I did not arrive. After 5 in the afternoon we
reached Ñacahuasu, some five kilometers below camp 1,
and at 7, the camp. There we found out that Marcos had
spent the previous night there. I did not send anybody to
notify them, because I thought that Marcos had told them
of my probable route. We saw the wrecked jeep; Loro
had gone to Camiri to look for some spare parts. Accord-
ing to Ñato, he fell asleep at the wheel and overturned.

[28]

WHEN WE WERE LEAVING for the camp, Urbano and Anto-
nio arrived looking for me. Marco had gone with Miguel
to open a path to the camp through the *firme* and had
not arrived; Benigno and Pombo went out looking for me,
taking the very same path that we had. When I reached
the camp, Marcos and Miguel were there; they had slept
in the *firme* as they could not reach the camp; the former
complained about the way they had treated me. It seems
that the complaint was directed against Joaquin, Alejandro
and the doctor. Inti and Carlos had returned without having
found an inhabited house, only an abandoned one which
presumably is not the one marked on the map as Yaqui.

[29]

WE WENT TO THE BARREN HILL with Marcos, Miguel and
Alejandro in order to observe the situation. It seems to
be the beginning of the Pampa del Tigre; it is a chain of
mountains of uniform height and bare hills, located at some
1500 meters. The *firme* on the left must be rejected because
it takes the form of an arch towards Ñacahuasu. We came
down and reached the camp in an hour and 20 minutes.

Eight men were sent to look for supplies but did not bring the entire load. Rubio and the doctor replaced Braulio and Ñato. The former built another path before coming; this one starts with some stones in the river and leads to the other side by way of more stones, thereby leaving no traces. No work was done on the cave. Loro left for Camiri.

[30]

DESPITE THE RAIN that had fallen, which caused the river to rise, four men were sent to dispose of the things that were left in camp 1; it was left clean. There was no news from outside. Six men went to the cave and put away everything that was to be stored there. The oven could not be finished because the clay was s̶

[31]

AT 7:30 THE DOCTOR arrived with the news that Monje had arrived. I went with Inti, Tuma, Urbano and Arturo. The reception was cordial but tense. The question: Why are you here? was in the air. He was accompanied by "Pan Divino," the new recruit, and Tania, who came to receive instructions, and Ricardo, who is going to stay.

The conversation with Monje was initiated with generalities, but he soon brought up the fundamental questions, summarized into three basic conditions:

1) He would resign from the leadership of the party, but would succeed in obtaining at least its neutrality and would bring cadres for the struggle.

2) The political and military leadership of the struggle would correspond to him as long as the revolution had a Bolivian environment.

3) He would handle the relations with other South American parties, trying to bring them to a position of supporting the Liberation Movements (he gave Douglas Bravo as an example).

I answered that the first point was up to him as secretary of the party, although I considered his position erroneous. It was vacillating and expedient and served to protect the historical name of those who should be condemned because of their submissive position. Time will prove that I am right.

As to the third point, I had no objections to his attempting to do that but it was doomed to failure. Asking Codovila to support Douglas Bravo was the same as asking him to condone a revolt within the party. Time here will also be the judge.

As to the second point, I could not accept it in any way. I would be the military chief and would not accept ambiguities concerning this. Here the discussion turned into a stalemate and ended up in a vicious circle.

We agreed that he would think it over and talk to the Bolivian comrades. We went to the new camp, and there he talked with everyone and gave them the choice of staying or supporting the party. Everyone chose to stay and this surprised him.

At 12, we made a toast, pointing out the historical importance of the date. I answered, taking advantage of his words, and marked this as the new *Grito de Murillo* of the Continental Revolution, and said that our lives did not mean anything when faced with the deeds of the revolution.

MONTHLY ANALYSIS: *The team of Cubans has been completed successfully, the morale is good and there are only little problems. The Bolivians are fine, although they are few in number. Monje's attitude can hold back the development on one side but contribute on the other, by releasing me of political entanglements. The next steps, besides waiting for more Bolivians, consists in talking with Moises Guevara and the Argentinians, Mauricio and Jozamy (Massetti and the dissident party).*

ENERO, 1967

[1]

IN THE MORNING, without discussing it with me, Monje said that he was withdrawing and that he would present his resignation to the party leaders on the 8th of January. Acording to him his mission was finished. He left looking as though he were being led to the gallows. My impression is that when he found out from Coco of my decision not to give in on strategic matters, he took advantage of this point to force the rupture, as his arguments are inconsistent.

In the afternoon, I brought everyone together and explained Monje's attitude to them, announcing that we would unite with all those who wanted to make the revolution. And I foretold of difficult times and days of moral anguish for the Bolivians; we shall try to solve their problems by means of collective discussion or through political commissars.

I arranged Tania's trip to Argentina in order to interview Mauricio and Jozami, so as to arrange a meeting with them here. We decided on the duties that were to be carried out by Sanchez, and agreed on leaving Rodolfo, Loyola and Humberto in La Paz for the present, one of Loyola's sisters in Camiri and Calvimonte in Santa Cruz. Mito will travel around the zone of Sucre to see where he can settle. Loyola will be in charge of finances and 80,000 will be sent, out of which 20,000 are to be used for the truck that Calvimonte should buy. Sanchez will get in touch with Guevara for an interview. Coco will go to Santa Cruz to interview one of Carlos' brothers and put him in charge of receiving the three that are to come from Havana. I wrote the mesage to Fidel which is in document C ZO #2.

[2]

THE MORNING WAS SPENT writing the letter in code. The others (Sanchez, Coco, and Tania) left in the afternoon,

when Fidel's speech was over. He referred to us in such a way that we are even more obligated, if that's possible.

The only work done in the camp was on the cave; the rest went out to look for the things from the other camp. Marcos, Miguel and Benigno went out to explore the north; Inti and Carlos explored the Ñacahuasu until they ran into people; Joaquin and El Medico should explore the Yaki River until they reach the mouth or run into people. They all have five days at the most.

After leaving Monje, the men arrived at the camp with the news that El Loro had not yet returned.

[3]

WE WORKED ON THE ROOFING of the cave, without achieving it; we must finish it tomorrow. Only two men went to pick up the load and they brought back the news that everyone had left last night. The rest of the comrades dedicated their time to the task of roofing the kitchen; now it's ready.

[6]

MARCOS, JOAQUIN, ALEJANDRO and I went to the barren *firme* in the morning. There I made the following decision: Marcos, together with El Camba and Pacho, will try to reach the Ñacahuasu on the right, trying to avoid being seen; Miguel, with Braulio and Aniceto, will search for a passage through the *firme* in order to make the main trail; Joaquin, with Benigno and Inti, will look for the pass to Rio Frias which, according to the map, runs parallel to the Ñacahuasu, on the other side of the *firme,* which must be the Tiger Pampa.

In the afternoon, El Loro arrived with two mules which he had bought for 2000 pesos; a good buy; the animals are docile and strong. An order was given to look for Braulio and Pacho so that he could leave tomorrow; Carlos and El Medico will take over for them.

After class, I held forth on the topic of the necessary qualities of the guerrilla fighter and the need for more

discipline, and explained that our mission, above all, was to form a nucleus of steel to serve as example, and in this way explained why it is so necessary to study, an imperative need for the future. After that, I brought together the heads of the groups: Joaquin, Marcos, Alejandro, Inti, Rolando, Pombo, El Medico, El Ñato and Ricardo. I explained why Joaquin had been chosen as second in command, which was due to some mistakes on Marcos' part which were constantly being repeated; I criticized the attitude taken by Joaquin due to the incident with Miguel on New Year's Day and followed up by explaining some of the tasks which must be carried out in order to improve our organization. At the end, Ricardo told me of something which took place between him and Ivan, in front of Tania, in which they cursed each other, and Ricardo ordered Ivan to leave the jeep. These disagreeable incidents among the comrades are spoiling our work.

[7]

THE EXPLORERS LEFT. The *gondola* was made up of only Alejandro and El Ñato; the rest were doing camp duties; the electric plant and all of Arturo's things were moved; an additional little roof was made for the cave and the well was repaired. Also, a little bridge was made over the creek.

[10]

A CHANGE WAS MADE in the permanent watch at the old camp; Rubio and Apolinar replaced Carlos and El Medico. The river remained swollen, even though it was going down. El Loro went to Santa Cruz and hasn't returned.

El Medico (Moro), Tuma and I, climbed the Pampa del Tigre with Antonio, who was to stay in charge of the camp. There I explained to Antonio what his duties were to be in relation to the exploration of a creek that might be situated west of our camp. From there, we searched for a connection with Marcos' old trail, which was rather easy to find. Six of the explorers arrived at dawn: Miguel,

with Braulio and Aniceto, and Joaquin, with Benigno and Inti. Miguel and Braulio reached a river exit which cut through the *firme* and fell into another which seems to be the Ñacahuasu. Joaquin went down the river, which must be El Frias, and followed it a little way. This must be the same one that the other group followed, which means that our maps are not so bad, as both rivers are separated by a wooded area and flow into El Grande by way of separate outlets. Marcos still hasn't returned.

A radio message was received from Havana, saying that El Chino and El Medico will depart on the 12th, and the radio technician and Rea on the 14th. No mention is made of our other two comrades.

[11]

ANTONIO LEFT to explore the adjacent creek with Carlos and Arturo; he returned at night and the only solid news which he brought was that the stream ended in the Ñacahuasu, in front of the grazing area where we hunt.

Alejandro and Pombo, who were making maps in Arturo's cave, came with the news that my books were wet; some were ruined and the radio equipment was wet and rusted. Adding this to the fact that the two radios are broken shows a sad view of Arturo's aptitudes.

Marcos arrived at night. The Ñacahuasu River didn't turn up where it was expected to and it didn't even reach the fork of the river which was presumed to be the Frias River. We began studying *quechua* with Aniceto and Pedro as our teachers.

Day of *boro;* fly larvae were removed from Marcos, Carlos, Pombo, Antonio, Moro and Joaquin.

[12]

THE GONDOLA WAS SENT to bring what was left. El Loro still hasn't returned. We practiced climbing the hills of our creek but this meant two or three hours for the sides and only seven minutes in the center; this is where we shall have to carry out the defense. Joaquin told me that Marcos was

hurt because of the reference that was made to his errors in the meeting the other day. I have to speak to him.

[13]

I SPOKE TO MARCOS; he complained because the criticism took place in front of the Bolivians. His argument was senseless. Except for his emotional state, worth considering; all the rest was unimportant.

Some despicable phrases which Alejandro had used against him were mentioned. This was cleared up and it appears as though there were no bad intentions, nothing except a little gossip. Marcos calmed down a little.

Inti and Moro went hunting, but brought nothing back.

Groups went out to make caves in a place that could be reached by mules, but nothing could be done along this line, and it was decided to make a hut close to the ground. Alejandro and Pombo studied the defense of the entrance and marked off trenches: they will continue tomorrow. Rubio and Apolinar returned and Braulio and Pacho went to the old camp. No news from Loro.

[14]

MARCOS, WITH HIS VANGUARD, except for Benigno, went downstream to make the shelter. They should have returned at night, but came back at noon because of the rain, without having finished the hut.

Joaquín led the group which began work on the trenches. Moro, Inti, Urbano and I departed to make a path which would border our position across the *firme* on the right of the creek, but it did not turn out well and it was necessary to scale rather dangerous cliffs. It began to rain at midday and all activities were stopped. No news of Loro.

[15]

I STAYED IN THE CAMP, writing instructions for the cadres in the city. Because it was Sunday, we worked only half

a day: Marcos with the vanguard on the hut, the rear-guard and the center on the trenches. Ricardo, Urbano and Antonio tried to improve on the path opened yesterday, but without success because there was a steep cliff between the hill that leads to the river and the *firme*.

No trips were taken to the old encampment.

[16]

WORK WAS CONTINUED on the trenches, which still have not been finished. Marcos has almost completed his task, constructing quite a good little house. El Medico and Carlos replaced Braulio and Pedro, who arrived with the news that Loro had returned and was coming with the mules, but he did not appear, in spite of the fact that Aniceto went to meet him. Alejandro has symptoms of malaria.

[17]

A DAY OF LITTLE MOBILITY; the first line trenches and the hut are finished.

El Loro came to make the report of his trip. When I asked him why he had gone, he answered that he thought that his trip was taken for granted, and confessed that he had gone to visit a woman that he had there. He brought the harness for the mule but could not manage to make him walk in the river.

There is no news of Coco; by this time it is alarming.

[18]

THE DAY DAWNED CLOUDY, so I did not inspect the trenches. Urbano, Ñato, the doctor (Moro), Inti, Aniceto and Braulio left on the *gondola*. Alejandro did not work because he was feeling ill.

A short time later, it began to pour. Loro arrived under the downpour to inform me that Argañaraz had spoken to Antonio, implying that he knew many things and offering to collaborate in cocaine or in whatever we were doing, meaning by "whatever we are doing" that he suspected

that there was something else. I gave instructions to Loro to commit him but to offer little, only the payment for the trips which he made in his jeep, and to threaten him with death if he betrays us. Due to the heavy rain, Loro left immeditely to avoid being cut off by the river.

The *gondola* did not arrive at 8 and permission was given to eat the food of the *gondoleros,* which was devoured. Braulio and Ñato arrived a few minutes later, informing us that the swelling waters had surprised them on the way; all of them tried to follow, but Inti had fallen into the water, had lost his rifle and was injured. The rest decided to spend the night there and these two arrived with difficulty.

[19]

THE DAY BEGAN as usual, working on defense measures and improving the camp. Miguel fell ill with a high fever that has all the characteristics of malaria. I had chills all day, but the illness did not overtake me.

The four stragglers arrived at 8 in the morning and brought a good supply of *choclos*. They had spent the night huddled around the fire. They waited for the river to go down in order to recover the rifle.

About 4 in the afternoon, when Rubio and Pedro had left to take over for the others on watch in the other camp, Lieutenant Fernandez and four civilian-dressed policemen arrived in a rented jeep, looking for the cocaine factory. They only looked over the house and observed some strange things, such as the calcium carbide bought for our lamps, which had not been taken to the cave. They took the pistol from Loro, but left the mauser and the .22; they "pretended" to take the .22 from Argañaraz, which they showed to Loro, and withdrew with the warning that they knew everything and had better take them into account. Lt. Fernandez told Loro that he could reclaim the pistol in Camiri, saying "just come and talk to me, without calling much attention." He asked for the "Brazilian."

Loro was given instructions to threaten El Vallegrandino and Argañaraz, who must be responsible for the espionage

51

and informing, and to go to Camiri on the pretext of hunting for the pistol in order to get in contact with Coco (I doubt that he's still free). We must stay in the woods as much as possible.

[20]

I INSPECTED THE POSITIONS and gave orders for carrying out the defense plan which was explained last night. It's based on the rapid defense of a zone bordering the river, which depends on a counterattack from the men of the vanguard stationed parallel to the river, which flows into an outlet at rearguard.

We intended to have practice drills, but the situation is becoming dangerous in the old camp; a *gringo* arrived at the farmhouse firing bursts with his M-2; he is "a friend" of Argañaraz and has come to spend a few days of vacation at his house. Exploring parties are being sent out, and we shall move the camp to a spot closer to Argañaraz' house. If things go wrong, we shall get even with him before we leave the zone.

Miguel's temperature continues to be high.

[21]

THE SHAM BATTLE was carried out, which failed at certain points but was good in general. It is necessary to insist on the withdrawal, which was the weakest point of the drill. The commissions departed: one, with Braulio to open a trail parallel to the east, and another with Rolando to do the same in the west. Pacho went to the barren hill to try out the radio equipment, and Marcos departed with Aniceto to try to find a way in which to keep an adequate watch on Argañaraz. All, except Marcos, should have returned before 2. Both the audio check and the pathmaking turned out well.

Marcos returned early, as the rain prevented all possible visibility. Pedro arrived in the rain, bringing Coco with him, together with three new recruits: Benjamin, Eusebio and Walter. The first comes from Cuba and goes

to the vanguard, as he has knowledge of weapons, and the other two to the rearguard. Mario Monje spoke to three who came from Cuba and persuaded them not to enter the guerrilla. Not only did he not resign from the Party Committee but he also sent the enclosed document to Fidel (document IV). I received a note from Tania in which she told of her departure and Ivan's illness, and another from him, which is enclosed (document V).

I brought the entire group together at night, and read the document, pointing out the inaccuracy of points a) and b) contained in the proposals, and then I let off a little additional steam. They seem to have reacted adequately. Two of the three new ones seem to have firm convictions and are sure of what they are doing. The youngest is an Aymaran peasant, who looks strong and healthy.

[22]

A 13-MEN *gondola* WAS SENT OUT, and Braulio and Walter went with them to replace Pedro and El Rubio. They returned in the afternoon without all the supplies. On returning, El Rubio suffered a tremendous fall but was not seriously hurt.

I wrote a document to Fidel, No. 3, in order to explain the situation and to try out the mailing contact. It should be sent to La Paz with Guevara if he appears for the appointment in Camiri on the 25th.

I wrote the instructions for the urban cadres, the Document III. Due to the *gondola*, there wasn't much activity in the camp. Miguel is better, but now Carlos has a high temperature. The tuberculine test was made today. Two turkeys were shot down while hunting, and an animal fell into the trap, but he was able to escape because the trap cut off his paw.

[23]

TASKS IN THE CAMP and some explorations were divided up: Inti, Rolando and Arturo were sent to search for an eventual hiding place that could be used by the doctor

53

for the wounded. Marcos, Urbano and I went to explore the hills facing us, hunting for the spot from which Argañaraz' house can be seen. It was well done.

Carlos is still feverish; typical malaria.

[24]

THE *gondola* LEFT WITH seven men, returning early with the entire load and also some corn; this time it was Joaquin who took the tumble, losing his Garand, but recovering it late. El Loro is back and hidden; Coco and Antonio are still out and should be here tomorrow or the day after with Guevara.

One of the roads was improved to be used to surround the guards in case of an eventual defense of these positions. An explanation was given of the other day's practice, correcting some errors.

[25]

WE WENT OUT WITH MARCOS to explore the road that would lead to the rearguard of the attackers; it took almost an hour to reach there, but the place was very good.

Aniceto and Benjamin went to try out the transmitter from the hill that overlooks Argañaraz' house, but they got lost and so no test was made; the practice must be repeated. Work has begun on another cave for personal belongings. El Loro arrived and has been incorporated in the vanguard. Loro spoke to Argañaraz and told him what I thought. He admitted having sent the *vallegrandino* to spy, but denied being the author of the denunciation. Coco scared the latter away from the house, because he had been sent by Argañaraz to spy. A message was received from Manila, reporting that everything had been received in good order and that Kolle was on his way to the place where Simon Reyes is waiting for him. Fidel warns that he will listen and be hard on them.

JUST AS WE WERE BEGINNING WORK on the new cave, news came that Guevara had arrived with Loyola: we left for the little house in the intermediate camp and they reached there at 12.

I put forth my conditions to Guevara: group dissolution, no ranks for anybody, no political organization yet and the necessity to avoid polemics about national and international discrepancies. He accepted everything with frank sincerity and, after a cool beginning, relations with the Bolivians became cordial.

Loyola made a good impression on me. She is very young and gentle, but a faultless determination can be noted. She is on the point of being expelled from the Youth Movement, but they are trying to make her resign. I gave instructions and documents to the cadres, and replaced the money spent, which adds up to 70,000 pesos. We are becoming short of money.

Dr. Pareja was named chief of the network, and Rodolfo will come to join us within 15 days.

I sent a letter with instructions to Ivan (document VI).

I gave instructions to Coco to sell the jeep but to assure communications with the farm.

At nightfall, we parted, at approximately 7 o'clock. They will leave tomorrow night and Guevara will come with the first group of four on the 14th of February. He said he could not come before that, due to communications and to the dropping out of the men because of the carnival.

More powerful radios will come for transmitting.

A STRONG *gondola* was sent which brought almost everything. Coco and the messengers should leave tonight; they will remain in Camiri, and Coco will go on to Santa Cruz to arrange for the sale of the jeep, making preparations for after the 15th.

The work on the cave continues. A *tatu* was caught in the trap. The preparation of supplies for the trip is being

finished. In principle, we should leave when Coco comes back.

[28]

THE *gondola* CLEARED out the old encampment. Information was brought saying that *El Vallegrandino* was surprised while circling the cornfield, but he escaped.

Everything indicates that the moment of making a decision as to what to do about the farm is close.

Supplies for the ten-day march are now ready and the date has been set: one or two days after Coco's arrival, or on the 2nd of February.

[29]

A DAY OF IDLENESS for everyone except the cooks, hunters and sentry. Coco arrived in the afternoon. He went to Camiri instead of Santa Cruz. He left Loyola to continue to La Paz by bus and Moises will go to Sucre by bus. Sunday was set as contact day.

The 1st of February was established as the day of departure.

[30]

THE *gondola* WAS MADE up of 12 men and transported the greatest part of the food. It will take five men to bring what's left.

The hunters did not bring back anything.

The cave to be used for personal belongings is finished; it is not very good.

[31]

THE LAST DAY IN THE CAMP. The *gondola* cleared the old campsite and withdrew the men on watch. Antonio, Ñato, Camba and Arturo stayed behind with the following instructions: get in touch at least every three days; as long as there are four, two will be armed; the watch must never

be neglected; the newcomers should be trained according to the general regulations, but they must not know any more than is absolutely necessary; the site must be freed of all personal effects, and the weapons will be hidden in the thicket and covered with a canvas; the money in reserve must remain in the camp at all times, to be kept on one of the men; the trails that have been opened are to be explored as well as the neighboring creeks. In case of an unexpected withdrawal, Antonio and Arturo will go to Arturo's cave; Ñato and Camba will withdraw by way of the creek and one will leave word at the place that is to be selected tomorrow. If there are more than four men, a group will keep watch on the supply cave.

I spoke to the troops, giving the latest instructions concerning the march. I also addressed Coco, giving him the latest instructions (document VII).

MONTHLY ANALYSIS: *As to be expected, Monje's attitude was evasive at first and later on treacherous.*

The party is now taking up arms against us and I do not know what it will lead to, but it will not test us, and it may in the long run prove beneficial (I am almost certain of this). The most honest and combative men are with us, although they have occasional struggles with their consciences.

Up until now, Guevara has responded well. We shall see how he and his men behave in the future.

Tania has departed but there have been no signs of life from the Argentinians nor from her. Now is when the actual guerrilla period begins; we shall test the troops and time will tell the results and what the perspectives of the Bolivian Revolution are.

Out of all that was foreseen, the incorporation of Bolivian combatants was what took the longest to accomplish.

FEBRERO, 1967

[1]

T HE FIRST STAGE has been completed. The men arrived somewhat tired, but in general they carried out their part well. Antonio and Ñato came up in order to agree on the watchword, hauling my knapsack and Moro's, who is still recovering from malaria.

An alarm system was set inside a bottle under a tree close to the path.

In the rearguard, Joaquin gave way under the weight and held the entire group back.

[2]

A SLOW AND LABORIOUS DAY. The doctor slows down the march a little, but in general the tempo is slow anyway. At 4 we reached the last place with water and camped. The Vanguard received the order to go as far as the river (presumably the Frias) but they were not making good time either. It rained at night.

[3]

THE DAY DAWNED RAINY and because of this we postponed our departure until 8. When we started to walk, Aniceto arrived with the rope to help us through the difficult passes, and shortly after, it started to rain again. We arrived at the creek at 10, soaking wet, and it was decided not to go on today. The creek can not be the Frias River; it is simply not on the map.

Tomorrow, the vanguard will go out with Pacho at the front, and we shall keep in touch every hour.

[4]

WE WALKED FROM MORNING until 4 in the afternoon, with a two hour break to eat soup at noon. The path followed

the Ñacahuasu, which is relatively good, but fatal for shoes, as there are already several comrades who are almost barefoot.

The troop is tired but everyone has responded quite well. I have been relieved of almost 15 pounds and can walk freely, but the pain in my shoulders becomes unbearable at times.

No traces have been found that people have recently been along the river, but we should come across inhabited zones at any moment according to the map.

[5]

UNEXPECTEDLY, after walking five hours in the morning (12-14 kilometers) we were told by the vanguard that they had found some animals (it turned out to be a mare and its small colt). We stopped and ordered an exploration so as to avoid this presumably populated place. The discussion was whether we were at the Iripiti or at the fork with the Saladillo marked on the map. Pacho came back with the news that there was a big river several times larger than the Ñacahuasu and that it could not be crossed. We went there and actually came upon the authentic Rio Grande, which was swollen besides. There were signs of life but somewhat old, and the roads followed led to grass-covered fields where there were no signs of life. We camped in a bad place, near the Ñacahuasu to take advantage of its water, and tomorrow we shall explore both sides of the river (east and west) to become acquainted with the different places, and the other group will attempt crossing it.

[6]

A DAY OF CALM and of replenishing strength. Joaquin went out with Walter and the doctor to explore the Rio Grande, following its course for eight kilometers but did not find a place to ford, finding only a creek with salt water. Marcos made little progress against the current and did not reach the Frias; Aniceto and Loro accompanied him. Alejandro, Inti and Pacho tried to swim across the river, but they did

not make it. We moved back almost a kilometer, looking for a better location. Pombo is rather sick.

Tomorrow we shall start work on the raft and make an attempt to cross it.

[7]

THE RAFT WAS MADE under the direction of Marcos; it was too big and was difficult to move. At 1:30 we began to move towards the river and began crossing at 2:30. The vanguard made it in two trips. Half of the center plus my clothes, except for the knapsack, went on the third; when crossing again to move the rest of the center, Rubio miscalculated and the raft was carried downstream and couldn't be recovered. It was destroyed and Joaquin started another one which was ready at 9 in the evening, but it was not necessary to cross at night because it did not rain and the river continued to go down. Tuma, Urbano, Inti, Alejandro and I were left from the center. Tuma and I slept on the ground.

[10]

ACTING AS INTI'S AIDE, I went to talk to the peasants. I believe that the comedy was not very effective due to the shyness on his part.

We talked to a typical peasant: capable of helping us but incapable of realizing the danger that this entails, and because of this, potentially dangerous. He indicated certain things about the peasants, but he could not be very precise due to the lack of certainty.

The doctor treated the children who had parasitic worms, and another who had been kicked by a mare, and then we departed. We spent the afternoon and night preparing *huminta* (it isn't good). At night, I made some observations to all of the comrades gathered together, about the following ten days. In essence, what I intend to do is walk ten more days towards Masicuri in order to have all the comrades see soldiers close up; later we shall try to return by way of the Frias River in order to leave another trail explored.

(The peasant is called Rojas.)

[11]

MY FATHER'S BIRTHDAY: (67). We followed a clearly marked trail along the shore of the river until it became almost impassable and disappeared at times, showing signs that nobody had passed through there in a long time. At noon, we reached a place next to a large river which was completely closed off. This suddenly made me doubt that it was the Masicuri. We halted by a creek while Marcos and Miguel went to explore up-river in order to find its outlet. That's how it was confirmed that this one is the Masicuri; its first ford seems to be farther downstream, where several peasants were seen from far off loading their horses. They have probably seen our tracks, so from now on it is necessary to be extremely cautious. We are one or two leagues from Arenales, according to what the peasant said.

$h = 760$ ms.

[12]

THE TWO KILOMETERS covered yesterday by the vanguard were walked rapidly, but after that the trailbreaking was done slowly. At 4 in the afternoon we reached the main road which seemed to be the one we were looking for. We decided to reject the house that stood facing us on the other side of the river and to look for another one on this side, which should be Montaño's, the one that was recommended by Rojas. Inti and Coco went up there but did not not find anyone, although everything indicated that this was it.

At 7:30 we went out on a night march which served to point out all that has yet to be learned. At approximately 10, Inti and Loro went to the house again but didn't bring back very good news: the man was drunk and not at all sociable; he had nothing but corn. He had gotten drunk at Caballero's house on the other side of the river, where the ford is. We decided to stay and sleep in a nearby woods. I was extremely tired because the *humintas* hadn't agreed with me, and therefore had not eaten anything all day.

[13]

AFTER MIDNIGHT, a heavy rain whipped down which lasted all morning, swelling the river. The news improved: Montaño is the owner's son, about 16 years old. The father was not there and wouldn't be back for another week. He gave us sufficient precise information as far as the lower part of the river, which is a league away. A stretch of road runs along the left shore, but it is small. Only the brother of Perez lives on this side; he is a middle-class peasant, and his daughter is the girlfriend of a member of the army. We moved to a new camp, next to the creek and the corn patch. Marcos and Miguel built a trail to the main road.
h=650 (stormy weather)

[14]

A DAY OF QUIET, spent in the same camp. The boy from the house came three times to warn us that some people had crossed over to the other side of the river looking for some pigs—but went no further. He was paid more for the destruction done to the corn patch. All day was spent opening trails without finding any houses. They figure that they have prepared about six kilometers, half of the task for tomorrow.

A long message from Havana was deciphered, the nucleus of which is the news of the interview with Kolle. In it, Kolle said that he had not been informed of the continental magnitude of the task, and this being the case, he would be willing to collaborate on a plan, the characteristics of which and Ramirez would be the ones to come. They also informed me that Simon had expressed that he has decided to help us, no matter what the party resolves to do.

They also said that El Frances, traveling with his own passport, will arrive in La Paz on the 23rd and will stay in Pareja's or Rhea's house. There is a part that cannot be deciphered so far.

We shall see how we face this new conciliatory offensive. Other news: Merci appeared without the money claiming robbery; misapplication of funds is suspected, although the

possibility of something more serious has not been discarded. Lechin is going to ask for money and training.

[15]

HILDITA'S BIRTHDAY (11).

A day of uneventful marching. At 10 in the morning we had come to the point that had been reached by the trail-breakers. Later everything went slowly. At 5 it was reported that a cultivated patch of land had been found, and at 6 it was confirmed. We sent Inti, Loro and Aniceto to talk to the peasant; he turned out to be Miguel Perez, the brother of a rich peasant, Nicolas, but he is poor and exploited by his brother, so that he is willing to collaborate with us. We did not eat because it was very late.

[16]

WE WALKED A FEW METERS so as to avoid arousing the curiosity of the brother and camped on a hill facing the river, which is 50 meters below. The position is good with respect to avoiding surprises, but a little uncomfortable. We began the task of preparing a large amount of food for the crossing, when we go over the Sierra towards Rosita.

In the afternoon a persistent downpour continued all night long without stopping, hampering our plans, causing the river to rise and leaving us isolated again. $1000 will be lent to the peasant to buy and fatten pigs; he has capitalistic ambitions.

[17]

THE RAIN CONTINUED all morning. Eighteen hours of rain. Everything is wet. The river is very swollen. I sent Marcos with Miguel and Braulio to hunt for a trail to get to Rosita. They returned in the afternoon after having opened a four kilometer trail. He reported that there was a barren *firme* similar to the one that we call the Pampa del Tigre.

Inti feels sick, the result of stuffing himself.
h=720 (abnormal atmospheric conditions).

[18]

JOSEFINA'S BIRTHDAY (33). A partial failure. We walked slowly, keeping up the same speed as the trailbreakers, but at 2 they had reached the *firme* plateau where cutting through the brush was not necessary. We were delayed a little longer, and at 3 we reached a watering place where we camped, expecting to cross the *firme* in the morning. Marcos and Tuma went on exploration and came back with very bad news; the whole hill has very steep cliffs which cannot be climbed down. There is nothing else to do but go back.
h=980

[19]

A LOST DAY. We came down the hill until we reached the creek and tried to climb up, but it was impossible. I sent Miguel and Aniceto to climb the new counterfort and they tried to cross over to the other side but were not successful. We spent the day waiting for them, and they returned, announcing that the cliffs were the same type, impassable. Tomorrow we shall try to climb the last *firme* past the creek which lies to the west (the others lie to the south and there the hill ends).
h=760

[20]

A DAY OF SLOW MARCHING but full of accidents; Miguel and Braulio went out by way of the old road in order to reach the stream by the corn field and lost their way there, returning to the creek at dusk. On reaching the next creek I sent Rolando and Pombo to explore until they reached the cliff, but they did not return until 3, so we followed the same trail that Marcos had been making, leaving Pedro and El Rubio to wait for them. We came to the creek by the patch of corn at 4:30, where we camped. The explorers did not return.
h=720

[21]

A SLOW WALK UPSTREAM. Pombo and Rolando returned with the news that the other creek was fordable, but Marcos said that this one was too. We left at 11, but at 13:30 we came across pools of very cold water which could not be forded. Loro was sent to explore, and he took so long that I sent Braulio and Joaquin from the rearguard. Loro came back with the news that the creek was wider further along and more practicable, whereupon we decided to go ahead without waiting for Joaquin's report. At 6, we had camped when he brought the news that it was possible to climb to the *firme* and that there were many paths that could be used.

Inti is sick, all gassed up; the second time this week.
h=860

[22]

THE WHOLE DAY WAS SPENT climbing rather difficult *firmes* which were covered with heavy underbrush. After an exhausting day, the hour for making camp overtook us before we reached the top, so I sent Joaquin and Pedro to try to do it alone and they returned at 7 with the news that at least three hours of brush cutting were necessary.

We are at the source of the creek that flows out into the Masicuri, but towards the south.
h=1180

[23]

A BLACK DAY FOR ME; I made it on guts alone as I was exhausted. Marcos, Braulio and Tuma went out to prepare the way while we waited for them in the camp. There we deciphered a new message saying that they had received mine through the French box. At 12, we went out under a sun so hot that it cracked stones; a short time later I felt faint when reaching the top of the highest hill and from this moment on I walked on will power alone. The maximum height of this zone is 1400 meters; a wide area can be ob-

served from it, including the Rio Grande, the outlet of Ña-
cahuasu and part of the Rosita. The topography is different
from that shown on the map. After a clear dividing line,
one comes down abruptly to a kind of tree-covered plateau
eight or ten kilometers wide, at the end of which the Rosita
flows; then another range of mountains rises to a height
similar to those of this sierra, and one can see the plains in
the distance. Even though it was very steep, we decided to
descend in a more practicable place, in order to follow a
stream that leads to the Rio Grande and from there to the
Rosita. It looks as though there are no houses on the shore,
contrary to what the map shows. We camped at 900 meters,
after an infernal walk, without water and getting dark.

Early in the morning yesterday, I heard Marcos telling
a comrade to go to hell, and saying the same to another
today. It is necessary to speak to him.

[24]

ERNESTICO'S BIRTHDAY (2).
A laborious and uninteresting day. Very little progress
was made, without water, as the stream which we were
following was dry. The trailbreakers were changed at 12
because they were exhausted; it rained a little at 2 in the
afternoon and the canteens were filled; a little later we
found a shallow pool, and at 5 we camped in a small level
place by the water. Marcos and Urbano continued the ex-
ploration and Marcos came back with the news that the
river was a couple of kilometers away, but the path by the
creek was very bad because it turned into a swamp.
h=680

[25]

A BLACK DAY. Very little progress was made, and to top it
off, Marcos mistook the route and lost the morning; he had
gone out with Miguel and Loro. At 12 he reported this
and asked to be relieved and to be able to communicate, so
Braulio, Tuma and Pacho went. Pacho returned two hours
later saying that Marcos had sent him because they could

not hear well anymore. At 4:30 I sent Benigno to warn Marcos that if he did not find the river by 6 he should return; after Benigno's departure, Pacho called me to tell me that Marcos had given him arbitrary orders and had threatened him with his machete and hit him across the face with the handle. When Pacho returned and told him that he would not continue, he threatened him again, shook him and tore his clothes.

Faced with the seriousness of the situation, I called Inti and Rolando, who confirmed the fact that a bad atmosphere existed in the vanguard due to Marcos' character, but they also informed me of some of Pacho's injudicious actions.

[26]

IN THE MORNING, I had an explanation from Marcos and Pacho, after which I was convinced that there had been insults and ill treatment on the part of Marcos and, perhaps, threats with the machete but not the blow. On the part of Pacho, there were insulting answers and an innate tendency to bravado, having displayed the same conduct heretofore. I waited until everybody was gathered together and then said what this effort to reach the Rosita meant, explaining that this type of privation was an introduction to what we would suffer, and I explained that the lack of discipline would produce shameful incidents like this one which had taken place between two Cubans; I criticized Marcos' attitude and I made it clear to Pacho that another incident like this would result in a dishonorable discharge from the guerrilla. Pacho not only refused to continue with the communication equipment but came back and did not tell me anything about the incident, and later, quite probably, he lied about Marcos' hitting him.

I asked the Bolivians to tell me and not to resort to devious methods if their convictions weaken, and they will be permitted to leave freely.

We continued walking, trying to reach the Rio Grande. It was reached and we were able to follow it for a little over a kilometer, but we had to climb again as it was impossible to bypass a cliff. Benjamin fell behind again, due to diffi-

culties with his knapsack and because of physical exhaustion. When he reached our side I gave him orders to continue and he did so, walking some 50 meters but then losing the up-going trail setting out to look for it on a ledge.

When I was instructing Urbano to warn him of this, Benjamin made a sharp movement and fell into the water. He did not know how to swim. The current was strong and dragged him along while he was trying to get on his feet; we ran to try to help him and, when we were taking off our clothes, he disappeared under a slow current. Rolando swam out there and tried to dive, but the current dragged him far off. After five minutes we gave up all hope. He was a weak boy, absolutely unfit, but with a will to win; the proof of this was stronger than he; his physique did not match his will, and now we have our baptism of death on the shores of the Rio Grande which occurred in an absurd manner. Without having reached the Rosita we camped at 5 in the evening. We ate our last ration of black beans.

[27]

AFTER ANOTHER TIRESOME DAY, marching along the shore and climbing cliffs, we came to the Rosita River. This one is bigger than the Ñacahuasu and smaller than the Masicuri and its waters are reddish. We ate our last ration that had been left in reserve, and no signs of life were found in spite of our nearness to the populated areas and the highways. h=600

[28]

A DAY OF SEMI-REST. After breakfast (tea), I gave a short talk, analyzing Benjamin's death and telling some anecdotes of the Sierra Maestra. Right after that the explorers went out; Miguel, Inti, and Loro went up the Rosita, with instructions to walk for three and a half hours, the time I believed necessary to reach the river Abaposito, but it turned out not to be so since there was no trail. They did not find any signs of recent life. Joaquin and Pedro climbed the hills in front, but they did not see anything nor did they find tracks, or

any signs of them. Alejandro and Rubio crossed the river but found no trail; the exploration was a superficial one. Marcos directed the construction of the raft, and just as soon as it was finished, the crossing was started in a bend of the river where the outlet of the Rosita is. The knapsacks of five men were taken across and Miguel's was crossed, but Benigno's wasn't, the exact opposite of what happened with respect to them and to top it all off, Benigno left his shoes behind.

The raft could not be recovered and the second one was not finished, so that we postponed the crossing until tomorrow.

MONTHLY SUMMARY: *Although I have no news about what happened in the camp, everything goes quite well, with due exceptions, fatal in this case.*

From the outside, there is no news of the two men that should be sent to me to complete the group; the Frenchman should be in La Paz already and in the camp any day now; I have no news from the Argentinians nor from Chino; the messages are received well in both directions; the attitude of the party continues to be vacillating and double, that is the least that can be said concerning it, although there is still another explanation which could be the final one, when I talk with the new delegation.

The march was carried out quite well but was tarnished by the accident which cost Benjamin's life; the people are still weak and not all of the Bolivians will endure. The past days of hunger show a lessening of enthusiasm, which becomes more evident when they are divided.

Of the Cubans, two of the ones with little experience, Pacho and Rubio, have not responded well, but Alejandro definitely has; of the old ones, Marcos continuously causes headaches and Ricardo is not carrying his load. The rest are doing well.

The next stage will be combative and decisive.

MARZO, 1967

[1]

I T BEGAN TO RAIN at 6 in the morning. We postponed the crossing until it was over, but it continued raining until 3 in the afternoon; by that time the river was rising and we didn't consider it wise to try crossing. Now the river is high, without any signs of going down quickly. I moved to an abandoned *tapera* to get away from the water and made a new camp there. Joaquin remained in the same place. I was informed in the evening that Polo had taken his can of milk and Eusebio the milk and sardines. In the meantime, as punishment, they won't be allowed to eat these when the rest do.

[2]

AT DAWN, it was raining and nerves were on edge, beginning with mine. The river had grown even more. We decided to leave the camp as soon as it stopped raining and continue moving parallel to the river along the same way that we had come. We left at 12 and got a good supply of *palmito de corojo*. We stopped at 4:30 since we had gotten off our main track, while trying to take advantage of an old trail which had been lost.

There is no news from the vanguard.

[3]

WE BEGAN WITH ENTHUSIASM, walking well, but the hours wore us down and it was necessary to cut straight through to the *firme* as I was afraid that an accident would occur in the zone where Benjamin fell. It took us four hours to cover the same areas that took less than half an hour when we were below. We reached the edge of the creek at 6. We had only two *palmitos*, Miguel and Urbano, and later Braulio went to look for some more farther away, arriving

at 9 at night. Around 12 we ate the *palmito* and the *corojo* (*totai* in Bolivia), which are saving the situation.
h=600

[4]

MIGUEL AND URBANO left in the morning and were break-ing trail all day, returning at 6 in the afternoon; they advanced five kilometers and saw an open space that would permit us to go farther, but there's no place for camping until we can lengthen the trail. The hunters managed to get two monkeys, a parrot and a dove, which were eaten along with the *palmito,* abundant in this creek.

The morale of the men is low and they are physically weaker day by day. My legs are showing signs of edema.

[5]

JOAQUIN AND BRAULIO went out to open a trail in the rain, but both are weak and didn't make much progress. Twelve *palmitos* were gathered and some little birds were shot, which permitted us to save the canned goods for another day and save a reserve of *palmito* for two days.

[6]

A DAY OF INTERMITTENT walking until 5 in the afternoon. Miguel, Urbano and Tuma are the trailbreakers. Some progress was made and some *firmes,* which seem to be those of the Ñacahuasu, can be seen in the distance. Only a little parrot was found today and was given to the rearguard. Today we ate *palmito* with meat. We only have three skimpy meals left.
h=600

[7]

FOUR MONTHS. The men are becoming more and more discouraged, seeing that we are reaching the end of our supplies, but not the end of the trail. Today we advanced four

or five kilometers along the edge of the river and at the end we found a promising path. Food: three and a half birds and the rest of the *palmito;* from tomorrow on, only canned goods, one for every three for two days; then the milk, which is the end. Ñacahuasu must be two or three days away.

h=610

[8]

A DAY OF LITTLE PROGRESS including surprises and tension. We left the camp at 10 in the morning without waiting for Rolando who was hunting. We walked only an hour and a half before we reached the trailbreakers and the hunters (Urbano, Miguel, Tuma—Medico and Chinchu, respectively) who had a pile of parrots, and had stopped because they found a watering place. After having ordered that camp be made, I went to see the place, which looked like an oil pumping station. Inti and Ricardo dived into the water; they had to feign being hunters. They jumped in completely dressed, planning to cross in two stages, but Inti had difficulties and almost drowned; Ricardo helped him and they finally reached shore, calling the attention of everyone. They didn't give the watchword announcing danger and then disappeared. The crossing had begun at 12, and at 15:15 when I withdrew there still weren't any signs of life from them. All afternoon went by and they didn't appear. The last sentry went off duty at 21 and no signals had been given.

I was very worried: two valuable comrades were exposed to danger and we didn't know what had happened to them. It was decided that the best swimmers, Alejandro and Rolando, should cross the river tomorrow at dawn. In spite of the lack of *palmito,* we ate better than in previous days due to the abundance of parrots and the two little monkeys that Rolando had killed.

[9]

WE BEGAN THE CROSSING EARLY, but it was necessary to make a raft, which took quite a bit of time. The sentry an-

nounced that he had seen semi-nude people on the other side; it was 8:30 and the crossing was suspended. A path had been made which leads to a clearing on the other side, but we could easily be seen while in it, so it is necessary to leave early in the morning to take advantage of the river fog. About 16 hours, after a trying watch which, for me, lasted from 10:30, the supply men (Inti and Chinchu) dived into the river coming out far below. They brought back one pork, bread, rice, sugar, coffee, some canned goods, and fermented corn, etc. We had a little feast of coffee and bread, and permission was given to open a can of candied condensed milk which we had in reserve. They explained that they had let themselves be seen every hour, but to no avail. Marcos and his men passed three days ago, and Marcos, as usual, let his arms be seen. The engineers of Yacimientos didn't know the distance to the Ñacahuasu, but supposed it to be about five days' walk; the food supplies will not last if this is so. The pump belongs to a pumping station that is being built.

[10]

WE LEFT AT 6:30 walking for 45 minutes until we reached the trailbreakers. It began to rain at 8 and continued until 11. We walked effectively for about three hours or so, making camp at 5. Some hills could be seen that could be the Ñacahuasu. Braulio left to explore and returned with the news that there is a trail and the river runs directly west. h = 600

[11]

THE DAY BEGAN under favorable signs. We walked for more than an hour along a perfect trail, but it suddenly stopped. Braulio took the machete and went on laboriously until he found a beach. We gave him and Urbano time to open the way, and just as we were about to continue, the rising of the river cut us off, all of a sudden, and the river grew almost a couple of meters.

We were cut off from the trailblazers and forced to make

our way through the thicket. At 13:30 we stopped, and I sent Miguel and Tuma to make contact with the vanguard and to transmit the order to return if they had not managed 'o reach the Ñacahuasu or another good place.

They returned at 18, having walked some three kilometers and having run into a steep cliff. It seems as though we are near, but the last days are going to be rough if the river doesn't go down and this looks quite unlikely.

We walked four to five kilometers.

A disagreeable incident has occurred because the rearguard lacks sugar and the suspicions waver between a smaller quantity having being divided up or liberties on Braulio's part. He has to be spoken to.

h = 610

[12]

IN AN HOUR AND A HALF we covered the territory opened yesterday. When we arrived, Miguel and Tuma, who had gone ahead, were already exploring in order to try to bypass the steep cliff. The day was spent in this; our only activity was to hunt four little birds which we ate to accompany rice and clams. We have two meals left. Miguel stayed on the other side and it looks as though he has managed to find a way to the Ñacahuasu. We walked three to four kilometers.

[13]

FROM 6:30 UNTIL 12 we were on the infernal cliffs following the path made by Miguel who had done a Cyclopean job. We thought we were in the Ñacahuasu when we ran into some rough parts, and therefore in five hours we advanced very little. We camped under a moderate rainfall at 17. The men were rather tired and quite demoralized again. Only one meal left. We walked another six kilometers but to little avail.

[15]

WE, THE CENTERGUARD, crossed the river, with Rubio and Medico helping us. We expected to arrive at the mouth of

the Ñacahuasu but we were carrying a heavy cargo and three men who didn't know how to swim. The current carried us along nearly a kilometer, and we could not cross with the raft as we had intended to. Eleven of us stayed on this side and Medico and Rubio will cross again tomorrow. We shot four hawks for our food; they could have been worse. Everything has become wet, and the weather continues to be rainy. The morale of the men is low, Miguel's feet are swollen, and there are several more with the same problem.

$h = 580$

[16]

WE DECIDED TO EAT the horse, as our swelling has become alarming. Miguel, Inti, Urbano, Alejandro are presenting various symptoms. I am extremely weak. We made a mistake in our calculations, as we thought that Joaquin would cross, but it wasn't so. Medico and Rubio tried to cross to help us and were forced downstream, being lost from sight; Joaquin asked permission to cross and it was given, but he too was lost downstream. I sent Pombo and Tuma to reach them, but they returned at night without having found them. At 17 we had an orgy of horsemeat. We will probably suffer the consequences tomorrow. According to calculations, Rolando should arrive at the camp today. Message #32 was deciphered completely, which announced the arrival of a Bolivian who will join us bringing another load of Glucantine, an antiparasitic (leismania). Up until now we haven't had any of this.

[17]

ANOTHER TRAGEDY BEFORE tasting combat. Joaquin appeared at midday; Miguel and Tuma had gone to meet him with some good pieces of meat. The odyssey had been serious; they could not control the raft and it was carried down the Ñacahuasu, until a whirlpool turned it over several times according to them. The final result being the loss of several knapsacks, almost all the bullets, six rifles and a

man, Carlos; he was pulled under by a whirlpool together with Braulio, but each had a different outcome: Braulio reached the shore and could see that Carlos was being pulled along, without any sign of resisting. Joaquin had already come out with all the men farther ahead and didn't see him cross. Up until now, he was considered to be the best of the Bolivians in the rearguard, because of his seriousness, discipline and enthusiasm.

The weapons lost are: one Brno, that of Braulio; 2 M-1s —Carlos and Pedro; three mausers—Abel, Eusebio and Polo. Joaquin informed me that he had seen Rubio and Medico on the other side and had already ordered them to make a little raft and return. At 14 they appeared with their share of trials and tribulations, naked, and Rubio barefoot. The raft had turned over in the first whirlpool. They came out on shore in almost the same place we did.

Our departure is set for early tomorrow and Joaquin will make it around midday. I expect to receive news sometime tomorrow during the day. The morale of Joaquin's men appears to be good.

[18]

WE DEPARTED EARLY, leaving Joaquin to digest and prepare his half horse with instructions to leave as soon as he felt strong.

I fought to reserve some meat, against the opinion of the men who wanted to eat it all. Ricardo, Inti and Urbano fell behind in the middle of the morning and we had to wait for them, contrary to my plans for resting in the camp of departure. Anyway, we walked badly. At 14:30 Urbano came in with an *urina* which had been hunted by Ricardo; this permitted us to loosen our belts a little and at the same time keep the horse ribs in reserve. We reached midpoint at 16:30 and slept here. There are several complaining and badly humoured men: Chinchu, Urbano and Alejandro.

[19]

THE MEN AT THE FRONT walked well and we stopped at 11, as had been agreed upon beforehand, but Ricardo and

Urbano had fallen behind again, together wih Alejandro. They arrived at 13, with another *urina*, also hunted by Ricardo. Joaquin arrived with them. An incident arose between Joaquin and El Rubio, and I had to speak rather sharply to the latter, without being convinced that he was guilty.

I decided to reach the creek come what may, but there was a small airplane flying around that was up to no good, and besides that I was worried about the lack of news from the base. I had expected the stretch to be even longer, but in spite of the reluctance of the men, we arrived at 17:30. There we were received by the Peruvian doctor, "Negro," who had come with Chino and the telegraph operator, saying that Benigno was waiting with food and that two of Guevara's men had deserted and the police had gone to the farm. Benigno explained that he had left to meet us with food and had run into Rolando three days ago. He had been here in the area for two days but had not continued because the army could advance along the river since the little plane had been circling around for three days. Negro was an eyewitness of the attack on the farm by six men. Neither Antonio nor Coco was there, the latter having gone to Camiri to look for another group of Guevara's men and Antonio had left immediately to report the desertion. I received a long report from Marcos (document VIII), in which he explains his conduct in his own way; he arrived at the farm against my express orders; and two reports from Antonio explaining the situation (documents IX and X).

El Frances, Chino, and their companions, El Pelao, Tania, and Guevara, with the first part of his group, are now in the base. After having eaten an abundant meal of rice and beans with *urina,* Miguel went out to look for Joaquin who hadn't arrived and to locate Chinchu who had fallen behind again. He returned with Ricardo, and Joaquin joined the rest of us in the early hours of the morning.

[20]

WE LEFT AT 10, at a good pace. Benigno and Negro went ahead with a message for Marcos, ordering him to take

charge of the defense and to leave the administrative work to Antonio. Joaquin came out leisurely, after having concealed the tracks at the entrance to the creek. Three of his men are barefoot. At 13, when we were having a prolonged stop, Pacho arrived with a message from Marcos. This information added more to that of Benigno's, but now it was more complicated as 60 soldiers had entered El Valle-grandino's trail and took prisoner one of our messengers, Salustio, one of Guevara's men. One of our mules was taken and the jeep was lost. Nothing has been heard from Loro who stayed behind on guard at the little house. Anyway, we decided to reach the Oso camp, as it is now called, because one such animal had been killed there. We sent Miguel and Urbano on to prepare food for hungry men; and we arrived at dusk. Danton, El Pelao, and Chino were in the camp, along with Tania and a group of Bolivians who were used as *gondolas* to bring food and then withdraw.

Rolando had been sent to order a complete withdrawal; an atmosphere of defeat prevailed. A recently incorporated Bolivian physician arrived with a message for Rolando, saying that Marcos and Antonio were waiting at the watering station, and for him to go to a meeting. I sent the same messenger back and told them that war is won with bullets and that they should go back to the camp at once and to wait for me there. Everything gives the impression of complete chaos; they don't know what to do.

I spoke to Chino first. He asked for $5000 monthly for ten months, and he was told in Havana that he should speak to me. He also brought a message that was too long to be deciphered by Arturo. In essence I agreed on the basis that they take to the mountains within six months. He planned on doing so in the zone of Ayucucho—he as chief and accompanied by 15 men. Besides that, we agreed that he would receive five men now and 15 more a short time later to be sent with weapons after being trained in combat. He has to send me a couple of medium range (40 miles) transmitters and we shall work on a code for our use to maintain permanent contact. He seems to be very enthusiastic.

He also brought several very old reports about Leche.

It is known that Loro has appeared and announced that he had killed a soldier.

[21]

I SPENT THE DAY talking and having discussion clearing up some points with Chino, El Frances, El Pelao and Tania. El Frances brought news that was already known about Monje, Kolle, Simon Reyes, etc. He came to stay but I asked him to return in order to organize an auxiliary network in France, and while on his way there he should go to Cuba, which I know he wants to do, to get married and have a child. I have to write to Sartre and B. Russell to have them organize an international fund to help the Bolivian Liberation Movement. He should also talk to a friend and have him organize everything that he can to help, especially in the way of money, medicine and electronics, sending an electrical engineer and equipment.

El Pelao, of course, is willing to be under my command, and I made the proposal to him to be at present a kind of coordinator of the groups of Jozamy, Belman and Stamponi, and to send five men to begin training. He was to give my regards to Maria Rosa Oliver and the old man. He will be given 500 pesos to send off and 1000 for moving around. If they accept, they should begin the exploration in the north of Argentina and send me a report.

Tania made the contacts and the men came, but according to her, they made her come here in their jeep. She had intended to stay a day, but things became complicated. Jozamy could not remain the first time and he didn't even get in touch the second because Tania was here. Ivan is looked down on; I don't know what's at the bottom of this. Loyola's account was received up until the 9th of February ($1500).* Two reports were received from Ivan, one of a military academy together with photographs of no interest whatsoever, and the other information concerning some points also of little importance. The most important of all is that the writing cannot be made out (Document XIII). A report was received from Antonio (Document XII) trying to justify his attitude. A radio broadcast was heard in

which a death was announced and then later denied; which means what we heard about Loro is true.

* And she reports about having been separated from the leadership of the Youth.

[22]

A (TEXT MUTILATED) left leaving the camp abandoned with some food, poorly put away (MUTILATED). We reached the bottom at 12, being a group of 47 men, including visitors and all.

On arriving, Inti spoke about a certain lack of respect on the part of Marcos; I exploded and told Marcos that if this were so, he would be expelled from the guerrilla, answering that (MUTILATED) shot before.

A five-man ambush had been ordered to take place farther down the river and three others were to do exploratory work, headed by Antonio with Miguel and Loro. Pacho went to watch from the barren hill which overlooks Argarañaz' house but didn't see anything. The explorers returned at night and I received them with a severe going over. Olo reacted emotionally and denied the charges. The meeting was tense and explosive and didn't turn out well. It still isn't clear what Marcos said.

I sent for Rolando to finally clear up the number of the newly-incorporated members and the matter of their numbers and distribution, as there were more than 30 men from the center going hungry.

[23]

A DAY OF WARLIKE EVENTS. Pombo wanted to organize a *gondola* up the trail in order to recover supplies, but I opposed it until the situation with Marcos had been cleared up. A little after 8, Coco came running up to inform me that a section of the army had fallen into the ambush. The final result is up until now, 3 60 mm. mortars, 16 mausers, 2 Bz, 3 USIS, 1 30, 2 radios, boots, etc., 7 deaths, 14 unwounded prisoners and 4 wounded, but we haven't managed to get any food. The plan of operations was seized; it

consists of advancing from both extremes of the Ñacahuasu and to make contact in the center. We rapidly moved the men to the other side and placed Marcos with the majority of the vanguard at the end of the road for maneuvers, while the center and part of the rearguard took over the defense and Braulio took charge of an ambush at the end of the other road for maneuvers. We are spending the night this way to see if the famous rangers will come tomorrow. The major and the captain taken prisoners talked like parrots.

The message sent by way of Chino was deciphered. Debray's trip is mentioned; also the $60,000, the things which Chino had asked for, and an explanation of why they don't write to Ivan. I also received communication from Sanchez informing me about the possibilities of establishing Mito in several places.

[24]

THE COMPLETE SPOILS are the following: 16 mausers, 3 mortars with 64 shells, 2 Bz, 2000 rounds of mausers, 3 USIS with 2 clips each, 1 30 with 2 belts. There are 7 dead, 14 prisoners, including 4 wounded. Marcos was sent out to scout but nothing new was found out, only that the planes are bombing near our house.

I sent Inti to speak to the prisoners for the last time and to set them free, after taking away everything that could be used. The officers were spoken to apart and permitted to leave with their belongings. We told the major we would give him until 12 on the 27th to remove the dead and offered a truce in the entire Lagunilla zone if he stayed there, but he answered that he was retiring from the army. The captain said that he had reentered the army a year ago, because the party had so requested, and that he had a brother studying in Cuba. Besides that, he gave us the names of two other officers who would be willing to collaborate with us. When the bombing began, they really became frightened, but so did two of our men, Raul and Walter, the latter also being weak during the ambush.

Marcos explored the terrain without finding anything in the zone. Ñato and Coco went up with the drifters on a

81

gondola, but they had to bring them back because they did not want to walk. They have to be discharged.

[25]

NOTHING NEW HAPPENED TODAY. Leon, Urbano, and Arturo were sent to a lookout which covers the entrance of the river on both sides. At 12, Marcos withdrew from his position and all the men were concentrated on the main ambush. At 18:30, with almost all the personnel present, I made an analysis of the trip and what it meant. I pointed out Marcos' errors and took away his command, and then named Miguel as chief of the vanguard. At the same time I discharged Paco, Chingolo and Eusebio, and Pepe, telling them that if they don't work, they won't eat. I suspended their tobacco ration and redistributed their personal belongings among the most needy. I referred to Kolle's project of coming to discuss what is to be done, simultaneously with the expulsion of the members of the Youth now present. Here we are concerned with facts; words that don't coincide with facts are not important. I also announced that we shall look for the cow and that classes will be begun again.

I talked to Pedro and El Medico, to whom I announced their nearly total graduation as *guerrilleros,* and with Apolinar, whom I encouraged. I criticized Walter for becoming soft during the trip, for his attitude during combat and for the fear he showed when faced with the planes. He didn't react well. I cleared up some details with El Chino and El Pelado and made a long verbal report to El Frances about the situation. During the course of the meeting, this group was given the name of the Bolivian National Liberation Army, and a report would be made of the skirmish.

[26]

INTI LEFT EARLY with Antonio, Raul, and Pedro to hunt for a cow in the Ticucha zone but ran into troops about three hours away, and returned, apparently without having been seen. They informed us that the soldiers had a look-

out placed on a barren spot and a house with a shiny roof, from which some six men came out. They are near the river that we had called Yaki. I spoke to Marcos and sent him to the rearguard; I don't believe that his conduct will improve.

A short *gondola* was carried out as well as the customary watches; the landing of a helicopter and 30 or 40 soldiers were seen from the Argarañaz lookout.

[27]

TODAY THE NEWS BROKE, using up most of the space on the airwaves and causing a multitude of communiques, including a press conference with Barrientos. The official dispatch claims one more dead than we have and gives them as wounded and later shot, listing our losses as 15 dead and four prisoners, two of them foreigners. They also speak of a foreigner who eliminated himself, and of the composition of the guerrilla. It is obvious that the deserters talked or the prisoner did, but how much they said and how they said it is not known exactly. Everything indicates that Tania has become known, which means that two years of good patient work has been lost. Departure is becoming very difficult now. I received the impression that Danton was not the least bit pleased when I told him so. We shall see what happens.

Benigno, Loro and Julio left to look for the trail to Perirenda; it takes two or three days and they have instructions not to be seen in Perirenda so as to make another expedition later on to Gutierrez. The reconnaissance plane dropped a few parachutes which the lookout reported as having landed in the hunting fields; Antonio was sent with two more to investigate and to try to take prisoners, but nothing was found.

At night we had a staff meeting, during which we made plans for the following days: prepare a *gondola* to our little house tomorrow with the object of getting corn, then another *gondola* later on for making purchases in Gutierrez, and last of all a little attack for diversion which can take place in the woods on the vehicles that travel between Pin-

cal and Lagunilla. The No. 1 communique was drafted, we shall try to get it to the newspapermen in Camiri (document XVII).

[28]

THE RADIO CONTINUES to be saturated with news about the guerrilla. We are surrounded by 2000 men within a radius of 120 kilometers, and the encirclement is closing in; this is combined with napalm bombings. We have around 10 or 15 losses.

I put Braulio in charge of nine men and sent them out to find corn. They came back with some crazy news: 1) Coco, who had left ahead of us in order to warn us, had disappeared; 2) at 16:00 when they reached the farm, they found that the cave had been searched. But they spread out to begin the pick-up when seven Red Cross men, two doctors and several unarmed military men appeared. They were taken prisoners, and were told that the truce was over but were authorized to continue; 3) a truckload of soldiers arrived, but instead of shooting them, they made them say they would withdraw. 4) The soldiers, in a disciplined manner, withdrew, and ours accompanied the health officers to the place where the rotting corpses were, but they said they couldn't carry them all and so would be back to burn them tomorrow. They confiscated two of Argarañaz' horses and returned, leaving Antonio, Rubio, and Aniceto where the animals cannot follow them. Just when they were looking for Coco he appeared; apparently he had overslept.

There is no news from Benigno yet.

El Frances was too vehement when he mentioned how useful he could be outside.

[29]

A DAY OF LITTLE ACTION but of lots of news: the army gave out ample information which, if it be true, can be of great value. Radio Habana has given out the news and

the government announces that it will support the Venezuelan action, presenting the Cuban case in the OAS. Among the news, there is one piece that worries me, a clash in the Tiraboy pass in which two *guerrilleros* were killed. This is the way to Pirirenda, the spot that Benigno was to explore, and he should have come back today, but he hasn't. He was told not to go through the pass, but during the last days, my orders have been repeatedly disobeyed.

Guevara is advancing slowly with his work; he was given dynamite but it wasn't used during the day. A horse was killed and the meat was eaten generously, although it should last for four days. We shall try to bring the other up here, but it doesn't look easy. According to the birds of prey, the corpses still haven't been burned. As soon as the cave is finished, we can move from this camp, as it is becoming uncomfortable and is too well-known. I told Alejandro to stay here together with El Medico and Joaquin (probably in the Oso camp). Rolando is also exhausted.

I spoke to Urbano and Tuma; and I couldn't even make the latter understand why I was criticizing him.

[30]

EVERYTHING IS QUIET once more: Benigno and his comrades arrived in the middle of the morning. They had effectively gone through the Piraboy pass, but found nothing except traces of two people. Although they had been seen by the peasants, they reached their point of destination and returned. The report indicates that it takes around four hours to reach Pirirenda and that, apparently, there is no danger. The planes strafed the little house constantly.

Antonio was sent with two more to explore up-river, and the report is that the soldiers remain stationary, although there are traces of an exploratory run by the river. Trenches have been dug.

The mare that was left behind arrived, so that in the worst of circumstances, we have meat for four days. We shall rest tomorrow, and the day after, the vanguard will

leave for the next two operations, taking Gutierrez and setting up an ambush on the road to Argarañaz-Lagunillas.

[31]

No SPECIAL EVENT. Guevara announced that the cave would be finished tomorrow. Inti and Ricardo reported that the soldiers had again taken our farm, after a heavy artillery attack (mortars), aviation, etc. This obstructed our plans to go to Pirirenda for supplies, so I gave Manuel instructions to advance to the little house with his men; if it's empty, to take it and to send two men to let me know so that we can get under way the day after tomorrow, and if it is taken and a surprise attack cannot be made to return and consider the possibility of flanking Argarañaz to carry out an ambush betwen Pincal and Lagunillas. The radio continues clamoring, and the dispatches are followed with officious announcements of combat. They have fixed our position with absolute precision between Yaki and Ñacahuasu, and I am afraid that they will try to make a move to close in on us. I spoke to Benigno about his mistake in not going out to look for us and explained to him the situation of Marcos. He reacted well.

At night I spoke to Loro and Aniceto. The conversation was very bad. Loro said that we were deteriorating, and when I pinned him down, he left it up to Marcos and Benigno: Aniceto half agrees with him but later he confessed to Coco that they had been accomplices in a theft of canned goods, and to Inti that he didn't agree with the statements of Loro about Benigno and the statements of other about Pombo and the "general deterioration of the guerrilla," more or less.

SUMMARY OF THE MONTH: *This month was spilling over with events but the general outlook consists of the following: a period of consolidation and purification for the guerrilla, strictly fulfilled; a period of slow progress with the incorporation of those who came from Cuba who seem to be quite good, and with those of Guevara who in general*

are rather weak (two deserters, one prisoner "who talked," three quitters and two weaklings); a period of beginning the fight, characterized with a spectacular and precise attack but sprinkled with glaring indecisions before and after the feat (Marcos' withdrawal, Braulio's action); a period of the beginning of the enemy counteroffensive, which has been characterized up until now by: a) a tendency to establish controls that would isolate us, b) a clamoring on a national and international level, c) total ineffectiveness up until now, d) mobilization of the peasants.

Evidently, we shall have to start the march before I had thought, leaving behind a group in reserve and with the handicap of four possible informers. The situation is not good, but another period of trials is beginning now for the guerrilla which will be good for them once it has been overcome.

Composition: Vanguard: Chief = Miguel; Benigno, Pacho, Loro, Aniceto, Camba, Coco, Dario, Julio, Pablo, Raul.

Rearguard: Chief = Joaquin; Segundo; Braulio, Rubio, Marcos, Pedro, Medico, Polo, Walter, Victor (Pepe, Paco, Eusebio, Chingalo).

Centro = Myself, Alejandro, Rolando, Inti, Pombo, Nato, Tuma, Urbano, Moro, Negro, Ricardo, Arturo, Eustaquio, Guevara, Willy, Luis, Antonio, Leon (Tania, Pelado, Danton, Chino—visitors), (Serapio—refugee).

ABRIL, 1967

[1]

THE VANGUARD DEPARTED at 7, way behind time. Camba has not returned from his expedition with El Ñato to El Oso cave where they went to hide the weapons. Tuma arrived at 10 from the look-out with the news that he had seen three or four soldiers on the *pampita* where hunters go. We took positions and Walter notified

us from the look-out that he had seen three soldiers with a mule or a donkey, and that they were setting up something; he pointed it out to me but I didn't see anything. I withdrew at 16:00, considering that it was not necessary to remain there, for they would not attack in any case, but I believed it to be just an optical illusion on Walter's part.

I decided to make a complete withdrawal tomorrow, at the very latest, and that Rolando should take charge of the rearguard in Joaquin's absence. El Ñato and Camba arrived at 21:00, having hidden everything, except a meal for the six who were to remain. They were: Joaquin, Alejandro, Moro, Serapio, Eustaquio and Polo, the three Cubans protesting. The other mare was killed so as to leave *charqui* for the remaining six. Antonio arrived at 23:00, with a sack of corn and with the news that everything had gone off as planned. Rolando left at 4 in the morning, carrying the impedimenta of the four weak ones with him (Chingolo, Eusebio, Paco, Pepe). Pepe wanted to be given a weapon and to remain. Cambra went with him. At 5, Coco arrived with the news that a cow had been slaughtered and that they were waiting for us. I told him that the creek that leads down the hill toward the farm house would be the meeting place at noon the day after tomorrow.

[2]

THE INCREDIBLE AMOUNT of things we had accumulated forced us to spend the entire day storing them in their respective caves, finishing the job at 17:00. A four-man watch was maintained, but not even planes interrupted the dead calm that prevailed all day. The radio announcers spoke of the closing in of the encirclement and of the guérrilla preparing the defense in the narrow pass of the Ñacahuasu. They also reported the arrest of Don Remberto and told how he had sold the farm to Coco.

As it was too late, we decided to postpone the departure until 3 in the morning, thereby gaining an entire day by going directly down the Ñacahuasu, in spite of the fact that the appointed meeting place is in the other direction. I spoke to Moro, explaining that I had not named him as

one of the best in the group due to his weakness concerning food and his tendency to exasperate his comrades with his crude jokes. We talked for a while about these topics.

[3]

THE SCHEDULE WAS CARRIED OUT without problems, leaving at 3:30 and walking slowly until we passed the bend of the shortcut at 6:30, and reaching the edge of the farm at 8:30. When we passed by the place where the ambush had taken place, nothing was left of the corpses except for completely stripped skeletons, on which the birds of prey had done their duty with the utmost responsibility. I sent two men (Urbano and Ñato) to get in touch with Rolando, and in the afternoon we moved to the Piraboy ravine where we slept, having gorged ourselves with beef and corn.

I spoke to Danton and Carlos, setting forth three alternatives: to come along with us, to go out alone or to take Gutierrez and try their luck as best they could; they chose the third. We shall try our luck tomorrow.

[6]

A DAY OF GREAT TENSION. We passed the Ñacahuasu River at 4 and remained there to wait for daybreak before continuing. Miguel began exploring later but had to come back twice due to errors which brought us too close to the soldiers. At 8 Rolando reported that there were a dozen soldiers in front of the ravine which we had just abandoned. We left slowly, and at 11 we were on a *firme,* out of danger. Rolando arrived with the news that there had been more than 100 soldiers placed there on guard in the ravine.

At night, when we still had not reached the creek, cowhands' voices were heard from the river. We came out and took four peasants who had several of Argarañaz' cows with them. They were carrying an army pass to look for 12 head of stray cattle; some were already out of reach and it was not possible to find them. We took two cows for ourselves, and we drove them down the river to our creek. The civilians turned out to be a contractor and his son, a peasant from

Chuquisaca, and another from Camiri, who appeared to be very receptive and promised to spread the proclamation which we gave him.

We held them for a while and later let them go, asking them not to say anything, and this they said they would do.

We spent the night eating.

[7]

WE PENETRATED FURTHER UP the creek, taking the last surviving cow with us, which we later slaughtered to make *charqui*. Rolando stayed in ambush at the river with orders to shoot at whatever appeared: there was nothing new throughout the entire day. Benigno and Camba followed the trail that should lead us to Pirirenda, and reported that they had heard the motor of a sawmill in the canyon near our creek.

I sent Urbano and Julio with a message for Joaquin, and they did not return all day.

[8]

AN UNEVENTFUL DAY. Benigno went and returned from work without having finished it and said that he wouldn't be able to finish tomorrow either. Miguel departed to look for a canyon which Benigno had seen from high up, and has not returned. Urbano and Julio returned with Polo. The soldiers have taken over the encampment and are searching the hills; they passed the "elevator" on their way down. Joaquin has reported on these and other problems in the enclosed document (XIX).

We had three cows with their calves, but one escaped so there are four animals left; we shall make *charqui* out of one or two of them with the salt we still have.

[9]

POLO, LUIS AND WILLY went on a mission to deliver a note to Joaquin and to help them return and establish themselves in a hiding place upstream which Ñato and Guevara

90

will choose. According to Ñato there are some good places about an hour or so from our present position, although they are a little too close to the creek. Miguel arrived; according to the results of his exploration, the ravine comes out at Pirirenda and it takes a day to travel it with a knapsack; therefore I told Benigno to stop the exploration he was making as it would take at least another day.

[10]

IT DAWNED; there were few important events during the morning while we prepared to leave the creek, unpolluted, and cross by way of the Quebrada de Miguel to Pirirenda-Gutierrez. In the middle of the morning El Negro arrived in an agitated state, to warn us that 15 soldiers were coming down-river. Inti had gone to the ambush to warn Rolando. There was nothing else to do except wait and so this we did; I ordered Tuma to be ready to inform me.

The first unpleasant news soon arrived: El Rubio, Jesus Suarez Gayol, was critically wounded. He arrived at our camp dead, a bullet in his head. It happened in this way: the ambush was composed of eight men from the rearguard—a reinforcement of three from the vanguard, distributed on both sides of the river. On his way to make the report of the arrival of the 15 soldiers, Inti passed by El Rubio and noticed that he was in a bad position, as he was clearly visible from the river. The soldiers advanced with little caution, exploring the edges of the river while looking for tracks, and in the process of doing this, they penetrated the wooded area and ran into Braulio and Pedro, before reaching the ambush. The firing lasted a few seconds, with one dead and three wounded lying on the ground, plus six prisoners. A short time later a low ranking officer also fell and four escaped. El Rubio was found agonizing alongside of the wounded; his Garand was jammed and at his side was an unexploded grenade with its pin loose. The prisoner could not be interrogated due to his critical condition, and died a while later, as did the lieutenant in command.

I received the following overview from the interrogation of the prisoners: these 15 men belonged to the same com-

pany which was up the Ñacahuasu and had crossed the canyon, picked up the remains from the former skirmish and then occupied the camp. The radio announced that documents and photos were found there, but according to the soldiers nothing was found. The company consisted of 100 men; 15 of these were to accompany a group of newspapermen to our camp and were ordered to go out on an exploratory mission and to return at 17:00. The principal forces are at Pincal; in Lagunillas, there are more or less 30 in number, and it is supposed that the group that was in Piraboy has been withdrawn to Gutierrez. They spoke of the odyssey of this group which had been lost in the mountains without water, and therefore it was necessary to rescue them. Calculating that the fugitives would arrive late, I decided to leave the ambush which Rolando had made 500 meters ahead but this time counting on the help of the entire vanguard. At first, I had ordered it to be withdrawn, but it seemed logical to leave it like this. About 17, the news arrived that the army is advancing with heavy effectives. The only thing to do is wait. I sent Pombo in order to get a clear idea of the situation. Isolated shots are heard once in a while, and Pombo returned saying that they had fallen in the ambush again, that there are several dead and that major has been taken prisoner. This time things occurred this way: the troops advanced down the river, deployed, but without caution, and the (TEXT MUTILATED) was complete. This time there were seven dead, five wounded and a total of 22 prisoners. The final result is the following: (total) (It cannot be done due to the lack of data).

[11]

IN THE MORNING, we began to move all our belongings and buried El Rubio in a small shallow grave, due to the lack of materials. Inti was left with the rearguard to accompany the prisoners and to set them free, and also to bring back any arms that may be scattered around. The result of the search was to take two more prisoners with their respective Garands. Two dispatches No. 1 were given to the major with the agreement that he would put them in the hands of

the press. The total number of losses was ten dead, including two lieutenants; 30 prisoners; a major and several junior grade officers; and the rest soldiers, out of which six are wounded, one in the first combat and the rest in the second. They are under the command of the 4th Division but include members from mixed regiments: there are rangers, paratroopers, and soldiers from the zone, just boys.

We found the cave and finished transporting all the equipment late in the afternoon, but it still isn't conditioned. The cows were frightened away during the last stretch and we now have only one calf left.

Early, just as we arrived at the new campsite, we met Joaquin and Alejandro who were descending with all their men. The report indicates that the soldiers seen by Eustaquio were only an illusion and the moving here has been in vain.

The radio gave an official communique of "a new and bloody clash" and speaks of nine army deaths and four "confirmed" deaths on our side. A Chilean newspaperman made a detailed account of our old camp, claiming to have found a photo of me, without a beard and with a pipe. An investigation should be made to see how it was obtained. There is no proof that the upper cave has been located although there are some signs that it has been.

[12]

I BROUGHT ALL THE COMBATANTS together at 6:30, except for the four from the drifters; we paid homage to El Rubio and pointed out that the first blood spilled was Cuban. A tendency to underestimate the Cubans was observed among the vanguard, a tendency which crystallized yesterday when Camba remarked that every day he had less confidence in the Cubans, due to an incident that occurred with Ricardo. I again appealed to them for the necessity for unity, this being the only way possible to develop our army, which has increased its firing power and has become accustomed to combat, but which has not increased in size; on the contrary, it has grown smaller lately.

After having placed the spoils of war in a cave well-prepared by Ñato, we departed slowly at 14; so slowly that we almost made no progress whatsoever, having to sleep at a small watering place shortly after the walk had begun.

Now the army has admitted 11 deaths, apparently because another body was found or one of the wounded has died.

I started a short course in relation to Debray's book.

Part of a message has been deciphered but it doesn't seem to be very imporant.

[13]

THE GROUP WAS DIVIDED into two parts in order to be able to walk more quickly; but in spite of everything the pace was slow, one group arriving at the camp at 16 and the last one at 18:30. Miguel had arrived in the morning; the caves had not been uncovered and nothing has been touched. The benches, the kitchens, the oven and the seed beds were all intact.

Aniceto and Raul went to explore but did not do so well and must do better tomorrow, reaching the Ikira River.

The North Americans announced that the military advisors which they had sent to Bolivia did not have anything to do with the guerrilla, but that this corresponded to an old plan. Perhaps this is the first episode of a new Vietnam.

[14]

A MONOTONOUS DAY. Some things were brought from the dugout for the sick which will provide us with food for five days. Canned milk was brought from the upper cave: 23 cans had disappeared mysteriously. Moro had left 48, and nobody seems to have had time to remove them. Milk is one of our corrupting factors. A machine gun and a mortar were taken from the special cave to reinforce our position until Joaquin arrives. The plan for the operation is not clear, but it seems to me that the best thing to do is to clear out everyone and operate in the zone of Muyupampa, and

to fall back to the north later on. If it is possible, Danton and Carlos should continue on the way toward Sucre-Cochabamba, depending on the circumstances. Communique No. 2 (document XXI) was written for the Bolivian people and report No. 4 for Manila, which should be delivered by El Frances.

[15]

JOAQUIN ARRIVED with the entire rearguard, and we decided to leave tomorrow. He reported that planes had flown over the zone and they had fired with cannons into the woods. The day passed by uneventfully. The arming of the group was completed, assigning the 30 machine guns to the rearguard (Marcos), and having the members of the drifters as helpers.

At night, I made remarks concerning the trip and about the disappearance of the canned milk, giving a severe warning.

Part of the long message from Cuba was deciphered. In short, Lechin is aware of what I am doing and is going to write a declaration for support, reentering the country clandestinely within 20 days.

A note was written to Fidel (#4) informing him of the latest news. It is coded and put in invisible writing.

[16]

THE VANGUARD LEFT at 6:15 and we at 7:15, walking well as far as River Ikira, but Tania and Alejandro have fallen behind. When their temperatures were taken, Tania had 39° and Alejandro 38°. Besides, we weren't marching as had been planned. We left them with El Negro and Serapio, a kilometer up the Ikira River and went on, taking over an isolated settlement called Bella Vista, or more precisely four peasants who sold us potatoes, pork, and corn. They are very poor farmers and are frightened by our presence here. We spent the night cooking and eating, not moving, waiting for tomorrow night so as not to be recognized by our characteristics while passing by Ticucha.

[17]

NEWS KEPT CHANGING and so did the decisions; Ticucha is a loss of time, according to the peasants. There is a road direct to Muyupampa (Vaca-Guzman) which is shorter, and the final stretch permits the passage of vehicles. We decided to go directly to Muyupampa, after many doubts on my part. I sent someone to fetch the stragglers and have them stay with Joaquin, who had been ordered to make a demonstration in the zone to prevent excessive movement and to wait for three days, after which he should remain in the zone but avoid direct combat and wait until the return. At night, it was learned that one of the peasants' sons had disappeared and that he might have gone to give warning; however, it was decided to depart in spite of everything so as to get El Frances and Carlos out once and for all. Moises joined the group of stragglers, who had to stay behind, because of a severe gall bladder attack. This is the outline of our location: returning by the same road will place us in danger of being exposed to a clash with the army on the alert in Lagunillas or by a column which could come from Ticucha, but it has to be done so as not to be cut off from the rearguard.

We left at 22, walking and pausing until 4:30, when we stopped to sleep a bit. We advanced some ten kilometers. Out of all the peasants that we have met, there is one, Simon, who is cooperative although frightened. There is another, Vides, who could be dangerous; he is the "rich one" of the zone. Besides this, it is necessary to remember that Carlos Rodas' son disappeared and might be an informer (though under the influence of Vides, who is the zone's economic *capo*).

[18]

WE WALKED UNTIL EARLY MORNING, drowsing during the last hour and feeling quite cold. In the morning the vanguard went to explore, coming across a house of *guaranies* who offered very little information. Our sentry stopped a horseman who turned out to be the son of Carlos Rodas

Che
in
Bolivia

Exclusive photographs and
actual pages from his diary

Captions excerpted from the
introduction by Fidel Castro,
and from the diary

"It was Che's habit during his day as a guerrilla to write down his daily observations in a personal diary."

"Che acted with the very tenacity, mastery, stoicism and the exemplary attitude which were so characteristic of him."

"Che had numerous
contacts with the peasants . . ."

"Among those who fought in positions close to Che, there were no survivors."

"Led by Inti and Coco Peredo, who later proved to be brave and outstanding combatants."

"Chino, in a very effusive state, arrived early. We spend the day chatting." (1. Chino 2. Che 3. Coco 4. Inti)

"He considered himself a soldier
of this revolution without even
worrying about surviving it."

debe. quedarte' por un fuerte cólico de unos
cte en el esquema de nuestra v

Bello Visto
(Choquiña)

→ A Lagunillas

A Ticucha

↓ A Muyupampa

Al volve
nos el for
el ejérlito
o alguu
viniera
hemos ...
dar algo
ta por di

Salimos a las 22.00, caminando
...

BOLIVIA

REGION DONDE SE DESARROLLARON LOS
PRINCIPALES COMBATES HASTA EL
8 DE OCT. 1967

PARAGUAY

LEYENDA

LIMITES
CAPITALES DE DEPARTAMENT
POBLACIONES IMPORTANTES
CARRETERAS
CAMINOS EN BUEN ESTADO
FERROCARRIL
RIOS
LUGARES DONDE SE DESAR
LLARON LOS PRINCIPALES
COMBATES

ARGENTINA

"It has been established that Che continued fighting despite being wounded until the barrel of his M-2 rifle was destroyed by a shot, rendering it completely useless."

7 de noviembre 1

Hoy comienza una nueva etapa. Por la noche
llegamos a la finca. El viaje fue bastante bueno.
luego de entrar, convenientemente disfrazados
por Cochabamba, Pachungo y yo hicimos los contactos
y viajamos en jeep, en dos días y dos vehículos.
Al llegar cerca de la finca detuvimos las máquinas
y una sola llegó a ella para no atraer las sos-
pechas de un propietario cercano, que murmura
sobre la posibilidad de que nuestra empresa esté dedi-
cada a la fabricación de cocaína. Como dato curioso,
el inefable Tumainis es indicado como el químico
del grupo. Al seguir hacia la finca, en el segundo
viaje, Bigotes, que acababa de enterarse de mi identidad,
casi se va por un barranco, dejando el jeep varado en
el borde del precipicio. caminamos algo así como 20
kilómetros, llegando a la finca, donde hay 3 trabajadores
del partido, ya da la media noche.

Bigotes se mostró dispuesto a colaborar con nosotros,
haga lo que haga el partido pero se muestra leal a Monje,
a quien respeta y parece querer. Según él, Rodolfo
está en la misma disposición y otro tanto sucede con
el Loco, pero hay que tratar de que el partido se decida
a luchar. le pedí que no informara al partido hasta
la llegada de Monje, que está de viaje por Bulgaria y
que nos ayudara, accedió a ambas cosas.

caída. Apolinar ha planteado que se incorpora a la guerrilla pero quiere ir a arreglar asuntos particulares a La Paz; se le contestó que sí, pero que debía apresurar eso. Cerca de las 11 llegamos al arroyo, hicimos un trillo disimulado y exploramos para buscar un lugar adecuado para la cueva, pero todo es pedregoso y el arroyo, luego de verse, sigue su curso entre barreras de piedra pura. Dejamos la exploración para mañana. Santi y Urbano salieron a tratar de cazar venados, pues la comida es muy escasa y tenemos que aguantar hasta el viernes con ella.

7

Miguel y Apolinar localizaron un lugar propicio y se dedicaron a hacer el túnel; los barrenantes son insuficientes. Santi y Urbano volvieron sin lograr nada, pero al atardecer Urbano cazó una pava con el M-1. Como ya teníamos comida, la dejamos para el desayuno de mañana.

Hoy se cumple, en realidad, el primer mes de nuestra estancia aquí, pero, por razones de comodidad, daré las síntesis todos los fines de mes.

FEBRUAR 1867

S 5 12 19 26
M 6 13 20 27
D 7 14 21 28
M 1 8 15 22
D 2 9 16 23
F 3 10 17 24
S 4 11 18 25

1. Woche · Zinstage 7-353

Sonnabend

7

JANUAR

bolieron los exploradores. La "góndola" se compuso
solo de Alejandro, el Nato, el nito se dedicó a figuras
internos: se elevó la planta y todos los casos de Adoro,
se hizo un techito adicional para la cueva y se com-
pló el pozo del agua, haciendo un puentecito en
el arroyo.

— 9
— 10
— 11
— 12
— 13
— 14
— 15
— 16
— 17
— 18
— 19
— 20

16
17
18
19
20

MÄRZ 1947

S	2	12	19	26	
M		6	13	21	28
D		7	15	21	28
M	1	8	16	22	30
D	2	9	17	24	31
F	3	10	17	24	31
S	4	11	18	25	

6. Woche · Dienstag 37-328

Dienstag

7

FEBRUAR
Fastnacht

Se hizo la salida bajo la dirección de [...]
quedó muy grande y poco razonable. A la
1.30 comenzamos a trasladarnos hacia el lugar
del enlace y a las 2.30 comenzó el mismo en
dos viajes, cerró la vanguardia y en el tercero
la mitad de la gente del centro y una vez, por
no usar mochila, cuando la caravana de
enseres para trasladar al resto del centro, sal-
vando calculó mal y el río se lo llevó muy
abajo, no pudiendo recuperarla. Se deshizo
y hicimos asaremos [...] que estuvo lista a los 9
de la noche, pero no fue necesario usar de noche
porque no llovió y el río siguió bajando. Descanso,
guardamos Tuma, Urbano, Luis, Alejandro y yo.
Tuma y yo dormimos en el suelo.

Huevos. La gente está cada vez más desanimada,
viendo alejar el fin de los positiones, pero no del
camino. Hoy avanzamos entre 4, y 5 kilómetros por la
orilla del río y llegamos al final con un trillo pro-
metido. La comida: 6 pajaritos, ½ y el resto de
palmito, a partir de mañana, leche palada, a
un tercio por cabeza, durante dos días; luego la
leche, que es la expedida. Para el itacarinus
deben faltar dos a 3 jornadas.
h = 610 m.

11

12

13

14

15

16

17

18

19

20

MAI 1967

S	7	14	21	28	
M	1	8	15	22	29
D	2	9	16	23	30
M	3	10	17	24	31
D	4	11	18	25	
F	5	12	19	26	
S	6	13	20	27	

14. Woche · Zinstage 97-263

Freitag

7

APRIL

No internamos arroyo adentro llevando la vaca sobreviviente, la que fue sacrificada para hacer charqui. Rolando quedó en la emboscada del río con orden de tirar a lo que apareciera; pero hubo nada en todo el día. Benigno y Camba siguieron la senda que debe llevarnos a Pirirenda e informaron haber escuchado como el motor de un aserrío en un cañón cercano a nuestro arroyo.

Envié a Urbano y Tuma con un mensaje para Joaquín y no regresaron en todo el día.

JUNI 1967

S 4 11 18 25
M 5 12 19 26
D 6 13 20 27
M 7 14 21 28
D 1 8 15 22 29
F 2 9 16 23 30
S 3 10 17 24

19. Woche · Zamtage 127-238

Sonntag

7

MAI

Llegamos temprano al Campamento del oso, y allí nos
esperaban los 4 latas de leche, con lo que hicimos una desayuno
no reconfortante. Se sacaron algunas cosas de la cueva cercana,
entre ellas, un morrero para el Nato, que nos mantiene ocupados
contando con 5 proyectiles antitanque. Está bien usual, luego de un
ataque de vómito. Apenas elegidos al campamento, salieron a explo-
rar la finquita Benigno, Urbano, Nato, Aniceto y Pablito. Nosotros
nos comimos las últimas sopas y carnes, pero tenemos provisiones de
manteca que había en la cueva. Se vieron huellas de pies, y
hay algunos pequeños destrozos que indican que estuvieron por aquí
soldados. A la madrugada llegaron los exploradores con los mis-
mos novios: los soldados están en la finquita y han tumbado el
maíz. (Se cumplen 6 meses del inicio oficial de la guerrilla,
con mi llegada)

h = 880 m.

_____ 13

_____ 14

_____ 15

_____ 16

_____ 17

_____ 18

_____ 19

_____ 20

JULI 1967 25. Woche · Dienstag 157-208

Mittwoch

7

JUNI

S 2 9 16 23 30
M 3 10 17 24 31
D 4 11 18 25
M 5 12 19 26
D 6 13 20 27
F 7 14 21 28
S 1 8 15 22 29

Caminamos en plimavera dueleando potreros vie jos,
hasta que el poco, uno de los hijos del dueño, annuncio que
no había más. Seguimos por la floya hasta encontrar otro
duero, del que no había tablado, con poros, cerra, guineos
e un poro de frijoles. Aquí tuvimos campamento. El voluchocho
que nos guió comenzó a quejarse de fuertes dolores de vientre,
no sabemos si verdaderos.

h. 560 m.

_____ 9

_____ 10

_____ 11

_____ 12

_____ 13

_____ 14

_____ 15

_____ 16

_____ 17

_____ 18

_____ 19

_____ 20

Caminamos sin descanso hasta llegar a un campo de caña donde un hombre nos había escondido bien, la vez anterior, a una legua de la casa de Honorato. El miedo, sigue entronizado en la gente, el hombre nos mandió un chancho y fue amable, pero nos previno que había 200 hombres en Cajón y que su hermano acababa de venir de Sant Ana y comunicaba que allí había 100 soldados. Quería sacarle unos mandatos, pero no firmó su acuerdo. El cura no está en su cuenta.

11
12
13
14
15
16
17
18
19
20

GUST 1967

4	13	20	27
7	14	21	28
8	15	22	29
9	16	23	30
10	17	24	31
11	18	25	
12	19	26	

SEPTEMBER 67

S	3	10	17	24	
M	4	11	18	25	
D	5	12	19	26	
M	6	13	20	27	
D	7	14	21	28	
F	1	8	15	22	29
S	2	9	16	23	30

32. Woche · Dienstage 217-143
Montag
7
AUGUST

SEPTEMBER AUGUST

A las 11 de la mañana había dado por perdidos
a Benigno y Aniceto, habiéndole ordenado a Benigno que
fuera con cuidado prevenciones hasta la desembocadura
en el Rosita e investigara en pos de la dirección que t[...]
si es que habían llegado hasta allí. Sin embargo, a
las 13 aparecieron los perdidos, que simplemente habían
tenido dificultades en el camino y se les hizo noche
sin llegar al Rosita. Fue un trago amargo el que
me hizo pasar Miguel. Permanecemos en el mismo
sitio por los cazadores en contorno; otro arroyo y
nos retiraremos mañana. Hoy murió
Anselmo, el caballo viejo y sólo nos quedan dos
que uno de carga; una cosa que me preocupa,
pero las medicinas se acaban. Mañana tomaré
una decisión sobre el envío de un grupo al
Vachtrozan.

Hoy se cumplen 9 meses exactos de la constitución
de la guerrilla con nuestra llegada. De los 6 primeros,
dos están muertos, uno desaparecido y dos heridos; yo con
un asma que no sé cómo controlar.

Análisis del mes

Se mantienen los puntos negativos del mes anterior,
sobre todo imposibilidad de control, los toques y con los eri-
nos y la pérdida de hombres; ahora somos 22 con 3 heridos
todos incluyéndome a mí, con su disminución de la movilidad
hemos tenido 3 encuentros, infligiendo la pérdida de bajas a la
pelea, ocasionando al ejército unos 3 muertos y 10 heridos
cifras aproximadas de acuerdo con partes confusos. Nosotros
perdimos dos hombres, un herido.

Las características más importantes son:

1) Sigue la falta total de contacto.

2) Sigue sintiéndose la falta de incorporación campesina
aunque hay algunos síntomas alentadores en la respuesta
entre que nos hicieron algunos campesinos.

3) La leyenda de los guerrilleros sigue adquiriendo dimensiones con-
tinentales; Aguará crece fronteras, y lleva a una precaución
...

4) Fracasa la tentativa de contacto a través de Bolivia.

5) La moral y experiencia de lucha de la guerrilla aumenta
en cada combate; quedan ... Camba y Chapaco.

6) El ejército sigue sin dar pie con bola, pero hay unidades
que parecen más combativas.

7) La crisis política se acentúa el gobierno, pero E. U. está
dando pequeños créditos que son una gran ayuda a
nivel boliviano con lo que atempera el descontento.

Las tareas más urgentes son: Reestablecer los contactos,
incorporar combatientes, y lograr medicinas.

10 Do			
11			
12 Sa		28 Mo	
13 So		29 Di	
14 Mo		30 Mi	
15 Di Mariä Himmelfahrt		31 Do	
16 Mi		26 Sa	

R 67

OKTOBER 1967

S	1	8	15	22	29
M	2	9	16	23	30
D	3	10	17	24	31
M	4	11	18	25	
D	5	12	19	26	
F	6	13	20	27	
S	7	14	21	28	

17 24
18 25
19 26
20 27
21 28
22 29
23 30

36. Woche · Zinstage 247-118

Donnerstag

7

SEPTEMBER

SEPTEMBER

Camino corto. Sólo se cruzó un vado, y luego se
tropezó con dificultades en la fanguera, decidiendo hacer el
campamento por esperarnos. Teníamos hechas exploraciones
buenas. La situación es esta: la aviación no nos encon-
tró por aquí a pesar de haber llegado al campamento y la
radio informa incluso que yo soy el jefe del grupo. El
interrogante es: ¿tienen miedo? Poco probable; ¿creen
nos imposible el paso hacia arriba? Con la experiencia
de lo que hemos hecho y ellos conocen, no lo creo;
¿quieren dejar avanzar para esperarnos en algún
lo estratégico? Es posible. ¿Creen que insistiremos
la zona del Muyupampa para abastecernos? También es
posible. El médico está mucho mejor, pero yo
vuelvo a recaer y pasé la noche en blanco.

La radio trae la noticia de los soldados infor-
maciones suministradas por José Carrillo (Paco), ha-
bía que haber un nuevo muerto con él. Si hay se refiere
a las imputaciones de Paco contra él, diciendo que pasó
pasar cosas, ya es lo más posible; si no, es difícil. La ra-
dio la Cruz del Sur anuncia el hallazgo del cadá-
ver de Tania la guerrillera en las márgenes del Río
Grande; es una noticia que no tiene los visos
de veracidad de la del negro; el cadáver fue lle-
vado a Santa Cruz, según informa esta emisora y
sólo ella, no el Altiplano.

h = 720 m.

Hablé con Julio; está muy bien pero siente la falta
de contacto y de incorporación de gente.

12
13

19

20

(left margin notes, partly illegible)
... por
ted y
... pres
... rino
... rosa...
... diera
... sa...
... my...
Onta
los girl
se me
el río
... Paso
... rela-
... ces po-
an ley
... pres
... tión
... sa
... por le
... flores
... la pa-
... y ya
... los ep
... los Ma
... el outre
... muerte
... todos
... doctrin

NOVEMBER 67

40. Woche · Zinstage 277-63

Sonnabend

7

OKTOBER

Se cumplieron los 11 meses de nuestra inaugura-
ción guerrillera sin complicaciones, bucólicamente
hasta las 12.30 hora en que una vieja, pastoreando
sus chivos entró en el cañón en que habíamos com-
pestado y hubo que apresarla. La mujer no ha dado nin-
guna noticia fidedigna sobre los soldados, contestando
a todo que no sabe, que hace tiempo que no va por allí.
Solo dio información sobre los caminos, de result. del in-
forme de la vieja se desprende que estamos aproximada-
mente a una legua de Higueras, otra de Jagüey y unas
2 de Pucará. A las 17.30, Inti, Aniceto y Pablito fueron
a casa de la vieja que tiene una hija postrada y una
enana; se le dieron 50 pesos con el encargo de que no
hablara ni una palabra, pero con pocas esperanzas
de que cumpla a pesar de sus promesas. Salimos
los 17 con una luna muy pequeña y la marcha fue muy
fatigosa y dejando mucho rastro por el cañón donde
estábamos, que no tiene casas cerca, pero sí
sembradíos de papa regados por aguas del mismo arroyo.
A las 2 paramos a descansar pues ya era inútil
seguir avanzando. El Chino se convierte en una verda-
dera carga cuando hay que caminar de noche.

El ejército dio una rara información sobre
la presencia de 250 hombres en Serrano para impedir
el paso de los cercados, en número de 37, dando la
zona de nuestro refugio entre el río Acero y el
Oro. La noticia parece diversionista.

h = 2000 ms.

SEPTEMBER · NOVEMBER · OKTOBER

Publisher's note:
The following Spanish-language
text is reproduced
from material provided
to Bantam Books
by *Ramparts* magazine.

El Diario
del Che
en Bolivia

Noviembre 7, 1966 a Octubre 7, 1967

INSTITUTO DEL LIBRO

LA HABANA, 1968

AÑO DEL GUERRILLERO

HEROICO

Una Introducción necesaria

Era costumbre del Che en su vida guerrillera anotar cuidadosamente en un Diario personal sus observaciones de cada día. En las largas marchas por terrenos abruptos y difíciles, en medio de los bosques húmedos, cuando las filas de los hombres, siempre encorvados por el peso de las mochilas, las municiones y las armas, se detenían un instante a descansar, o la columna recibía la orden de alto para acampar al final de fatigosa jornada, se veía al Che —Como cariñosamente lo bautizaron desde el principio los cubanos— extraer una pequeña libreta y con su letra menuda y casi ilegible de médico, escribir sus notas.

Lo que pudo conservar de esos apuntes le sirvió luego para escribir sus magníficas narraciones históricas de la guerra revolucionaria en Cuba, llenas de contenido revolucionario, pedagógico y humano.

Esta vez, gracias a aquel invariable hábito suyo de ir anotando los principales hechos de cada día, podemos disponer de una información pormenorizada, rigurosamente exacta e inapreciable de aquellos heroicos meses finales de su vida en Bolivia.

Esas anotaciones, no escritas propiamente para la publicación, le servían como instrumento de trabajo para la evaluación constante de los hechos, las situaciones y los hombres, a la vez que daban cauce a las expresiones de su espíritu profundamente observador, analítico, y muchas veces matizado de fino humorismo. Están sobriamente redactadas y poseen ininterrumpida coherencia desde el principio hasta el fin.

Téngase en cuenta que fueron escritas en los ratos escasísimos de descanso, en medio de épico y sobrehumano esfuerzo físico y de sus agotadoras obligaciones como jefe de un destacamento guerrillero en la difícil etapa de los comienzos de una lucha de esta naturaleza, que se desenvolvía en condiciones materiales increíblemente duras, lo que revela una vez más su estilo de trabajo y su voluntad de hierro.

En este Diario, al analizar en detalle los incidentes de cada día, se hacen constar faltas, críticas y recriminaciones que

son propias e inevitables en el desarrollo de una guerrilla revolucionaria.

En el seno de un destacamento guerrillero esas críticas se tienen que producir incesantemente, sobre todo en la etapa en que está constituido sólo por un pequeño núcleo, enfrentados a condiciones materiales sumamente adversas y a un enemigo infinitamente superior en número, cuando el menor descuido o la más insignificante falta pueden resultar fatales y el jefe debe ser exhaustivamente exigente, a la vez que utilizar cada hecho o episodio, por insignificante que parezca, para educar a los combatientes y futuros cuadros de los nuevos destacamentos guerrilleros.

El proceso de formación de la guerrilla es un incesante llamado a la conciencia y al honor de cada hombre. El Che sabía tocar las fibras más sensibles de los revolucionarios. Cuando Marcos, reiteradamente amonestado por el Che, fue advertido de que podía ser expulsado deshonrosamente de la guerrilla, respondió: "¡Antes fusilado!" Más adelante dio su vida heroicamente. Similar fue el comportamiento de todos los hombres en los que puso su confianza y a los cuales se vio en la necesidad de amonestar por alguna u otra causa en el transcurso de la lucha. Jefe fraternal y humano sabía también ser exigente y en ocasiones severo; pero lo era en primer lugar y en mayor grado que con los demás, consigo mismo. Che basaba la disciplina en la conciencia moral del guerrillero y en la fuerza tremenda de su propio ejemplo.

El Diario contiene también numerosas referencias a Debray y evidencian la enorme preocupación que suscitó en el Che el arresto y encarcelamiento del escritor revolucionario, quien había encomendado una misión en Europa, aunque en el fondo habría deseado que aquél permaneciera en la guerrilla. Por eso manifiesta cierta inconformidad, y en ocasiones algunas dudas, sobre su comportamiento.

Che no tuvo posibilidad de conocer la odisea vivida por Debray en las garras de los cuerpos represivos y la actitud firme y valerosa mantenida por éste ante sus captores y torturadores.

Destacó, sin embargo, la enorme importancia política del proceso, y, el 3 de octubre, seis días antes de su muerte, en medio de amargos y tensos sucesos, consigna: "Se escuchó una entrevista de Debray muy valiente frente a un estudiante provocador", siendo ésta su última referencia al escritor.

Como en este Diario la Revolución Cubana y sus relaciones con el movimiento guerrillero aparecen reiteradamente señaladas, algunos pudieran interpretar que su publicación por nuestra parte constituye un acto de provocación que da argumentos a los enemigos de la Revolución y a los imperi

listas yanquis y sus aliados, los oligarcas de América Latina, para redoblar sus planes de bloqueo, aislamiento y agresión a Cuba.

A los que así juzgan los hechos, es bueno recordarles que el imperialismo yanqui no ha necesitado nunca de pretextos para perpetrar sus fechorías en cualquier lugar del mundo y que sus esfuerzos para aplastar la Revolución Cubana se iniciaron desde la primera ley revolucionaria promulgada en nuestro país, por el obvio y conocido hecho de que ese imperialismo es el gendarme de la reacción mundial, promotor sistemático de la contrarrevolución y protector de las estructuras sociales más retrógradas e inhumanas que subsisten en el mundo.

La solidaridad con el movimiento revolucionario puede ser tomada como pretexto, pero nunca será la causa de las agresiones yanquis. Negar la solidaridad para negar el pretexto es ridícula política de avestruz, que nada tiene que ver con el carácter internacionalista de las revoluciones sociales contemporáneas. Dejar de solidarizarse con el movimiento revolucionario no es negarle un pretexto sino solidarizarse de hecho con el imperialismo yanqui y su política de dominio y esclavización del mundo.

Cuba es un pequeño país de economía subdesarrollada, como todos los que fueron durante siglos dominados y explotados por el colonialismo y el imperialismo, situada sólo a 90 millas de las costas de Estados Unidos, con una base naval yanqui en su propio territorio, que se enfrenta a numerosos obstáculos por llevar a cabo su desarrollo económico-social. Grandes peligros se han cernido sobre nuestra Patria desde el triunfo de la Revolución, pero no por ello conseguirá el imperialismo doblegarla, sin que deban importarnos las dificultades que una línea revolucionaria consecuente pueda conllevar.

Desde el punto de vista revolucionario la publicación del Diario del Che en Bolivia no admite alternativa. El Diario del Che quedó en poder de Barrientos, que de inmediato entregó copia a la CIA, al Pentágono y al gobierno de Estados Unidos. Periodistas allegados a la CIA tuvieron acceso al documento en la propia Bolivia y sacaron copias fotostáticas del mismo, aunque con el compromiso de abstenerse, por el momento, de publicarlo.

El gobierno de Barrientos y los más altos jefes militares tienen sobradas razones para no publicar el Diario, donde se puede constatar la inmensa incapacidad de su ejército y las incontables derrotas que sufrieron en manos de un puñado de guerrilleros decididos que en unas pocas semanas le arrebató en combate cerca de doscientas armas.

Che describe además a Barrientos y su régimen en los términos a que es acreedor con palabras que no podrán borrarse de la historia.

Por otro lado, el imperialismo tenía también sus razones: Che y su ejemplo extraordinario cobran fuerza cada vez mayor en el mundo. Sus ideas, su retrato, su nombre, son banderas de lucha contra las injusticias entre los oprimidos y los explotados y suscitan interés apasionado entre los estudiantes y los intelectuales de todo el mundo.

En los propios Estados Unidos el movimiento negro y los estudiantes progresistas, que son cada vez más numerosos, han convertido en algo suyo la figura del Che. En las manifestaciones más combativas por los derechos civiles y contra la agresión a Viet Nam, sus retratos son esgrimidos como emblemas de lucha. Pocas veces en la historia, o tal vez nunca, una figura, un nombre, un ejemplo, se han universalizado con tal celeridad y apasionante fuerza. Es que el Che encarna en su forma más pura y desinteresada el espíritu internacionalista que caracteriza al mundo de hoy y cada vez más al de mañana.

De un continente oprimido ayer por las potencias coloniales, explotado hoy y mantenido en el retraso y en el subdesarrollo más inicuo por el imperialismo yanqui, surge esa figura que se convierte en aliento universal de lucha revolucionaria hasta en las propias metrópolis imperialistas y colonialistas.

Los imperialistas yanquis temen la fuerza de ese ejemplo y todo lo que pueda contribuir a divulgarlo. Es el valor intrínseco del Diario, expresión viva de una personalidad extraordinaria, lección guerrillera escrita al calor y la tensión de cada día, pólvora inflamable, demostración real de que el hombre latinoamericano no es impotente frente a los esclavizadores de pueblos y sus ejércitos mercenarios, lo que les ha impedido hasta hoy darlo a la publicidad.

Pudieran estar también interesados en que este Diario no se conociera nunca los seudorrevolucionarios, oportunistas y charlatanes de toda laya, que autoconceptuándose marxistas, comunistas y otros títulos por el estilo, no han vacilado en calificar al Che de equivocado, aventurero, y cuando más benignamente, idealista, cuya muerte es el canto de cisne de la lucha armada revolucionaria en América Latina. "¡Si el Che —exclaman—, máximo exponente de esas ideas y experimentado guerrillero, fue muerto en las guerrillas y su movimiento no liberó a Bolivia, eso demuestra cuán equivocado estaba . . . !" ¡Cuántos de estos miserables se habrán alegrado de la muerte del Che, sin sonrojarse siquiera pensar que sus posiciones y razonamientos coinciden po

entero con los de los oligarcas más reaccionarios y el imperialismo!

De este modo se justifican a sí mismos, o justifican a dirigentes traidores que en determinado momento no vacilaron en jugar a la lucha armada con el verdadero propósito —según se pudo ver luego— de destruir a los destacamentos guerrilleros, frenar la acción revolucionaria e imponer sus vergonzosas y ridículas componendas políticas, porque eran absolutamente incapaces de ninguna otra línea; o a los que no quieren combatir, ni combatirán jamás, por el pueblo y su liberación y han caricaturizado las ideas revolucionarias haciendo de ellas opio dogmático sin contenido ni mensaje a las masas, y convertido las organizaciones de lucha del pueblo en instrumentos de conciliación con los explotadores internos y externos, y propugnadoras de políticas que no tienen nada que ver con los intereses reales de los pueblos explotados en este continente.

Che contemplaba su muerte como algo natural y probable en el proceso y se esforzó en recalcar, muy especialmente en sus últimos documentos, que esa eventualidad no impediría la marcha inevitable de la revolución en América Latina. En su mensaje a la Tricontinental reiteró ese pensamiento: "Toda nuestra acción es un grito de guerra contra el imperialismo . . En cualquier lugar que nos sorprenda la muerte, bienvenida sea, siempre que ese, nuestro grito de guerra, haya llegado hasta un oído receptivo y otra mano se tienda para empuñar nuestras armas."

Se consideró a sí mismo soldado de esa revolución, sin precuparle en absoluto sobrevivir a ella. Los que ven en el desenlace de su lucha en Bolivia el fracaso de sus ideas, con el mismo simplismo pudieran negar la validez de las ideas y las luchas de todos los grandes precursores y pensadores revolucionarios, incluidos los fundadores del marxismo, que no pudieron culminar la obra y contemplar en vida los frutos de sus nobles esfuerzos.

En Cuba, ni la muerte en combate de Martí y de Maceo, a las que siguió más tarde la intervención yanqui cuando finalizaba la Guerra de Independencia, frustrando en lo inmediato el objetivo de sus luchas, ni la de brillantes propugnadores de la revolución socialista como Julio Antonio Mella, asesinado por agentes al servicio del imperialismo, pudieron impedir a la larga el triunfo de un proceso que comenzó hace cien años, ni nadie en absoluto podría poner en duda la profunda justeza de la causa y la línea de lucha de aquellos próceres, ni la vigencia de sus ideas esenciales que inspiraron siempre a los revolucionarios cubanos.

En el Diario del Che se pueden apreciar cuán reales eran

sus posibilidades de éxito y cuán extraordinario e poder catalizador de la guerrilla, como él consigna en sus apuntes. En cierta ocasión, ante los evidentes síntomas de debilidad y rápido deterioro del régimen boliviano, expresó: "El gobierno se desintegra rápidamente, lástima no tener cien hombres más en este momento."

Che conocía por su experiencia en Cuba cuántas veces nuestro pequeño destacamento guerrillero estuvo a punto de ser exterminado. Pudo ocurrir así en dependencia casi absoluta de los azares e imponderables de la guerra, mas, tal eventualidad, ¿habría dado a nadie el derecho a considerar errónea nuestra línea y tomarla además como ejemplo para desalentar a la revolución e inculcar en los pueblos la impotencia? ¡Muchas veces en la historia los procesos revolucionarios estuvieron precedidos de episodios adversos! Nosotros en Cuba, ¿no tuvimos acaso la experiencia del Moncada apenas seis años antes del triunfo definitivo de la lucha armada del pueblo?

Para muchos, entre el 26 de julio de 1953, ataque al Cuartel Moncada en Santiago de Cuba, y el 2 de diciembre de 1956 desembarco del "Granma", la lucha revolucionaria en Cuba frente a un ejército moderno y bien armado carecía de toda perspectiva y la acción de un puñado de luchadores era vista como quimera de idealistas e ilusos "que estaban profundamente equivocados". La derrota aplastante y la dispersión total del inexperto destacamento guerrillero el 5 de diciembre de 1956 pareció confirmar por entero los pesimistas augurios . . . Pero, sólo 25 meses después, los restos de aquella guerrilla habían desarrollado ya la fuerza y experiencia necesarias para aniquilar aquel ejército.

Para no luchar habrá siempre sobrados pretextos en todas las épocas y en todas las circunstancias, pero será el único camino de no obtener jamás la libertad. El Che no sobrevivió a sus ideas, pero supo fecundarlas con su sangre. Con toda seguridad sus críticos seudorrevolucionarios, con su cobardía política y su eterna falta de acción, sobrevivirán a la evidencia de su propia estupidez.

Es notable, como se verá en el Diario, que uno de esos especímenes revolucionarios que ya van siendo típicos en América Latina, Mario Monje, esgrimiendo el título de Secretario del Partido Comunista de Bolivia, pretendió discutir al Che la jefatura política y militar del movimiento. Y puesto que alegó, además, el propósito de renunciar previamente para ello a su cargo partidista, a su juicio, por lo visto, bastaba el título de haberlo sido para reclamar tal prerrogativa.

Mario Monje, por supuesto, no tenía ninguna experiencia

guerrillera ni había librado jamás un combate, sin que por otro lado su autoconceptuación de comunista lo obligase siquiera a prescindir del grosero y mundano chovinismo que ya habían logrado superar los próceres que lucharon por la primera independencia.

Con semejante concepto de lo que debe ser la lucha antimperialista en este continente, tales "jefes comunistas" no han rebasado siquiera el nivel internacionalista de las tribus aborígenes que sojuzgaron los colonizadores europeos en la época de la conquista.

Así, el jefe del Partido Comunista de un país que se llama Bolivia, y su capital histórica, Sucre, en honor de sus primeros libertadores que eran venezolanos uno y otro, que tuvo la posibilidad de contar para la definitiva liberación de su pueblo con la cooperación del talento político, organizador y militar de un verdadero titán revolucionario, cuya causa por demás no se limitaba a las fronteras estrechas, artificiales e incluso injustas de ese país, no hizo otra cosa que entrar en vergonzosos, ridículos e inmerecidos reclamos de mando.

Bolivia, por no tener salida al mar necesita más que ningún otro país, para su propia liberación, sin tener que exponerse a un atroz bloqueo, del triunfo revolucionario de los vecinos. Che era, además, por su prestigio enorme, su capacidad y su experiencia, el hombre que habría podido acelerar ese proceso.

Che había establecido relaciones con dirigentes y militantes del Partido Comunista boliviano, desde antes de producirse en el mismo la escisión, recabando de ellos la ayuda para el movimiento revolucionario en América del Sur. Algunos de esos militantes, autorizados por el Partido, trabajaron con él durante años en diversas tareas. Al producirse la escisión en dicho Partido, se creó una situación especial puesto que varios militantes de los que habían estado trabajando con él quedaron ubicados en uno u otro grupo. Pero Che no concebía la lucha en Bolivia como un hecho aislado sino como parte de un movimiento revolucionario de liberación que no tardaría en extenderse a otros países de América del Sur. Era su propósito organizar un movimiento sin espíritu sectario, para que a él se incorporasen todos los que quisieran luchar por la liberación de Bolivia y demás pueblos sojuzgados por el imperialismo en América Latina. Pero en la fase inicial de preparación de la base guerrillera venía dependiendo fundamentalmente de la ayuda de un grupo de valiosos y discretos colaboradores que al producirse la escisión habían permanecido en el Partido de Monje. Fue por deferencia con ellos que invitó, en primer término, a éste, a visitar su campamento, aunque ciertamente no experimentaba hacia él ninguna simpatía. Después invitó a Moisés Guevara, líder minero y político que se había sepa-

rado de aquel Partido para cooperar en la formación de otra organización, y que luego también se había marginado de ella inconforme con Oscar Zamora, otro Monje que hacía algún tiempo se había comprometido con el Che a trabajar en la organización de la lucha armada guerrillera en Bolivia, rehuyendo después los compromisos y cruzándose cobardemente de brazos a la hora de la acción, para convertirse con posterioridad a su muerte en uno de sus más venenosos críticos, en nombre del "marxismo-leninismo". Moisés Guevara se unió sin vacilación al Che, como le había ofrecido desde mucho antes de que éste llegara a Bolivia, le brindó su apoyo y entregó su vida heroicamente a la causa revolucionaria.

Otra tanto hizo el grupo de guerrilleros bolivianos que había permanecido hasta entonces en la organización de Monje. Dirigidos por Inti y Coco Peredo, que después demostraron ser valerosos y destacados combatientes, se apartaron de aquél y respaldaron decididamente al Che. Pero Monje, no satisfecho del resultado, se dedicó a sabotear el movimiento, interceptando en La Paz a militantes comunistas bien entrenados que iban a unirse a las guerrillas. Estos hechos demuestran cómo existen en las filas revolucionarias hombres bien dotados de todas las condiciones necesarias para la lucha, cuyo desarrollo es criminalmente frustrado por dirigentes incapaces, charlatanes y maniobreros.

Che fue hombre al que nunca le interesaron personalmente cargos, mandos ni honores, pero estaba firmemente convencido de que en la lucha revolucionaria guerrillera —fundamental forma de acción para la liberación de los pueblos de América Latina, partiendo de la situación económica, política y social de casi todos los países latinoamericanos— el mando militar y político de la guerrilla debía estar unificado y que la lucha sólo podía ser dirigida desde la guerrilla y no desde cómodas y burocráticas oficinas urbanas. Y en este punto no estaba dispuesto a transigir, ni a entregarle a un inexperto seso-hueco de estrechas miras chovinistas el mando de un núcleo guerrillero destinado a desenvolver en su ulterior desarrollo una lucha de amplia dimensión en América del Sur. Che consideraba que ese chovinismo, que muchas veces infecta a los propios elementos revolucionarios de los diversos países de América Latina, debía ser combatido como un sentimiento reaccionario ridículo y estéril. "Que se desarrolle un verdadero internacionalismo proletario —dijo en su mensaje a la Tricontinental— . . . la bandera bajo la que se luche sea la causa sagrada de la redención de la humanidad de tal modo que morir bajo las enseñas de Viet Nam, de Venezuela, de Guatemala, de Laos, de Guinea, de Colombia, de Bolivia . . . , para citar sólo los escenarios actuales de la lucha armada, sea

igualmente gloriosa y deseable para un americano, un asiá-tico, un africano, y aún, un europeo. Cada gota de sangre derramada en un territorio bajo cuya bandera no se ha nacido, es experiencia que recoge quien sobrevive para apli-carla luego a la lucha por la liberación de su lugar de origen. Y cada pueblo que se libere es una fase de la batalla por la liberación del propio pueblo que se ha ganado."

Che pensaba igualmente que en el destacamento guerrillero participasen combatientes de distintos países latinoamericanos y que la guerrilla en Bolivia fuese escuela de revolucionarios que harían su aprendizaje en los combates. A su lado quiso tener para ayudarlo en esa tarea, junto a los bolivianos, un pequeño núcleo de guerrilleros con experiencia, que habían sido casi todos compañeros suyos en la Sierra Maestra, du-rante la lucha revolucionaria en Cuba, cuya capacidad, valor y espíritu de sacrificio conocía. De esos hombres ninguno vaciló en responder a su solicitud, ninguno lo abandonó y ninguno se rindió.

Che actuó en su campaña de Bolivia con el tesón, la maes-tría, el estoicismo y la ejemplar actitud que eran proverbiales en él. Puede decirse que impregnado de la importancia de la misión que se había asignado a sí mismo, procedió en todo instante con un espíritu de responsabilidad irreprochable. En aquellas ocasiones en que la guerrilla cometía algún descuido, se apresuraba en advertirlo y enmendarlo, consignándolo en su Diario.

Factores adversos se combinaron increíblemente en su contra. La separación —que debía ser por unos breves días— de una parte de la guerrilla, donde se encontraba un grupo valioso de hombres, algunos de ellos enfermos o convalecien-tes, al perderse el contacto entre ambos en un terreno suma-mente accidentado, se prolongó durante interminables meses, que ocuparon el esfuerzo de Che en su búsqueda. En ese período el asma —una dolencia que solía dominar fácilmente con sencillos medicamentos, pero que faltando estos se con-vertía para él en un terrible enemigo— lo atacó despiadada-mente, deviniendo esto en un problema serio por el hecho de que las medicinas que previsoramente había acumulado para la guerrilla fueron descubiertas y ocupadas por el ene-migo. Este hecho, unido al aniquilamiento a fines de agosto de la parte de la guerrilla con la que había perdido el con-tacto, fueron factores que gravitaron considerablemente en el desarrollo de los acontecimientos. Pero Che, con voluntad de acero, se sobrepuso al malestar físico y en ningún instante su acción aminoró, ni decayó su ánimo.

Fueron numerosos sus contactos con los campesinos boli-vianos. El carácter de éstos, sumamente desconfiados y cau-

telosos, no podía sorprender al Che, que conocía perfectamente bien su mentalidad por haberlos tratado en otras ocasiones, y sabía que para ganarlos a su causa se requería una labor prolongada, ardua y paciente, pero no albergaba ninguna duda de que a la larga lo obtendría.

Si se sigue con cuidado el hilo de los acontecimientos se verá que aun cuando el número de hombres con que contaba en el mes de septiembre, algunas semanas antes de su muerte, era muy reducido, todavía la guerrilla mantenía su capacidad de desarrollo y algunos cuadros bolivianos, como los hermanos Inti y Coco Peredo, se iban ya destacando con magníficas perspectivas de jefes. Fue la emboscada de Higueras, única acción exitosa del ejército contra el destacamento que mandaba el Che, matándole la vanguardia e hiriéndole varios hombres más en pleno día, cuando se trasladaban a una zona campesina de mayor desarrollo político —objetivo éste que no aparece consignado en el Diario, pero que se sabe por los sobrevivientes—, lo que les creó una situación insuperable. Ese avance de día por la misma ruta que venían siguiendo durante varias jornadas en inevitablemente amplio contacto con los moradores de aquella zona que cruzaban por primera vez, y la obvia certeza de que el ejército debería interceptarlos en algún punto, era sin duda peligroso. Pero el Che, plenamente consciente de esto, decidió correr el riesgo para ayudar al médico que venía en muy mal estado físico.

El día anterior a la emboscada, escribe: "Llegamos a Pujio, pero allí había gente que nos había visto abajo el día anterior, vale decir: estamos siendo previstos por Radio Bemba [1] . . ." "El caminar en mulo se hace peligroso, pero trato que el médico vaya lo mejor posible pues viene muy débil."

Al día siguiente escribió: "A las 13 salió la vanguardia para tratar de llegar a Jagüey y allí tomar una decisión sobre las mulas y el médico." Es decir, buscaba una solución para el enfermo, a fin de abandonar aquella ruta y tomar las precauciones necesarias. Pero aquella misma tarde, antes de que la vanguardia llegara a Jagüey se produjo la fatal emboscada que llevó al destacamento a una situación insostenible.

Días después, cercado en la quebrada del Yuro, libró su último combate.

Impresiona profundamente la proeza realizada por este puñado de revolucionarios. La sola lucha contra la naturaleza hostil en que desenvolvían su acción constituye una insuperable página de heroísmo. Nunca en la historia un número tan reducido de hombres emprendió una tarea tan gigantesca. La fe y la convicción absoluta en que la inmensa capacidad revo-

[1] Radio Bemba: Se le llama en forma popular en Cuba a los rumores divulgados ampliamente de persona a persona. (N. del E.)

lucionaria de los pueblos de América Latina podía ser despertada, la confianza en sí mismo y la decisión con que se entregaron a ese objetivo, nos da la justa dimensión de estos hombres.

Che dijo un día a los guerrilleros en Bolivia: "Este tipo de lucha nos da la oportunidad de convertirnos en revolucionarios, el escalón más alto de la especie humana, pero también nos permite graduarnos de hombres; los que no puedan alcanzar ninguno de estos dos estadíos deben decirlo y dejar la lucha."

Los que con él lucharon hasta el final se hicieron acreedores a estos honrosos calificativos. Ellos simbolizan el tipo de revolucionarios y de hombres a quienes la historia en esta hora convoca para una tarea verdaderamente dura y difícil: la transformación revolucionaria de América Latina.

El enemigo que enfrentaron los próceres de la primera lucha por la independencia, era un poder colonial decadente. Los revolucionarios de hoy tienen por enemigo al baluarte más poderoso del campo imperialista, equipado con la técnica y la industria más moderna. Ese enemigo no sólo organizó y equipó de nuevo un ejército en Bolivia, donde el pueblo había destruido la anterior fuerza militar represiva y le brindó inmediatamente el auxilio de sus armas y asistentes militares para la lucha contra la guerrilla, sino que brinda su aporte militar y técnico en la misma medida a todas las fuerzas represivas de este continente. Y cuando no bastan esas medidas, interviene directamente con sus tropas, como hizo en Santo Domingo.

Para luchar contra ese enemigo se requiere el tipo de revolucionarios y de hombres de que habló el Che. Sin ese tipo de revolucionarios y de hombres, dispuestos a hacer lo que ellos hicieron; sin el ánimo de enfrentarse a enormes obstáculos que ellos tuvieron; sin la decisión de morir que a ellos los acompañó en todo instante; sin la convicción profunda de la justicia de su causa y la fe inconmovible en la fuerza invencible de los pueblos que ellos albergaron, frente a un poder como el imperialismo yanqui, cuyos recursos militares, técnicos y económicos, se hacen sentir en todo el mundo, la liberación de los pueblos de este continente no sería alcanzada.

El propio pueblo norteamericano, que empieza a tomar conciencia de que la monstruosa superestructura política que rige su país no es ya hace mucho rato la idílica república burguesa que sus fundadores establecieron hace casi doscientos años, está sufriendo en un grado cada vez más alto la barbarie moral de un sistema irracional, enajenante, deshumanizado y brutal, que cobra en el pueblo norteamericano cada vez más víctimas de sus guerras agresivas, sus crímenes políticos,

sus aberraciones raciales, su mezquina jerarquización del ser humano y el repugnante derroche de recursos económicos, científicos y humanos de su desmesurado aparato militar, reaccionario y represivo, en medio de un mundo en sus tres cuartas partes subdesarrollado y hambriento.

Pero sólo la transformación revolucionaria de América Latina permitiría al pueblo de Estados Unidos ajustar sus propias cuentas con ese mismo imperialismo, a la vez que en la misma medida la lucha creciente del pueblo norteamericano contra la política imperialista podría convertirlo en aliado decisivo del movimiento revolucionario en América Latina.

Y si esta parte del hemisferio no sufre una profunda transformación revolucionaria, la enorme diferencia y desequilibrio que se produjo a principios de este siglo entre la pujante nación que se industrializaba rápidamente, al mismo paso que marchaba por la propia ley de su dinámica social y económica hacia cumbres imperiales, y el haz de países débiles y estancados, sometidos a la coyunda de oligarquías feudales y sus ejércitos reaccionarios, en el balcanizado resto del continente americano, será apenas un pálido reflejo no ya del enorme desnivel actual en la economía, en la ciencia y en la técnica, sino del espantoso desequilibrio que, a pasos cada vez más acelerados, en veinte años más, la superestructura imperialista impondrá a los pueblos de América Latina.

Por ese camino estamos llamados a ser cada vez más pobres, más débiles, más dependientes y más esclavos de ese imperialismo. Esta sombría perspectiva afecta en grado igual a los pueblos subdessarrollados de África y Asia.

Si las naciones industrializadas e instruidas de Europa, con su Mercado Común y sus instituciones científicas supranacionales, se inquietan ante las posibilidades de quedarse rezagadas y contemplan con temor la perspectiva de convertirse en colonias económicas del imperialismo yanqui, ¿qué le depara el futuro a los pueblos de América Latina?

Si frente al cuadro de esta situación real e incuestionable, que decisivamente afecta el destino de nuestros pueblos, algún liberal o reformista burgués, o seudorrevolucionario charlatán, incapaz de la acción, tiene una respuesta que no sea una profunda y urgente transformación revolucionaria que pueda hacer acopio de todas las fuerzas morales, materiales y humanas de esta parte del mundo para lanzarlas hacia adelante, para recuperar el atraso económico y científico-técnico de siglos, cada vez mayor, con el mundo industrializado, del que somos tributarios y lo seremos cada vez más, y en especial de Estados Unidos; y además de la fórmula, el camino mágico de llevarla a cabo, diferente a la concebida por Che, que barra oligarquías, déspotas, politicastros, es decir: criados, y

a monopolios yanquis, es decir: amos, y lo haga con toda la urgencia que las circunstancias requieren, que levante entonces la mano para impugnar al Che.

Como realmente ninguno tiene respuesta honrada ni acción consecuente que implique una esperanza real a los casi 300 millones de seres humanos que componen la población de América Latina, desoladoramente pobres en su abrumadora mayoría, que serán 600 millones. a la vuelta de 25 años, y que tienen derecho a la vida material, la cultura y la civilización, entonces lo más decoroso sería el silencio ante el gesto del Che y los que con él cayeron defendiendo sus ideas con coraje, porque la hazaña que este puñado de hombres realizó, guiados por el noble ideal de redimir un continente, quedará como la prueba más alta de lo que pueden la voluntad, el heroísmo y la grandeza humanas. Ejemplo que iluminará las conciencias y presidirá la lucha de los pueblos de América Latina, porque el grito heroico del Che llegará hasta el oído receptivo de los pobres y explotados por los que él dio su vida, y muchos brazos se tenderán para empuñar las armas y conquistar su definitiva liberación.

El 7 de octubre escribió el Che sus últimas líneas. Al día siguiente, a las 13 horas, en una estrecha quebrada donde se proponía esperar la noche para romper el cerco, una numerosa tropa enemiga hizo contacto con ellos. El reducido grupo de hombres que componían en esa fecha el destacamento, combatió heroicamente hasta el anochecer desde posiciones individuales ubicadas en el lecho de la quebrada y en los bordes superiores de la misma contra la masa de soldados que los rodeaban y atacaban. No hay ningún sobreviviente de los que combatieron en las posiciones más próximas al Che. Como junto a él estaban el médico, cuyo grave estado de salud se ha señalado antes y un guerrillero peruano también en muy malas condiciones físicas, todo parece indicar que el Che hizo el máximo para proteger la retirada a lugar más seguro, de esos compañeros, hasta caer herido. El médico no fue muerto en ese mismo combate, sino varios días más tarde, en un punto no distante de la quebrada del Yuro. Lo abrupto del terreno rocoso e irregular hacía muy difícil y a veces imposible el contacto visual de los guerrilleros entre sí. Los que defendían la posición por la otra entrada de la quebrada a varios cientos de metros del Che, entre ellos Inti Peredo, resistieron el ataque hasta el oscurecer en que lograron despegarse del enemigo y dirigirse hacia el punto previamente acordado de concentración.

Se ha podido precisar que el Che estuvo combatiendo herido hasta que el cañón de su fusil M-2 fue destruido por un disparo, inutilizándolo totalmente. La pistola que portaba

estaba sin "magazine". Estas increíbles circunstancias explican que lo hubiesen podido capturar vivo. Las heridas de las piernas le impedían caminar sin ayuda, pero no eran mortales.

Trasladado al pueblo de Higueras permaneció con vida alrededor de 24 horas. Se negó a discutir una sola palabra con sus captores, y un oficial embriagado que intentó vejarlo recibió una bofetada en pleno rostro.

Reunidos en La Paz, Barrientos, Ovando y otros altos jefes militares, tomaron fríamente la decisión de asesinarlo. Son conocidos los detalles de la forma en que procedieron a cumplir el alevoso acuerdo en la escuela del pueblo de Higueras. El mayor Miguel Ayoroa y el coronel Andrés Selnich, rangers entrenados por los yanquis, instruyeron al sub-oficial Mario Terán para que procediera al asesinato. Cuando éste, completamente embriagado, penetró en el recinto, Che —que había escuchado los disparos con que acababan de ultimar a un guerrillero boliviano y otro peruano— viendo que el verdugo vacilaba le dijo con entereza: "¡Dispare! ¡No tenga miedo!" Éste se retiró, y de nuevo fue necesario que los superiores Ayoroa y Selnich le repitieran la orden, que procedió a cumplir, disparándole de la cintura hacia abajo una ráfaga de metralleta. Ya había sido dada la versión de que el Che había muerto varias horas después del combate y por eso los ejecutores tenían instrucciones de no disparar sobre el pecho ni la cabeza, para no producir heridas fulminantes. Esto prolongó cruelmente la agonía del Che, hasta que un sargento —también ebrio— con un disparo de pistola en el costado izquierdo lo remató. Tal proceder contrasta brutalmente con el respeto del Che, sin una sola excepción, hacia la vida de los numerosos oficiales y soldados del ejército boliviano que hizo prisioneros.

Las horas finales de su existencia en poder de sus despreciables enemigos tienen que haber sido muy amargas para él; pero ningún hombre mejor preparado que el Che para enfrentarse a semejante prueba.

La forma en que llegó a nuestras manos este Diario no puede ser ahora divulgada; baste decir que fue sin mediar remuneración económica alguna. Contiene todas las notas que escribió desde el 7 de noviembre de 1966, día en que el Che llegó a Ñancahuazú, hasta el 7 de octubre de 1967, vísperas del combate de la quebrada del Yuro. Faltan sólo unas pocas páginas que no han llegado todavía a nuestro poder, pero que por corresponder a fechas en que no tuvieron lugar hechos de importancia, no altera en absoluto el contenido del mismo.

Aunque el documento por sí mismo no ofrecía la menor duda acerca de su autenticidad, todas las copias fotostáticas fueron sometidas a un riguroso examen a fin de comprobar no sólo dicha autenticidad sino incluso cualquier posible

alteración, por pequena que fuese. Los datos fueron ademas cotejados con el Diario de uno de los guerrilleros sobrevivientes, coincidiendo ambos documentos en todos los aspectos. El testimonio pormenorizado de los demás guerrilleros sobrevivientes que fueron testigos de cada uno de los acontecimientos, contribuyó asimismo a la comprobación. Se llegó a la más absoluta certeza de que todas las fotografías eran copia del del Diario del Che.

Constituyó una fatigosa tarea desentrañar la letra pequeña difícil de la escritura, lo que se realizó con la participación aboriosa de su compañera Aleida March de Guevara.

El Diario será publicado en forma aproximadamente simultánea en: Francia, por Editorial François Maspero; Italia, Editorial Feltrinelli; RFA, Trikont Verlag; EUA, Revista Ramparts; Francia, en español, Ediciones Ruedo Ibérico; Chile, Revista Punto Final, y en otros países.

¡Hasta la Victoria Siempre!

FIDEL CASTRO

Hoy comienza una nueva etapa. Por la noche
llegamos a la finca. El viaje fue bastante bueno.
Luego de entrar, convenientemente disfrazados, por
Cochabamba, Pachungo[1] y yo hicimos los contactos
y viajamos en jeep, en dos días y dos vehículos.

Al llegar cerca de la finca detuvimos las
máquinas y una sola llegó a ella para no atraer las
sospechas de un propietario cercano, que
murmura sobre la posibilidad de que nuestra
empresa esté dedicada a la fabricación de cocaína.
Como dato curioso, el inefable Tumaini[2] es indicado
como el químico del grupo. Al seguir hacia la
finca, en el segundo viaje, Bigotes,[3] que acababa
de enterarse de mi identidad, casi se va por
un barranco, dejando el jeep varado
en el borde del precipicio. Caminamos algo así
como 20 kilómetros, llegando a la finca, donde hay tres
trabajadores del partido, pasada la media noche.

Bigotes se mostró dispuesto a colaborar con
nosotros, haga lo que haga el partido, pero se
muestra leal a Monje[1] a quien respeta y parece
querer. Según él, Rodolfo está en la misma
disposición y otro tanto sucede con el Coco, pero
hay que tratar de que el partido se decida
a luchar. Le pedí que no informara al partido hasta
la llegada de Monje, que está de viaje para Bulgaria
y que nos ayudara, accedió a ambas cosas.

Aparecerá indistintamente con los sobrenombres de
Pachungo o **Pacho.** (N. del E.)
Aparecerá indistintamente con los sobrenombres de
Tumaini o **Tuma.** (N. del E.)
Aparecerá indistintamente como **Bigotes,** el **Loro** o **Jorge.**
(N. del E.)
Aparecerá indistintamente como **Estanislao,** el **Negro,**
Mario o **Monje.** No debe confundirse con el guerrillero
el Negro, del grupo de Joaquín, que aparece más
adelante. (N. del E.)

Pasamos el día en la manigua, a escasos 100 metros de la casa y junto al arroyo. Nos dieron su batida una especie de yaguasas muy molestas aunque no pican. Las especies que hay, hasta ahora, son: la yaguasa, el jején, el mariguí, el mosquito y la garrapata.

Bigote sacó su jeep con ayuda de Argañaraz y quedó en comprarle algunas cosas, como puercos y gallinas.

Pensaba escribir informando las peripecias, pero lo dejé para la próxima semana, en que esperamos recibir al segundo grupo.

Día sin novedades. Con Tumaini, hicimos una exploración siguiendo el curso del río Ñacahuasi (un arroyo en realidad), pero no llegamos a su nacimiento. Corre encajonado y la región, aparentemente es poco frecuentada. Con una disciplina conveniente se puede estar allí mucho tiempo.

Por la tarde, una lluvia fuerte nos sacó de la manigua hacia la casa. Me saqué 6 garrapatas del cuerpo.

10

Pachungo y Pombo salieron de exploración; con uno de los compañeros bolivianos, Serafín. Llegaron algo más lejos que nosotros y encontraro la bifurcación del arroyo, una quebradita que parece estar buena. Al regreso se quedaron haraganeando en la casa y el chofer de Algarañaz, que venía a traer los hombres con unas compras

que le habían hecho, los vió. Tremenda bronca
eché y decidimos trasladarnos mañana a la
manigua, donde haremos campamento perenne.
Tumaini se dejará ver porque ya lo conocen
y figurará como un empleado más de la finca.
Esto se deteriora rápidamente; hay que ver si nos
permiten traer, aunque sea a nuestros hombres.
Con ellos estaré tranquilo.

NOVIEMBRE 11

Día sin novedad pasado en un nuevo campamento,
al otro lado de la casa, donde dormimos.

La plaga está infernal y obliga a resguardarse
en la hamaca con mosquitero (que sólo yo tengo).

Tumaini fue a visitar a Argañaraz
y le compraron algunas cosas: gallinas, pavos.
Parece que todavía no hay grandes
sospechas por su parte.

NOVIEMBRE 12

Día sin novedad alguna. Hicimos una breve
exploración para preparar el terreno destinado
a campamento cuando lleguen los 6 del segundo
grupo. La zona elegida está a unos 100 metros del
principio de la tumba, sobre un montículo y cerca
hay una hondonada en la que se pueden hacer
cuevas para guardar comida y otros objetos.
A estas alturas debe estar llegando el primero de
los tres grupos de a dos en que se divide la partida.
A fines de la semana que empieza deben llegar
a la finca. Mi pelo está creciendo, aunque muy ralo
y las canas se vuelven rubias y comienzan
a desaparecer; me nace la barba. Dentro de un
par de meses volveré a ser yo.

Domingo. Algunos cazadores pasan por nuestra
vivienda; peones de Argañaraz. Son hombres de
monte, jóvenes y solteros; ideales para ser
reclutados y que le tienen un odio concentrado
a su patrón. Informaron que a 8 leguas, por el río
hay casas y que éste tiene algunas quebradas
con agua. No hay otra novedad.

14

Una semana de campamento. Pachungo luce algo
inadaptado y triste, pero debe recuperarse.
Hoy comenzamos una excavación para hacer un
túnel y meter en él todo lo que pueda ser
comprometedor; lo disimularemos con un enrejado
de palos y defenderemos de la humedad lo más
posible. Ya está hecho el pozo de metro y medio
y comenzado el túnel.

Seguimos en la tarea del túnel; por la mañana
Pombo y Pachungo, por la tarde Tumaini y yo.
A las 6, cuando dejamos el trabajo, ya había
alcanzado los 2 metros de hondo el túnel.
Mañana pensamos acabarlo y meter todas las cosas
comprometedoras en él. Por la noche una lluvia
me obligó a huir de mi hamaca, que se moja,
pues el nylon es chico. No hubo otra novedad.

El túnel quedó terminado y camuflado; sólo falta
disimular el camino; trasladaremos las cosas
nuestra casita y mañana la guardaremos,
tapando la boca con un enrejado de palos y barro.
El esquema de este túnel que lleva el No. 1 está
en el documento I. Lo demás sin novedad; desde
mañana podemos razonablemente esperar
novedades de la Paz.

NOVIEMBRE **17**

El túnel está ocupado con los artículos que
pudieran ser comprometedores para los de la casa
algo de comida en lata y ha quedado
bastante disimulado.

No hubo novedad alguna desde la Paz.
Los muchachos de la casa hablaron con Argañaraz,
a quien compraron algunas cosas y éste les volvió
insistir en su participación en la
fábrica de cocaína.

NOVIEMBRE **18**

Sin novedad de la Paz. Pachungo y Pombo
volvieron a explorar el arroyo pero no están
muy convencidos de que sea el campamento
indicado. El lunes lo exploraremos con Tumaini.
Argañaraz vino a arreglar el camino para sacar
piedras del río y estuvo un buen rato en ese
trabajo. Al parecer, no sospecha de nuestra
presencia aquí. Todo transcurre monótonamente;
los mosquitos y las garrapatas están empezando
crear llagas molestas en las picaduras infestadas.
El frío se hace sentir un poco en la madrugada.

Sin novedad de la Paz. Sin novedad aquí; pasamo
recluidos por ser sábado, día en que se mueven
los cazadores.

A medio día llegaron Marcos y Rolando.
Ahora somos seis. Enseguida se procedió
al anecdotario del viaje. Tardaron tanto porque
el aviso les llegó hace una semana. Son los que
viajaron más rápido por la vía de Sao Paolo.
Hasta la semana que viene no es de esperar
la llegada de los otros cuatro.

Vino con ellos Rodolfo, que me hizo muy bue
impresión. Al parecer, está más decidido que
Bigote a romper con todo. Papi[1] le informó de mi
presencia, así como al Coco, violando las instruccion
al parecer es un caso de celos de autoridad.
Escribí a Manila con algunas recomendaciones
(documentos I y II) y Papi contestando
sus preguntas. Rodolfo retornó en la madrugada.

Primer día del grupo ampliado. Llovió bastante
y el traslado a nuestro nuevo punto nos costó
una buena mojadura. Ya estamos instalados.
La carpa resultó ser una lona de camión que se
moja, pero protege algo. Nosotros tenemos nuestra
hamaca con nylon. Han llegado algunas armas m
Marcos tiene un Garand, a Rolando se le dará un
M-1 del depósito. Jorge se quedó con nosotros,

[1] Aparecerá indistintamente como **Papi, Ricardo** o **Chinc**
(N. del E.)

pero en la casa; allí dirigirá trabajos encaminados a
mejorar la finca. A Rodolfo le pedí un agrónomo
de confianza. Trataremos de que esto dure
lo más posible.

<div align="right">NOVIEMBRE 22</div>

Tuma, Jorge y yo hicimos recorrido por el río
(Ñacahuzu) para inspeccionar el arroyo descubierto.
Con la lluvia del día anterior el río estaba
desconocido y nos costó bastante trabajo llegar
al punto deseado. Éste es un hilito de agua
que tiene bien cerrada la desembocadura,
convenientemente preparada se puede utilizar para
un campamento permanente. Volvimos a las 9 y pico
de la noche. Aquí sin novedad.

<div align="right">23</div>

Inauguramos un observatorio que domina la casita
de la finca para estar prevenidos en caso
de alguna inspección o visita molesta. Como dos
salen de exploración, a los restantes les tocan tres
horas de guardia. Pombo y Marcos exploraron
el firme de nuestro campamento hasta el arroyo
que todavía está crecido.

<div align="right">NOVIEMBRE 24</div>

Pacho y Rolando salieron para hacer una
exploración en el arroyo; deben volver mañana.

Por la noche, dos peones de Argañaraz
llegaron "de paseo" en una visita insólita.
No había nada extraño, pero faltaban Antonio,[1] que
estaba con los exploradores y Tuma, que
oficialmente pertenece a la casa. Pretexto: cacería.
Cumpleaños de Aliucha.

[1] Aparecerá indistintamente como **Antonio** u **Olo.**—(N. del E.)

Desde el observatorio informaron que había
venido un jeep con 2 o tres tripulantes. Resultaron
ser de un servicio de lucha contra el paludismo;
se fueron inmediatamente que sacaron muestras de
sangre. Pacho y Rolando llegaron por la noche,
muy tarde. Encontraron el arroyo del mapa
y lo exploraron, además siguieron por el curso
principal del río hasta encontrar
campos abandonados.

26

Por ser sábado, todos quedamos acantonados.
Pedí a Jorge que hiciera una exploración a caballo
por el cauce del río para ver hasta dónde llegaba;
el caballo no estaba y salió a pie a pedir uno
a Don Remberto (20 a 25 Kms). A la noche no
había regresado. Sin novedad de la Paz.

Jorge seguía sin aparecer. Di orden de hacer
posta toda la noche pero a las 9 llegó
el primer jeep de la Paz. Con el Coco venían
Joaquín[1] y Urbano y un boliviano a quedarse:
Ernesto, estudiante de medicina. Viró el Coco
y trajo a Ricardo con Braulio y Miguel y otro
boliviano, Inti, también a quedarse. Ahora somos
12 alzados y Jorge que funge de dueño; Coco
y Rodolfo se encargarán de los contactos. Ricardo
trajo una noticia incómoda: El Chino está en Bolivia
y quiere mandar 20 hombres y verme. Esto trae
inconvenientes porque internacionalizaremos la lucha
antes de contar con Estanislao. Quedamos en que

[1] Aparecerá indistintamente como **Joaquín** o **Vilo**. (N. del E.)

le enviaría a Santa Cruz y allí lo recogerá Coco
trayéndolo aquí. Coco salió por la madrugada
con Ricardo que tomaría el otro jeep para seguir
a la Paz. Coco debe pasar por lo de Remberto
para averiguar de Jorge. En conversación
preliminar con el Inti, éste opina que Estanislao no
se alzará, pero parece decidido a cortar amarras.

<div align="right">NOVIEMBRE 28</div>

Por la mañana no había aparecido Jorge y el Coco
tampoco había regresado. Después llegaron y todo
lo que pasó es que se había quedado en
lo de Remberto.

Un poco irresponsable. Por la tarde
convoqué al grupo boliviano para plantearle
el pedido peruano de enviar 20 hombres y todos
estuvieron de acuerdo en que los mandaran,
pero después de empezar acciones.

<div align="right">NOVIEMBRE 29</div>

Salimos a hacer el catastro del río y explorar
el arroyo que será nuestro próximo campamento.
Tumaini, Urbano, Inti y yo formamos el grupo.
El arroyo es muy seguro pero muy lóbrego.
Trataremos de buscar en otro que está a una
hora. Tumaini se cayó y aparentemente sufrió
una fractura en el tarso. Llegamos al campamento
por la noche, luego de hacer la medición del río.
Aquí sin novedad; Coco salió a Santa Cruz para
esperar al Chino.

<div align="right">30</div>

Marcos, Pacho, Miguel y Pombo salieron con la
instrucción de explorar un arroyo más lejano;
deben estar dos días fuera. Llovió bastante.
En la casa, sin novedad.

Todo ha salido bastante bien: mi llegada sin inconvenientes; la mitad de la gente está aquí también sin inconvenientes, aunque se demoraron algo; los principales colaboradores de Ricardo se alzan contra viento y marea. El panorama se perfila bueno en esta región apartada donde todo indica que podremos pasarnos prácticamente el tiempo que estimemos conveniente. Los planes son: esperar el resto de la gente, aumentar el número de bolivianos por lo menos hasta 20 y comenzar a operar. Falta averiguar la reacción de Monje y cómo se comportará la gente de Guevara.

Diciembre 1

Pasa el día sin novedad. Por la noche llegan Marcos y sus compañeros quienes han hecho un recorrido mayor del especificado, correteando lomas. A las dos de la mañana me informan que llegó Coco con un compañero; lo dejo para mañana.

2

Temprano llega el Chino, muy efusivo. Nos pasamos el día charlando. Lo sustancial: irá a Cuba e informará personalmente de la situación, dentro de dos meses podrán incorporarse 5 peruanos, es decir, cuando hayamos comenzado a actuar; por ahora vendrán dos, un técnico en radio y un médico que estarán algún tiempo con nosotros. Pidió armas y accedí a darle una Bz, algunos mausers, y granadas y comprar M-1 para ellos. También decidí darles apoyo para que enviaran 5 peruanos a establecer enlace para pasar las armas para una región cercana a Puno,

del otro lado del Titicaca. Me contó de sus
cuitas en el Perú, incluso un audaz plan
para liberar a Calixto que me parece un poco
fantaseoso. Cree que algunos sobrevivientes de la
guerrilla están actuando en la zona, pero no lo saben
a ciencia cierta, pues no pudieron llegar
hasta la zona.

Lo demás de la conversación fue anecdótico.
Se despidió con el mismo entusiasmo partiendo para
la Paz; lleva fotos nuestras. Coco tiene instrucciones
de preparar contactos con Sánchez (a quien veré
posteriormente) y de contactar al jefe de
informaciones de la presidencia, que se ha brindado
para darlas pues es cuñado de Inti. La red todavía
está en pañales.

DICIEMBRE 3

Sin novedad. No hay exploración por ser sábado.
Los tres peones de la finca salen para
Lagunillas para hacer mandados.

4

Sin novedad. Todo el mundo quieto debido
al domingo. Doy una charla sobre nuestra actitud
hacia los bolivianos que vendrán y hacia la guerra.

DICIEMBRE 5

Sin novedad. Pensábamos salir pero el día fue de
agua completo. Hubo una pequeña alarma
motivada por unos tiros del Loro sin avisar.

Salimos a comenzar la segunda cueva en el primer
arroyo. Somos Apolinar,[1] Inti, Urbano, Miguel y yo.
Miguel viene a reemplazar a Tuma que no está
repuesto de su caída. Apolinar ha planteado que se
incorpora a la guerrilla pero quiere ir a arreglar
asuntos particulares a la Paz; se le contesta que sí,
pero que debía esperar un poco. Cerca de las 11
llegamos al arroyo, hicimos un trillo disimulado y
exploramos para buscar un lugar adecuado para
la cueva, pero todo es piedra y el arroyo, luego de
secarse, sigue su cauce entre derriscos de piedra
pura. Dejamos la exploración para mañana. Inti y
Urbano salieron a tratar de cazar venados, pues
la comida es muy escasa y tenemos que aguantar
hasta el viernes con ella.

Miguel y Apolinar localizaron un lugar propicio y se
dedicaron a hacer el túnel; las herramientas son
ineficientes. Inti y Urbano volvieron sin lograr nada,
pero al anochecer Urbano cazó una pava con
el M-1, como ya teníamos comida, la dejamos para
el desayuno de mañana. Hoy se cumple, en
realidad, el primer mes de nuestra estancia aquí,
pero, por razones de comodidad, daré las
síntesis todos los fines de mes.

Con Inti fuimos hasta un firme que corona el arroyo.
Miguel y Urbano continuaron el pozo. Por la
tarde, Apolinar reemplazó a Miguel. Al anochecer,

[1] Aparecerá indistintamente como **Apolinar** o **Polo**.
(N. del E.)

llegaron Marcos, Pombo y Pacho, éste muy
atrasado y cansado. Marcos me pidió que lo sacara
de la vanguardia si no mejoraba. Marqué el
camino de la cueva que está en el esquema II. Les
dejé las tareas más importantes para hacer
durante su estadía. Miguel se quedará con ellas
y nosotros regresaremos mañana.

DICIEMBRE 9

Regresamos lentamente por la mañana, llegando
cerca de las 12. Pacho recibió la orden de quedarse
cuando el grupo regrese. Tratamos de hacer
contacto con el campamento 2 pero no se pudo.
No hubo otra novedad.

10

El día pasó sin novedad, salvo la primera horneada
de pan hecho en la casa. Conversé con Jorge
e Inti sobre algunas tareas urgentes. No hubo
novedad de la Paz.

DICIEMBRE 11

El día transcurrió sin novedad, pero a la noche
apareció Coco con Papi. Traía a Alejandro y Arturo
y a un boliviano, Carlos. El otro jeep se quedó,
como es habitual, en el camino. Luego trajeron al
médico, Moro[1] y Benigno y a dos bolivianos;
ambos "cambas"[2] de la finca de Caranavi. Transcurrió
la noche en los habituales comentarios de viaje
y sobre la ausencia de Antonio y Félix,[3] que ya debían

[1] Aparecerá indistintamente en lo adelante como **Moro,
Morogoro, Muganga** o el **Médico.** (N. del E.)

[2] **Camba:** oriundo de la región oriental de Bolivia. (N. del E.)

[3] Aparecerá indistintamente como **Félix** o el **Rubio.**
(N. del E.)

estar aquí. Se discutió con Papi, resolviéndose
que todavía tiene que hacer dos viajes para traer
a Renán[4] y Tania. Se liquidarán las casas y los
depósitos, dándosele $1,000 de ayuda a Sánchez.
Éste se quedará con la camioneta y venderemos
un jeep a Tania, quedándonos con el otro. Falta por
hacer un viaje de armas y le di orden de que
cargara todo en un jeep para no insistir en el
trasbordo que puede ser descubierto más rápido.
El Chino salió para Cuba, aparentemente muy
entusiasmado y piensa volver por aquí cuando esté
de regreso. Coco se quedó aquí para ir a buscar
alimentos a Camiri y Papi salió para La Paz. Sucedió
un incidente peligroso: el vallegrandino, cazador,
descubrió una pisada hecha por nosotros, vio las
huellas, aparentemente vio a alguno y encontró un
guante perdido por Pombo. Eso cambia nuestros
planes y debemos ser muy cuidadosos.
El vallegrandino saldrá mañana con Antonio para
mostrarle dónde puso sus armadillas contra las
antas.[•] Inti me manifestó sus reservas contra el
estudiante, Carlos, que, al llegar, ya planteó la
discusión de la participación cubana y antes había
manifestado que no se alzaba sin la participación
del partido. Rodolfo le mandó porque dijo que
todo se debía a una mala interpretación.

DICIEMBRE **12**

Le hablé a todo el grupo, "leyéndole la cartilla"
sobre la realidad de la guerra. Hice hincapié en la
unicidad del mando y en la disciplina y advertí
a los bolivianos sobre la responsabilidad que tenían
al violar la disciplina de su partido para adoptar

Anta: tapir americano. (N. del E.)
[4] Aparecerá indistintamente como **Renán** o **Iván**. (N. del E.)

otra línea. Hice los nombramientos que recayeron en: Joaquín, como segundo jefe militar; Rolando e Inti, como comisarios; Alejandro como jefe de operaciones; Pombo, de servicios; Inti, finanzas; Ñato, abastecimientos y armamentos; por ahora, Moro de servicios médicos.

Rolando y Braulio salieron para avisar al grupo que se quedara quieto allí, esperando que el vallegrandino pusiera sus trampas o hiciera la exploración con Antonio. A la noche volvieron; la trampa no está muy lejos. Emborracharon al vallegrandino que se fue por la noche, muy contento con una botella de singani en el cuerpo. Coco volvió de Caranavi donde compró los comestibles necesarios pero fue visto por algunos de Lagunillas que se asombraron de la cantidad.

Más tarde llegó Marcos con Pombo. El primero sufrió una herida sobre el arco superciliar al cortar un palo; le dieron dos puntos.

DICIEMBRE 13

Salieron Joaquín, Carlos, y el médico para unirse a Rolando y Braulio. Pombo los acompañaba con la misión de volver hoy mismo. Mandé tapar el camino y hacer otro que, saliendo de ése, desembocara en el río, con tan buen éxito que Pombo, Miguel y Pacho se perdieron al regresar y siguieron por él.

Se habló con Apolinar que irá unos días a su casa en Viacha, dándole dinero para su familia y recomendándole hermetismo absoluto. Coco se despidió al anochecer, pero a las 3 horas se dio la alarma porque se escucharon silbidos y ruidos y la perra ladró; resultó él mismo, perdido en el monte.

Día sin novedad. El vallegrandino pasó por la casa
a ver la trampa, porque la había armado ayer,
contra lo que dijo antes. Se le indicó a Antonio el
camino abierto en el monte para que lleve al
vallegrandino por él, para evitar sospechas.

DICIEMBRE **15**

Sin novedad. Se tomaron las previsiones para
salir (8 hombres) a instalarnos
definitivamente en el campamento 2.

16

Salimos, por la mañana, Pombo, Urbano, Tuma,
Alejandro, Moro, Arturo, Inti y yo para quedarnos;
fuertemente cargados. El recorrido se hizo en 3 horas
 Rolando quedó con nosotros y volvieron Joaquín,
Braulio, Carlos y el médico. Carlos se ha mostrado
como un buen caminador y buen trabajador. Moro y
Tuma descubrieron una cueva del río con pescados
bastante grandes y cogieron 17 lo que da para una
buena comida; Moro se hirió en la mano con un bagre.
Se buscó el lugar para hacer la cueva secundaria,
ya que la primaria quedó acabada y se supendieron
las actividades hasta mañana. El mismo Moro
e Inti trataron de cazar el anta y salieron para pasar
la noche en acecho.

[1] **Bagre:** pescado fluvial característico de la zona, tiene
bigotes. (N. del E.)

Moro e Inti sólo cazaron una pava. Nosotros, Tuma, Rolando y yo, nos dedicamos a hacer la cueva secundaria que puede quedar lista mañana. Arturo y Pombo exploraron un lugar para emplazar el radio y luego se dedicaron a arreglar el camino de entrada que está bastante malo. Por la noche comenzó a llover y lo hizo continuamente hasta la mañana.

El día siguió de agua pero se continuó la cueva, a la que le falta poco para alcanzar los 2.5 requeridos. Inspeccionamos una loma para instalar la planta de radio. Parece bastante buena pero las pruebas lo dirán.

También el día fue lluvioso y no invitaba a la caminata, pero cerca de las 11 llegaron Braulio y el Ñato con noticias de que el río daba paso aunque estaba hondo. Al salir nosotros, nos encontramos con Marcos y su vanguardia que llegaban a instalarse. Se quedará al mando y se le ordenó enviar de 3 a 5 hombres según las posibilidades. En poco más de 3 horas hicimos la caminata.

Por la noche, a las 12, llegaban Ricardo y Coco, trayendo a Antonio y el Rubio (no consiguieron pasaje el jueves pasado) y a Apolinar, que viene a incorporarse definitivamente. Además, llegó Iván, para tratar toda una serie de asuntos.

Prácticamente, quedó la noche en claro.

Se procedió a discutir varios puntos y se estaba
ordenando todo, cuando apareció el grupo del
campamento II dirigidos por Alejandro, con la
noticia de que había en el camino cerca del
campamento, un venado muerto de un tiro, con una
cinta en la pata. Joaquín había pasado una hora
antes por el lugar y no había comentado nada.
Se supuso que el vallegrandino lo había llevado
hasta allí y por alguna razón desconocida lo arrojó,
huyendo. Se puso una guardia por la parte trasera
y se mandaron dos hombres para que cogieran al
cazador si aparecía. Al rato vino la noticia de que
el venado estaba muerto desde tiempo atrás
agusanado y después Joaquín, de vuelta, confirmaba
que lo había visto. Coco y el Loro trajeron al
vallegrandino para que viera al animalito y éste
dictaminó que era un animal herido por él
varios días atrás. Allí quedó concluso el incidente.

Se resolvió apurar los contactos con el hombre
de información que Coco ha descuidado y hablar con
Megía para que sirviera de contacto entre Iván
y el de información. Éste mantendrá relaciones con
Megía, Sánchez, Tania y el del partido, que no
ha sido nombrado. Existe la posibilidad de que sea
uno de Villamontes, pero falta concretar. Se
recibe un telegrama de Manila indicando que Monje
viene por el sur.

Inventaron un sistema de contacto, pero no me
satisface porque indica una clara suspicacia hacia
Monje por parte de sus propios compañeros.

A la una de la madrugada informarán de la Paz
si ya se fue a buscar a Monje.

Iván tiene posibilidades de hacer negocios pero

el pasaporte chueco no se lo permite; la próxima etapa es mejorar el documento y debe escribir a Manila para que lo apuren con los amigos.

Tania vendrá en la próxima para recibir instrucciones; probablemente la mande a Bs. As.

En definitiva, se resuelve que Ricardo, Iván y Coco salgan en avión desde Camiri y el jeep se quede aquí. Cuando vuelvan, hablarán por teléfono a Lagunillas informarán que están allí; Jorge irá por la noche para requerir noticias y los buscará si hay algo positivo. A la una no se pudo captar nada desde la Paz. Por la madrugada salieron para Camiri.

DICIEMBRE 21

El Loro no me había dejado los planos que hizo el explorador de modo que me quedé sin saber el tipo de camino que hay hasta Yaqui. Salimos por la mañana haciendo el camino sin contratiempos. Se tratará de tener todo aquí para el 24, día en que hay fiesta programada.

Nos cruzamos con Pacho, Miguel, Benigno y el Camba que iban a cargar la planta. A las 5 de la tarde, Pacho y el Camba volvieron sin traer la planta, que dejaron escondida en el monte, por lo pesada que era. Mañana saldrán 5 hombres desde aquí para traerla. Se acabó la cueva de las mercancías; mañana comenzaremos la del radio.

DICIEMBRE 22

Comenzamos la cueva del radista. Al principio con mucho éxito en tierra floja, pero pronto encontramos una laja durísima que no nos dejó avanzar.

Trajeron la planta, que es bastante pesada, pero no se ha probado por falta de gasolina. El Loro

anunció que no mandaba mapas porque el informe
era verbal y vendría mañana a darlo.

DICIEMBRE **23**

Salimos con Pombo y Alejandro a explorar el firme
de la izquierda. Tendremos que abrirlo pero da
la impresión de que se puede caminar cómodamente
por él. Joaquín llegó con dos compañeros, anunciando
que el Loro no venía porque se le había escapado
un puerco y salió a buscarlo.

No hay nada del recorrido del lagunillero.

Por la tarde llegó el puerco, bastante grande
pero faltan las bebidas. El Loro es incapaz hasta de
conseguir estas cosas, luce muy desorganizado.

24

Día dedicado a noche buena. Hubo gente que dio
dos viajes y llegó tarde pero al final nos reunimos
todos y la pasamos bien, con algunas pasaditas.
El Loro explicó que el viaje del lagunillero no había
resultado fructífero y sólo logró el pequeño
resultado del apunte, muy impreciso.

DICIEMBRE **25**

Retorno al trabajo, no hubo viajes al campamento de
arrancada. Éste ha quedado bautizado C26 por una
proposición del médico boliviano. Marcos, Benigno y
el Camba salieron a hacer el camino por el firme
de nuestra derecha, volvieron por la tarde con la
noticia de que avistaron una especie de pampa
pelada a dos horas de camino; mañana llegarán a
ella. El Camba volvió con fiebre. Miguel y Pacho
hicieron unos caminos de distracción por la banda
izquierda y una senda de acceso a la cueva del

radio. Inti, Antonio, Tuma y yo continuamos la cueva del radio, que está muy difícil porque es pura piedra. La retaguardia se encargó de hacer su campamento y buscar una atalaya que domine ambos extremos del río de acceso; el lugar está muy bueno.

DICIEMBRE 26

Inti y Carlos salieron para explorar hasta el punto denominado Yaki en el mapa; es un viaje calculado en dos días. Rolando, Alejandro y Pombo siguieron en la cueva que está durísima. Pacho y yo salimos a inspeccionar los caminos hechos por Miguel, no vale la pena seguir el del firme. El camino de acceso a la cueva está bastante bien y difícil de encontrar. Se mataron dos víboras y ayer otra; parece que hay bastantes. Tuma, Arturo, el Rubio y Antonio salieron a cazar y Braulio y el Ñato a quedarse de posta en el otro campamento. Vinieron con la noticia de que el Loro se había volcado y la nota explicatoria en que anuncia la llegada de Monje. Marcos, Miguel y Benigno salieron a desarrollar el camino del firme, pero no regresaron en toda la noche.

DICIEMBRE 27

Salimos con Tuma para tratar de encontrar a Marcos; caminamos 2.30 horas hasta llegar al nacimiento de una quebrada que bajaba del lado izquierdo, dirección oeste; seguimos las huellas por allí bajando por derriscos bastante grandes. Pensaba llegar al campamento por esa vía, pero transcurrieron las horas y no llegaba. Pasadas las 5 de la tarde llegamos a Ñacahuasu, unos 5 kilómetros debajo del campamento 1, y a las 7 al campamento. Allí nos enteramos que Marcos había pasado la noche anterior allí. No mandé a nadie a avisar pues supuse que

Marcos los hubiera orientado sobre mi posible ruta.
Vimos el jeep, bastante desvencijado; Loro había
ido a Camiri a buscar unos repuestos.
Según el Ñato, se había caído dormido.

<div align="right">DICIEMBRE **28**</div>

Cuando salíamos para el campamento, Urbano y
Antonio llegaban buscándome. Marcos había seguido
con Miguel para hacer un camino hasta el
campamento por los firmes y no había llegado,
Benigno y Pombo salieron a buscarme por el propio
camino seguido por nosotros. Cuando llegué al
campamento me encontré con Marcos y Miguel,
que habían dormido en un firme sin poder
llegar al campamento,
aquél me dio las quejas de la forma en que me-
habían tratado. Al parecer, la queja era contra
Joaquín, Alejandro y el Médico. Inti y Carlos habían
regresado sin encontrar casa habitada; sólo una
abandonada que, presumiblemente, no es el punto
marcado como Yaki en el mapa.

<div align="right">DICIEMBRE **29**</div>

Con Marcos, Miguel y Alejandro, fuimos a la
loma pelada para apreciar mejor la situación. Parece
ser la Pampa del Tigre que comienza, es
una cordillera de altura uniforme y lomas peladas,
situada a unos 1,500 metros de altura. El firme
de la izquierda debe desecharse porque realiza
un arco hacia el Ñacahuasu. Bajamos y llegamos al
campamento en una hora y veinte minutos.
A buscar mercancías se mandaron 8 hombres que
no agotaron la carga. El Rubio y el Médico
reemplazaron a Braulio y al Ñato. Aquél hizo un
nuevo camino antes de venir; dicho camino sale de

río en unas piedras y se entra al monte del
otro lado por otras piedras, con lo que no se dejan
rastros. No se trabajó en la cueva.

El Loro partió para Camiri.

DICIEMBRE **30**

A pesar de la lluvia caída, que había hecho crecer
el río, fueron 4 hombres a liquidar las cosas
restantes del campamento 1; quedó limpio ya. No
había novedad de afuera. 6 hombres fueron a la cueva
y en dos viajes guardaron todo lo que estaba
destinado a allí.

El horno no se pudo acabar por estar
blando el barro.

DICIEMBRE **31**

A las 7.30 llegó el Médico con la noticia de que
Monje estaba allí. Fui con Inti, Tuma, Urbano y
Arturo. La recepción fue cordial, pero tirante;
flotaba en el ambiente la pregunta: ¿a qué vienes?
Lo acompañaba "Pan Divino",[1] el nuevo recluta,
Tania, que viene a recibir instrucciones y
Ricardo que ya se queda.

La conversación con Monje se inició con
generalidades pero pronto cayó en su planteamiento
fundamental resumido en tres condiciones básicas:

1º) Él renunciaría a la dirección del partido,
pero lograría de éste al menos la neutralidad y se
extraerían cuadros para la lucha.

2º) La dirección político-militar de la lucha
le correspondería a él mientras la revolución
tuviera un ámbito boliviano.

3º) Él manejaría las relaciones con otros partidos
sudamericanos, tratando de llevarlos a la posición

[1] Aparecerá también como **Pedro**. (N. del E.)

de apoyo a los movimientos de liberación
(puso como ejemplo a Douglas Bravo).

Le contesté que el primer punto quedaba a su
criterio, como secretario del partido, aunque yo
consideraba un tremendo error su posición.
Era vacilante y acomodaticia y preservaba el nombre
histórico de quienes debían ser condenados por
su posición claudicante. El tiempo me daría
la razón.

Sobre el tercer punto, no tenía inconveniente
en que tratara de hacer eso, pero estaba
condenado al fracaso. Pedirle a Codovila que
apoyara a Douglas Bravo era tanto como pedirle
que condonara un alzamiento dentro de su partido.
El tiempo también sería el juez.

Sobre el segundo punto no podía aceptarlo
de ninguna manera. El jefe militar sería yo
y no aceptaba ambigüedades en esto. Aquí
la discusión se estancó y giró en un círculo vicioso.

Quedamos en que lo pensaría y hablaría
con los compañeros bolivianos. Nos trasladamos al
campamento nuevo y allí habló con todos
planteándoles la disyuntiva de quedarse o apoyar
al partido; todos se quedaron y parece que eso
lo golpeó.

A las 12 hicimos un brindis en que señaló la
importancia histórica de la fecha. Yo contesté
aprovechando sus palabras y marcando este momento
como el nuevo grito de Murillo de la revolución
continental y que nuestras vidas no significaban
nada frente al hecho de la revolución.

Fidel me envió los mensajes adjuntos.

Se ha completado el equipo de cubanos con todo
éxito; la moral de la gente es buena y sólo hay
pequeños problemitas. Los bolivianos están
bien aunque sean pocos. La actitud de Monje puede
retardar el desarrollo de un lado pero contribuir
por otro, al liberarme de compromisos políticos. Los
próximos pasos, fuera de esperar más bolivianos,
consisten en hablar con Guevara y con los
argentinos Mauricio[1] y Jozami (Massetti
y el partido disidente).

1967. Enero 1

Por la mañana, sin discutir conmigo, Monje me
comunicó que se retiraba y que presentaría su
renuncia a la dirección del partido el día 8 1. Su
misión había acabado según él. Se fue con la
apariencia de quien se dirige al patíbulo. Mi impresión
es que al enterarse por Coco de mi decisión de
no ceder en las cosas estratégicas, se aferró a ese
punto para forzar la ruptura, pues sus argumentos
son inconsistentes.

Por la tarde, reuní a todo el mundo y le
expliqué la actitud de Monje, anunciando
que realizaríamos la unidad con todos los que
quieran hacer la revolución y vaticiné momentos
difíciles y días de angustia moral para los bolivianos;
trataríamos de solucionarles los problemas
mediante la discusión colectiva o con los comisarios.

Precisé el viaje de Tania a la Argentina para
entrevistarse con Mauricio y Jozami y citarlos aquí.
Con Sánchez, precisamos sus tareas y resolvimos

[1] Aparecerá indistintamente como **Mauricio**, el **Pelao** o
Carlos. (N. del E.)

a dejar en la Paz a Rodolfo, Loyola, Humberto, por ahora. En Camiri una hermana de Loyola y en Santa Cruz, Calvimonte. Mito viajará por la zona de Sucre para ver donde se podría instalar. Loyola será la encargada del control de finanzas y se le envían 80 mil, de los cuales hay 20 para un camión que debe comprar Calvimonte. Sánchez contactará a Guevara para tener una entrevista con él. Coco irá a Santa Cruz para entrevistar a un hermano de Carlos y encargarlo de la recepción de 3 que vienen de La Habana. Escribí a Fidel ¿el mensaje que en documento, CZO # 2.

ENERO 2

Se pasó la mañana en el cifrado de la carta. La gente (Sánchez, Coco y Tania) salieron por la tarde, cuando acababa el discurso de Fidel. Éste se refirió a nosotros en términos que nos obligan más aún, si cabe.

En el campamento sólo se trabajó en la cueva, los restantes salieron a buscar las cosas del primer campamento. Marcos, Miguel y Benigno salieron para hacer su exploración por el norte; Inti y Carlos exploraron el Ñacahuazu hasta encontrar gente, presumiblemente en Yaki; Joaquín y el Médico deben explorar el río Yaki hasta su nacimiento o topar con gente. Todos tienen cinco días de plazo máximo.

La gente llegó del campamento con la noticia de que el Loro no había vuelto, luego de dejar a Monje.

Trabajamos en la cueva, para techarla, sin lograrlo; mañana debemos acabar. Sólo dos hombres fueron a recoger carga y trajeron la noticia de que todo el mundo había salido ayer por la noche. El resto de compañeros se dedicó a hacer el techo por la cocina; ya está listo.

Las páginas del Diario que todavía no han llegado a nuestro poder son 4, 5, 8 y 9 de enero; 8 y 9 de febrero; 14 de ▮ marzo; 4 y 5 de abril; 9 y 10 de junio; 4 y 5 de julio (N. del E.)

Por la mañana fuimos Marcos, Joaquín, Alejandro, Inti y yo al firme pelado. Allí tomé la decisión siguiente: Marcos, con el Camba y Pacho trataría de llegar al Ñacahuasu por la derecha, sin encontrar gente; Miguel, con Braulio y Aniceto, buscaron un paso por el firme para tratar de hacer el camino central; Joaquín, con Benigno e Inti buscarán el paso para el río Frías que, según el mapa, corré paralelo al Ñacahuasu, del otro lado del firme que debe ser la Pampa del Tigre.

Por la tarde llegó el Loro con dos mulas que había comprado en 2 mil pesos; buena compra; los animales son mansos y fuertes. Se mandó a buscar a Braulio y Pacho para que aquél pudiera salir

mañana; los reemplazaron Carlos y el Médico.

Después de clase lancé una descarguita sobre las cualidades de la guerrilla y la necesidad .de una mayor disciplina y expliqué que nuestra misión, por sobre todas las cosas era formar el núcleo ejemplo, que sea de acero, y por esa vía expliqué la importancia del estudio, imprescindible para el. futuro. A continuación reuní a los responsables Joaquín, Marcos, Alejandro, Inti, Rolando, Pombo, el Médico, el Ñato y Ricardo. Expliqué porqué se había hecho la selección de Joaquín como segundo, debido a algunos errores de Marcos, que se repetían constantemente, hice la crítica de la actitud de Joaquín por su incidente con Miguel en Año Nuevo y a continuación expliqué algunas de las tareas, que se precisa realizar para mejorar nuestra organización. Al final Ricardo me contó un incidente que había tenido con Iván, en presencia de Tania, donde se carajearon mutuamente y Ricardo le ordenó a Iván abandonar el jeep. Los incidentes desagradables entre compañeros están estropeando el trabajo.

Salieron los exploradores. La "góndola"[1] se compuso
sólo de Alejandro y el Ñato, el resto se dedicó
a tareas internas; se llevó la planta y todas las cosas
de Arturo, se hizo un techito adicional para la
cueva y se arregló el pozo del agua, haciéndose
un puentecito en el arroyo.

Se hizo el cambio de la posta fija del campamento
viejo; Rubio y Apolinar reemplazaron a Carlos
y el Médico. El río sigue crecido, aunque va bajando.
El Loro se fue a Santa Cruz y no ha vuelto.

Con el Médico (Moro), Tuma y Antonio, que
debe quedarse a cargo del campamento, subimos a
la Pampa del Tigre, allí expliqué a Antonio su
tarea para mañana en la exploración del posible
arroyo situado al oeste de nuestro campamento.
De allí buscamos una conexión con el antiguo
camino de Marcos, lo que logramos con
relativa facilidad. Al anochecer llegaron 6 de los
exploradores: Miguel, con Braulio y Aniceto;
Joaquín, con Benigno e Inti. Miguel y Braulio
lograron una salida al río que cortaba el firme y
fueron a caer a otra que parece ser el Ñacahuasu.
Joaquín logró bajar el río, que debe ser el Frías,
y lo siguió un poco; éste parece ser el mismo que
siguieron los del otro grupo, lo que indica que
nuestros mapas son muy malos pues ambos ríos
aparecen separados por un macizo y desembocando
separados en el Grande. Marcos no ha vuelto aún.

[1] **Góndola:** término usado popularmente en Bolivia para
designar el ómnibus. En este caso designa los viajes para
el avituallamiento de la guerrilla. (N. del E.)

Se recibió un mensaje de La Habana
en que se anuncia que el Chino sale el 12, con el
Médico y el radio-técnico y Rea el 14. No habla
de nuestros dos compañeros restantes.

Antonio salió a hacer la exploración del arroyo
adyacente con Carlos y Arturo; volvió a la noche y la
única noticia concreta que trajo fue que el
arroyo moría en el Ñacahuasu, enfrente del
potrero donde se caza. Alejandro y Pombo
se dedicaron a la confección de mapas en la cueva
de Arturo y llegaron con la noticia de que mis
libros se habían mojado; algunos se habían
deshecho y los radiocomunicadores estaban mojados
y oxidados. Sumando esto a que los dos radios están
rotos, da un panorama triste de las aptitudes de
Arturo.

Marcos llegó por la noche; había caído
al Ñacahuasu muy atrás y ni siquiera llegó a la
confluencia de éste con el presunto Frías. No
estoy muy seguro de los mapas ni de la identidad
de esta última vía de agua.

Comenzamos el estudio de Kechua, dirigidos
por Aniceto y Pedro.

Día del "boro";[1] se le sacaron larvas de moscas
a Marcos, Carlos, Pombo, Antonio, Moro
y Joaquín.

Se envió la góndola a traer lo último. El Loro no
había regresado todavía. Hicimos algunos
ejercicios de subir las lomas de nuestro arroyo, pero
eso arrojó más de dos horas para los lados

[1] **Boro:** mosca que deposita una larva al picar. (N. del E.)

y sólo 7 minutos para el centro; aquí hay que realizar la defensa.

Joaquín me dijo que Marcos se había mostrado dolido por la referencia a sus errores hecha en la reunión del otro día. Debo hablar con él.

Hablé con Marcos; su queja era que se le había hecho crítica delante de los bolivianos. Su argumentación no tenía base; salvo su estado emocional, digno de atención, todo el resto era intrascendente.

Se refirió a frases despectivas que había tenido Alejandro contra él, esto fue aclarado con éste y parece que no hubo tal, sino un poco de chismografía. Marcos quedó un poco más calmado.

Inti y Moro salieron a cazar, pero no lograron nada. Salieron equipos para hacer una cueva en el lugar donde las mulas pueden llegar, pero no se pudo hacer nada en ese sentido y se resolvió hacer una cabañita vara en tierra. Alejandro y Pombo hicieron un estudio de la defensa de la entrada y marcaron trincheras; mañana seguirán.

Volvieron el Rubio y Apolinar y fueron al viejo campamento Braulio y Pedro. No hay noticias del Loro.

Marcos, con su vanguardia, salvo Benigno, salió río
abajo para hacer el vara en tierra; tenía que
volver a la noche, pero al medio día retornó por
la lluvia, sin acabar el rancho.

Joaquín dirigía un grupo que comenzó las
trincheras: Moro, Inti, Urbano y yo salimos para
hacer un camino que bordeara nuestra posición
por el firme de la derecha del arroyo, pero
salimos mal y hubo que bordear despeñaderos
algo peligrosos. A medio día comenzó a llover y se
suspendieron las actividades.

Sin noticias del Loro.

15

Quedé en el campamento, redactando unas
instrucciones para los cuadros de la ciudad. Por
ser domingo, se trabajó medio día. Marcos,
con la vanguardia, en el vara en tierra, la
retaguardia y el centro en las trincheras;
Ricardo, Urbano y Antonio a mejorar el camino
de ayer, cosa que no lograron, pues hay un farallón
entre la loma que da al río y el firme.

No hubo viaje hacia el campamento viejo.

Se prosiguió el trabajo de las tricheras, que aún n
se acabó. Marcos dejó casi liquidado su trabajo,
haciendo una pequeña casita bastante buena.
El Médico y Carlos reemplazaron a Braulio y Pedr
éstos llegaron con la noticia de que el Loro

había llegado y que venía con las mulas, pero
no apareció, a pesar que Aniceto fue a alcanzarlo.
Alejandro presenta síntomas de paludismo.

17

Día de poco movimiento; se acabarán las trincheras
de la primera línea y el vara en tierra.

El Loro vino a informar de su viaje; cuando
le pregunté por qué había ido, me contestó que
él consideraba sobreentendido su viaje,
confesó que había ido a visitar una mujer que tiene
allí. Trajo los aperos para el mulo, pero no
pudo hacerlo caminar por el río.

No hay noticias de Coco; ya es un poco
alarmante.

ENERO **18**

El día amaneció nublado, por lo que no hice la
inspección de las trincheras. Salieron para la góndola
Urbano, Ñato, el Médico (Moro), Inti, Aniceto,
Braulio. Alejandro no trabajó por sentirse enfermo.

Al poco rato comenzó a llover copiosamente.
Bajo el aguacero llegó el Loro para informar
que Argañaraz había hablado con Antonio,
mostrándose conocedor de muchas cosas
y ofreciéndose a colaborar con nosotros, para la
cocaína o lo que sea, mostrando en ese lo que sea
la sospecha de que hay algo más. Le di
instrucciones al Loro de que lo comprometa sin
ofrecerle mucho; sólo el pago de todo lo que
acarree con su jeep y amenazarlo de muerte si
traiciona. Debido a lo fuerte del aguacero, el Loro
salió inmediatamente para evitar que el río lo
cercara.

La "góndola" no llegó a las 8 y se dio carta
blanca para la comida de los gondoleros, que fue
devorada; pocos minutos después llegaban

Braulio y el Ñato, informando que la crecida los
había sorprendido en el camino; trataron de seguir
todos pero Inti había caído al agua perdiendo
el fusil y sufriendo contusiones. Los otros
decidieron quedarse a pasar la noche allí y ellos
dos llegaron con bastante dificultad.

El día comenzó de rutina, trabajando en las defensa
y mejorando el campamento. Miguel cayó con
una fiebre fuerte que tiene todas las características
de ser paludismo. Yo estuve con el cuerpo
"cortado" todo el día pero no explotó la enfermedad.

A las 8 de la mañana llegaron los 4 rezagados
trayendo una buena. provisión de choclos;[1]
pasaron la noche acurrucados en torno a un fuego.
Se esperará que baje el río para tratar de
rescatar el fusil.

Cerca de las 4 de la tarde, cuando ya habían
salido el Rubio y Pedro a reemplazar a la pareja de
guardia del otro campamento, llegó el Médico
para anunciar que la policía había llegado al otro
campamento. El teniente Fernández y cuatro
policías, vestidos de civil, llegaron en un jeep de
alquiler buscando la fábrica de cocaína; sólo
revisaron la casa y les llamó la atención algunas
cosas extrañas, como el carburo traído para
nuestras lámparas y que no se habían trasladado
a la cueva. Le quitaron la pistola al Loro
pero le dejaron el Mauser y el 22; hicieron el
"paripé" de quitarle un 22 a Argañaraz que

[1] **Choclo:** maíz tierno en la mazorca. (N. del E.)

mostraron al Loro, y se retiraron con la advertencia
de que conocían todo y había que contar con
ellos. La pistola podía reclamarla el Loro en Camiri
"sin hacer mucho ruido, hablando conmigo",
dijo el Tte. Fernández. Preguntó por el· "brasilero".
Se le dió al Loro la instrucción de que metiera
frío al vallegrandino y a Argañaraz, que
deben ser los autores del espionaje y del chivatazo
y fuera a Camiri con el pretexto de buscar la
pistola para tratar de conectarse con Coco
(tengo mis dudas de que esté en libertad). Deben
vivir en el monte lo más posible.

Hice la inspección de las posiciones y dicté las
órdenes para realizar el plan de defensa que fue
explicado por la noche. Se basa en la defensa
rápida de una zona aledaña al río, dependiendo
de ella el que se contraataque con algunos
hombres de la vanguardia por caminos paralelos
al río que desemboquen en la retaguardia.

Pensábamos hacer varias prácticas pero se sigue
comprometiendo la situación en el viejo
campamento, ya que apareció un gringo con un M-2
tirando ráfagas; es "amigo" de Argañaraz y viene
a pasar 10 días de vacaciones en su casa. Se
mandarán partidas de exploración y mudaremos
el campamento hacia un punto más cercano
casa de Argañaraz; si esto explota, antes de dejar
la zona le haremos sentir nuestra influencia
ese sujeto.

Miguel sigue con fiebre alta.

Se hizo el simulacro, que resultó fallido en algunos
puntos, pero, en general, bien; es preciso insistir
en la retirada que fue el punto más flojo del
ejercicio. Después partieron las comisiones; una,
con Braulio a hacer un camino paralelo al río
hacia el oeste y otra, con Rolando a hacer lo mismo
hacia el este. Pacho fue a la loma pelada para
probar un comunicador y Marcos salió con
Aniceto para tratar de buscar un camino que
permita vigilar adecuadamente a Argañaraz. Todos
debían volver antes de las 2, salvo Marcos.
Se hicieron los caminos y la prueba de audición,
que resultaron positivos. Marcos volvió
temprano pues la lluvia impedía toda visibilidad.
En medio de la lluvia llegó Pedro conduciendo
a Coco y tres reclutas nuevos: Benjamín, Eusebio
y Walter. El primero, que viene de Cuba
y va a la vanguardia, pues tiene conocimientos
de armas y los otros dos a la retaguardia.
Mario Monje habló con 3 que vinieron de Cuba
y los disuadió de entrar en la guerrilla. No sólo no
renunció a la dirección del partido, sino que
mandó a Fidel el documento adjunto D IV.
Recibí nota de Tania comunicando su partida y la
enfermedad de Iván y otra de éste, que se
adjunta D V. Por la noche reuní a todo el grupo
y les leí el documento, señalando las inexactitudes
contenidas en los puntos: a) y b) de los
planteamientos y les eché una descarguita adicional.
Parece que respondieron adecuadamente.
De los 3 nuevos, 2 parecen firmes y conscientes,
el más joven es un campesino aymará[1] que
luce muy sano.

[1] **Aymará:** indio del altiplano. (N. del E.)

Salió una "góndola" de 13 personas más Braulio y
Walter para hacer el relevo de Pedro y el Rubio.
Volvieron por la tarde, sin agotar la carga. Todo está
tranquilo por allá. Al volver, el Rubio sufrió una
caída sin graves consecuencias pero aparatosa.

Escribo a Fidel un documento, el #3
para explicar la situación y probar el buzón. Debo
mandarlo a la Paz con Guevara, si aparece a la
cita del 25, en Camiri.

Escribo una instrucción para los cuadros urbanos,
el (~~DHI~~). Debido a la Góndola, no hubo
actividad en el campamento. Miguel mejoró pero
ahora cayó Carlos con fiebre alta.

Se hizo hoy la prueba de la tuberculina. Se
cazaron dos pavos; un animalito cayó en la trampa,
pero ésta le cercenó la pata y pudo escapar.

Se repartieron tareas dentro del campamento y
algunas exploraciones: Inti, Rolando y Arturo fueron
a buscar un lugar para un eventual escondite
del Médico con algún herido. Marcos, Urbano y yo
fuimos a explorar la loma de enfrente para buscar un
lugar desde el que se vea la casa da Argañaraz;
se logró y se ve bastante bien.

Carlos sigue con fiebre; típicamente palúdica.

La "góndola" salió con 7 hombres, volviendo
temprano con toda la carga y maíz; esta vez fue
Joaquín el que se bañó, perdiendo el garand pero
recuperándolo. El Loro está de vuelta y ya escondido;
Coco y Antonio siguen fuera; deben venir mañana
o pasado con Guevara.

Se mejoró uno de los camino para envolver
a los guardias frente a una eventual defensa
de estas posiciones. Por la noche se hizo una
explicación del ejercicio del otro día, corrigiendo
algunas fallas.

ENERO **25**

Salimos con Marcos para explorar el camino que
saldría a retaguardia de los atacantes, empleamos cas
una hora en llegar, pero el lugar era muy bueno.

Aniceto y Benjamín salieron para comprobar e
transmisor desde la loma donde se domina la
casa de Argañaraz pero se perdieron y no hubo
comunicación; debe repetirse el ejercicio. Se comenz
otra cueva para efectos personales. Llegó el Loro
y se incorporó a la vanguardia. Habló con
Argañaraz y le dijo lo que yo indiqué. Éste reconoci
que había mandado a espiar al vallegrandino pero
negó ser el autor de la denuncia. Coco espantó a es
último de la casa pues Argañaraz lo había
mandado a espiar. Se recibió mensaje de Manila
informando haber recibido todo bien y que Kolle
hacia allá donde lo espera Simón Reyes. Fidel
advierte que los escuchará y será duro con ellos.

Apenas habíamos comenzado a trabajar en la nueva cueva llegó la noticia de que había llegado Guevara con Loyola; salimos a la casita del campamento intermedio y allí llegaron a las 12.

Le planteé a Guevara mis condiciones: disolución del grupo, no hay grados para nadie, no hay organización política todavía y hay que evitar las polémicas en torno a las discrepancias internacionales o nacionales. Aceptó todo con gran sencillez, y tras un comienzo frío, se hicieron cordiales las relaciones con los bolivianos.

Loyola me hizo muy buena impresión. Es muy joven y suave, pero se le nota una cabal determinación. Está a punto de ser expulsada de la juventud, pero tratan de lograr su renuncia. Le di las instrucciones a los cuadros y otro documento; además, repuse la cantidad gastada que se monta en $70 mil pesos. Nos vamos quedando cortos de dinero.

Se nombrará Jefe de la red al Dr. Pareja y Rodolfo vendrá a incorporarse dentro de 15 días.

Le envío carta a Iván (D VI) con instrucciones.

Le di instrucciones a Coco de vender el jeep pero asegurando las comunicaciones con la finca.

A las 7 aproximadamente, cayendo la noche, nos despedimos. Saldrán mañana por la noche y Guevara vendrá con el primer grupo del 4 al 14 de febrero; dijo que no podría venir antes por las comunicaciones y que los hombres se le rajaban ahora por los carnavales

Vendrán radios más potentes para transmitir.

Se envió una "góndola" fuerte que trajo casi todo,
pero aún resta carga. Por la noche debieron salir
Coco y los enviados; éstos se quedarán en Camiri y
Coco irá a Santa Cruz para arreglar la venta
del jeep, preparándola para después del 15.

Seguimos preparando la cueva. Se cazó un tatú[1]
en las trampas. Se están acabando los preparativos de
abastecimiento para el viaje. En principio,
saldremos cuendo vuelva Coco.

La góndola limpia el campamento viejo. Traen
la información de que el vallegrandino fue
sorprendido rondando el maizal pero escapó. Todo
indica que se acerca un momento de decisión
en torno a la finca.

Ya está completo el abastecimiento para diez días
de marcha y decidida la fecha: uno o dos días
después de que venga el Coco el 2 de febrero.

Día de absoluta holganza salvo para los cocineros,
cazadores y posta.

Por la tarde llegó Coco que no había ido
a Santa Cruz, sino a Camiri. Dejó a Loyola para
seguir en avió a la Paz y a Moisés para ir en góndola
a Sucre. Dejaron establecido el domingo
como día de contactos.

Se fijó el día 1ro. de febrero para salir.

[1] **Tatú:** armadillo. (N. del E.)

La góndola fue de 12 hombres y trasladó la mayor
cantidad de víveres; queda carga para
5 hombres. La caza no dio nada.

Se acabó la cueva para los objetos personales;
no quedó buena.

Último día de campamento. La góndola limpió
el campamento viejo y se retiraron los hombres
de posta. Quedaron Antonio, el Ñato, Camba
y Arturo; las instrucciones son:
hacer contacto a lo más cada tres días, mientras
sean 4 irán dos armados; la posta no se descuidará
un momento; los nuevos ingresos serán instruidos
en las normas generales, pero no deben conocer
más que lo imprescindible; se limpiará
el campamento de todos los efectos personales
y las armas se esconderán en el monte, tapadas por
una carpa. La reserva de dinero permanecerá
constantemente en el campamento, sobre el cuerpo
de alguno; se explorarán los caminos ya hechos
y los arroyos vecinos. En caso de retirada precipitada
2 irán a la cueva de Arturo: Antonio y él mismo;
Ñato y Camba se retirarán por el arroyo y uno
correrá a dejar el aviso en un lugar que eligiremos
mañana. Si hubiera más de 4 hombres, un grupo
cuidará la cueva de reserva.

Hablé a la tropa, dándole las últimas
instrucciones sobre la marcha. Dirigí a Coco,
también las últimas instrucciones (DVII).

Como lo esperaba, la actitud de Monje fue evasiva
en el primer momento y traidora después.

Ya el partido está haciendo armas contra
nosotros y no sé dónde llegará, pero eso no nos frenará
y quizás, a la larga, sea beneficioso (casi estoy
seguro de ello). La gente más honesta y combativa
estará con nosotros, aunque pasen por crisis
de conciencia más o menos graves.

Guevara, hasta ahora, ha respondido bien.
Veremos cómo se portan él y su gente en el futuro.

Tania partió pero los argentinos no han dado
señales de vida, ni ella tampoco. Ahora
comienza la etapa propiamente guerrillera
y probaremos la tropa; el tiempo dirá qué da
y cuáles son las perspectivas de la revolución
boliviana.

De todo lo previsto, lo que más lentamente
anduvo fue la incorporación de combatientes
bolivianos.

Febrero 1

Se realizó la primera etapa. La gente llegó algo
cansada, pero en general, se cumplió bien.
Antonio y el Ñato subieron a convenir
la contraseña y arriaron con mi mochila y la de Moro
que está convaleciente de la palúdica.

Se estableció un sistema de alarma dentro
de una botella, bajo una mata cercana al camino.

En la retaguardia, Joaquín se resistió
del peso y se retrasó todo el grupo.

Día trabajoso y lento. El Médico retrasa un poco
la marcha pero el ritmo general es lento.
A las 4 llegamos al último lugar con
agua y acampamos. La vanguardia recibió la orden
de llegar al río (presumiblemente el Frías)
pero tampoco llevaba un ritmo bueno.
Llovió por la noche.

3

El día amaneció lluvioso, por lo que retardamos
la salida hasta las 8. Cuando comenzábamos a caminar,
llegó Aniceto con la soga para ayudarnos
en los pasos difíciles, y poco después se reiniciaba
la lluvia. Llegamos al arroyo a las 10, empapados
y se resolvió no seguir en el día de hoy. El arroyo
no puede ser el río Frías; simplemente,
no está en el mapa.

 Mañana, la vanguardia saldrá con Pacho en la
punta y nos comunicaremos cada hora.

Caminamos desde la mañana hasta las 4 de la tarde,
con parada de 2 horas para tomar una sopa
a medio día. El camino fue siguiendo
el Ñacahuasu; relativamente bueno pero fatal para
los zapatos pues ya hay varios compañeros
casi descalzos.

 La tropa está fatigada pero todos han respondido
bastante bien. Yo estoy liberado de casi 15 libras
y puedo caminar con soltura aunque el dolor
en los hombros se hace a ratos insoportable.

No se han encontrado señales recientes del paso
de gente por el río pero debemos toparnos
con zonas habitadas de un momento a otro,
según el mapa.

Inesperadamente, luego de caminar 5 horas
por la mañana (12-14 kms.) nos avisaron
de la vanguardia que habían encontrado animales
(resultó una yegua y su potrillo). Nos detuvimos
ordenando una exploración para evitar el presunto
lugar poblado. La discusión era si estábamos
en el Iripiti o en la confluencia con el Saladillo,
marcada en el mapa. Pacho volvió con la noticia
de que había un río grande varias veces mayor
que el Ñacahuasu y que no daba paso. Nos trasladamos
allí y nos encontramos con el auténtico Río Grande
crecido además. Hay señales de vida pero un poco
viejas y los caminos que se siguieron mueren
en yerbazales donde no hay señales de tránsito.

Acampamos en un lugar malo, cerca
del Ñacahuasu para aprovechar su agua y mañana
haremos exploraciones de ambos lados del río
(este y oeste) para conocer los parajes y otro grupo
tratará de cruzarlo.

Día de calma y reposición de fuerzas. Joaquín sale
con Walter y el Médico a explorar el Río Grande
siguiendo su cauce; caminan 8 kilómetros sin encontrar
vados y sólo un arroyo con agua salada. Marcos
camina poco contra la corriente y no llega
al Frías; lo acompañan Aniceto y el Loro. Alejandro,
Inti y Pacho tratan de atravesar el río a nado sin

conseguirlo. Nosotros nos trasladamos cerca
de un kilómetro hacia atrás buscando mejor
ubicación. Pombo está algo enfermo.

Mañana comenzaremos la balsa para
intentar atravesarlo.

Se hizo la balsa bajo la dirección de Marcos; quedó
muy grande y poco maniobrable. A la 1.30
comenzamos a trasladarnos hacia el lugar del cruce
y a las 2.30 comenzó el mismo. En dos viajes cruzó
la vanguardia y en el tercero la mitad de la gente
del centro y mi ropa, pero no mi mochila; cuando
lo cruzaban de nuevo para trasladar el resto del centro,
el Rubio calculó mal y el río se la llevó muy abajo,
no pudiendo recuperarla. Se deshizo y Joaquín
comenzó otra que estuvo lista a las 9 de la noche, pero
no fue necesario cruzar de noche porque no llovió
y el río siguió bajando. Del centro quedamos Tuma,
Urbano, Inti, Alejandro y yo. Tuma y yo
dormimos en el suelo.

10

Convertido en ayudante de Inti fui a hablar con
los campesinos. Creo que la comedia no fue
muy efectiva debido a la cortedad de aquél.

El campesino está dentro del tipo; incapaz
de ayudarnos, pero incapaz de preveer los peligros
que acarrea y por ello potencialmente peligroso.
Dio una serie de indicaciones sobre los campesinos
pero no se pudo precisar por cierta inseguridad.

El Médico curó los hijos, engusanados y otro pateado por una yegua y nos despedimos.

La tarde y la noche la invertimos en preparar huminta[1] (no está buena). Por la noche hice algunas observaciones a todos los compañeros reunidos, sobre los 10 días siguientes. En principio, pienso caminar 10 días más rumbo a Masicuri y hacer que todos los compañeros vean físicamente los soldados, luego trataremos de llegar por el Frías para dejar otro camino explorado.

(El campesino se llama Rojas.)

11

cumpleaños del viejo; 67

Seguimos una senda claramente marcada por la orilla del río, hasta que se hizo poco transitable y a ratos se perdía, con la característica de que por allí no había pasado nadie en mucho tiempo. Al medio día llegamos a un punto en que se cerraba totalmente junto a un río grande, que, de pronto nos hizo surgir la duda sobre si sería o no el Masicuri. Hicimos alto en un arroyo, mientras Marcos y Miguel iban de exploración río arriba, el Inti, con Carlos y Pedro lo hacían río abajo, tratando de localizar la desembocadura. Así fue y se confirmó que éste es el Masicuri, cuyo primer vado parece estar más abajo y donde vieron de lejos a varios campesinos que cargaban unos caballos. Probablemente hayan visto nuestras huellas, de ahora en adelante hay que extremar las precauciones. Estamos una o dos leguas de Arenales, según los informes del campesino. h - 760.

[1] **Huminta:** panecillo horneado preparado con harina de maíz tierno. (N. del E.)

Los dos kilómetros hechos ayer por la vanguardia
se caminaron rápidamente. A partir de ese momento
las picadas se hicieron muy lentamente.
A las 4 de la tarde caímos en un camino real que lucía
ser el buscado. En frente, del otro lado del río,
nos quedaba una casa que decidimos desechar
y buscarnos otra de este lado que debía ser
la de Montaño, un recomendado de Rojas. Inti
y el Loro fueron hasta allí pero no encontraron
a nadie, aunque las características indicaban
que ésa era.

A las 7.30 salimos en una marcha nocturna
que sirvió para demostrar lo mucho que queda por
aprender. A las 10, aproximadamente, Inti y el Loro
volvieron a ir a la casa trayendo noticias no muy
buenas: el hombre estaba borracho y muy poco
acogedor; no tiene más que maíz. Se había
emborrachado en la casa de Caballero, del otro lado
del río, cuyo vado pasa por allí. Decidimos
quedarnos a dormir en un bosquecito cercano. Tenía
un cansancio atroz, pues las humintas me habían
caído mal y llevaba un día sin comer.

En la madrugada se desató una lluvia fuerte que duró
toda la mañana, creciendo el río. Las noticias
mejoraron: Montaño, es el hijo del dueño, de unos
16 años. El padre no estaba y tardaría una semana en
volver. Dio bastante información precisa hasta
los bajos, para el que falta una legua. Un pedazo
de camino va por la margen izquierda, pero
es pequeño. En esta banda sólo vive un hermano

de Pérez, un campesino medio cuya hija
es novia de un miembro del ejército.

Nos trasladamos hasta un nuevo campamento,
al lado del arroyo y de un maizal —Marcos y Miguel
hicieron una trocha hasta el camino real.
h - 650 (tiempo tormentoso).

Día de tranquilidad, pasado en el mismo campamento.
El muchacho de la casa vino 3 veces, una de ellas
a avisar que alguna gente había cruzado del otro lado
del río a buscar unos puercos, pero no pasó de allí.
Se le pagó más por el destrozo hecho al maizal.

Todo el día se lo pasaron los macheteros
chapeando, sin encontrar casa; calculan haber
preparado unos 6 kilómetros que será la mitad
de la tarea de mañana.

Se descifra un largo mensaje de La Habana cuyo
núcleo es la noticia de la entrevista con Kolle. Éste
dijo allá que no se le había informado de la magnitud
continental de la tarea, que en ese caso estarían
dispuestos a colaborar en un plano cuyas
características pidieron discutir conmigo; vendrían
el mismo Kolle, Simón Rodríguez y Ramírez.
Se me informa además que Simón ha manifestado
su decisión de ayudarnos independientemente
de lo que resuelva el partido.

Informan además, que el francés viajando
con su pasaporte llega el 23 a la Paz y se alojará
en casa de Pareja o Rhea. Falta un pedazo
indescifrable hasta ahora. Veremos cómo afrontamos
esta nueva ofensiva conciliadora. Otras noticias:

Merci apareció sin plata, alegando robo, se sospecha
malversación aunque no se descarta algo más grave.
Lechín va a pedir dinero y entrenamiento.

15

cumpleaños de Hildita (11)

Día de marcha tranquila. A las 10 de la mañana
habíamos alcanzado el punto a donde llegaron
los picadores. Luego todo fue marchando lentamente.
A las 5 de la tarde informaron haber encontrado
un sembrado y a las 6 se confirmaba. Mandamos
a Inti, Loro y Aniceto para que hablaran
con el campesino; éste resultó ser Miguel Pérez,
hermano de Nicolás, un campesino rico, pero
él es pobre y explotado por el hermano, de modo
que se mostró dispuesto a colaborar. No comimos
debido a lo avanzado de la hora.

FEBRERO 16

Caminamos unos metros para ponernos a cubierto
de la curiosidad del hermano y acampamos en un alto
que da al río, 50 metros abajo. La posición es buena
en cuanto a estar cubierto de sorpresas, pero un poco
incómoda. Comenzamos la tarea de preparar
una buena cantidad de comida para la travesía,
que haremos cruzando la sierra hacia el Rosita.

Por la tarde, una lluvia violenta y pertinaz,
que siguió sin pausas toda la noche, entorpeció
nuestros planes, pero hizo crecer el río y nos dejó
nuevamente aislados. Se le prestará $1,000
al campesino para que compre y engorde puercos;
tiene ambiciones capitalistas.

La lluvia siguió toda la mañana, 18 horas de lluvia.
Todo está mojado y el río muy crecido. Mandé
a Marcos, con Miguel y Braulio a que busque
un camino para ir al Rosita. Volvió a la tarde luego
de hacer 4 kilómetros de trocha. Informó que
se levanta un firme pelado similar a lo que llamamos
la Pampa del Tigre. Inti se siente mal,
producto del atracón.
h - 720 (condiciones atmosféricas anormales).

cumpleaños de Josefina (33)

Fracaso parcial. Caminamos lentamente siguiendo
el ritmo de los macheteros, pero a las 2 éstos
habían arribado al firme llano donde no se precisa
machete; nosotros nos demoramos algo más
y a las 3 llegamos a una aguada donde acampamos,
esperando cruzar el firme por la mañana. Marcos
y Tuma fueron de exploración, pero volvieron
con muy malas noticias; toda la loma es cortada por
farallones cortados a pico, imposibles de bajar.
No hay más remedio que retroceder.
h - 980 m.

Día perdido. Bajamos la loma hasta encontrar
el arroyo e intentamos subir por él, pero fue
imposible. Mandé a Miguel y Aniceto
para que subieran por el nuevo estribo y trataran
de pasar al otro lado, sin resultado. Consumimos
el día esperándolos y retornaron anunciando
que los farallones eran del tiempo tipo: impasables.

Mañana intentaremos subir por el último firme
después del arroyo que cae en dirección oeste
(los otros lo hacen en dirección sur y allí
se quiebra la loma).
h - 760 m.

20

Día de lenta marcha, pero accidentado; Miguel
y Braulio salieron por el viejo camino para llegar
al arroyito del maizal; y allí perdieron el rumbo
y volvieron al arroyo al anochecer. Al llegar
al siguiente arroyo mandé a Rolando y Pombo
a explorarlo hasta que se encontraron con el farallón,
pero no volvieron hasta las 3, por lo que seguimos
por el camino que Marcos iba haciendo, dejando
a Pedro y el Rubio a esperarlos. Llegamos a las 4.30
al arroyo del maíz, donde hicimos campamento.
No volvieron los exploradores.
h - 720 m.

21

Lenta caminata arroyo arriba. Pombo y Rolando
volvieron con la noticia de que el otro arroyo daba
paso, pero Marcos exploró éste y lucía lo mismo.
A las 11 salimos, pero a las 13.30 nos encontramos con
unos pozos de agua muy fría que no se podían
vadear. Se mandó a Loro a explorar y tardó mucho
por lo que envié por la retaguardia a Braulio
y Joaquín. Loro volvió con la noticia de que el arroyo
ensanchaba más arriba y era más practicable
por lo que se resolvió seguir sin esperar los resultados
de Joaquín. A las 6 acampamos cuando aquél
traía la noticia de que se podía subir el firme
y había bastante camino practicable. Inti está mal;
"aventado" por segunda vez en una semana.
h - 860.

Todo el día se invirtió en subir por firmes
bastante difíciles y de mucha manigua. Tras un día
agotador nos tomó la hora de acampar sin coronar,
mandé a Joaquín y Pedro para que trataran
de hacerlo solos y volvieron a las 7 con la noticia
de que faltaban por lo menos tres horas de chequeo.
h - 1,180. Estamos en las cabezas del arroyo
que desemboca en el Masicuri, pero con rumbo sur.

23

Día negro para mí; lo hice a pulmón pues me sentía
muy agotado. Por la mañana salieron Marcos, Braulio
y Tuma para preparar el camino, mientras
nosotros esperábamos en el campamento. Allí
desciframos un nuevo mensaje que anuncia el recibo
del mío al buzón francés. A las 12 salimos,
con un sol que rajaba piedras y poco después
me daba una especie de desmayo al coronar la loma
más alta y a partir de ese momento caminé
a fuerza de determinación. La altura máxima
de la zona está a 1,420 m.; de allí se domina
una amplia zona incluida el Río Grande,
la desembocadura del Ñacahuasu y una parte
de Rosita. La topografía es distinta de la que marca
el mapa: luego de una clara línea divisoria, se baja
abruptamente a una especie de meseta arbolada
de 8 a 10 kilómetros de ancho en cuyo extremo
corre el Rosita; luego se eleva otro macizo
con alturas equivalentes a la de esta
cadena y a lo lejos se ve el llano.

Decidimos bajar por un lugar practicable,
aunque muy pendiente, para tomar un arroyo
que conduce a Río Grande y de allí al Rosita. Luce
que no hay casas en la orilla, contra lo que marca
el mapa. Acampamos a 900 m., luego de un camino
infernal, sin agua y ya anocheciendo.

En la madrugada anterior oí a Marcos mandando
a la mierda a un cro. y por el día a otro.
Hay que hablar con él.

24

cumpleaños de Ernestico (2)

Día trabajoso y desganado. Se avanzó muy poco,
sin agua, pues el arroyo que llevamos está seco.
A las 12 se cambiaron los macheteros
por el agotamiento; a las 2 de la tarde llovía un poco
y se cargaban las cantimploras; poco después
encontramos una poceta y a las 5 acampábamos
en un rellano, al lado del agua. Marcos y Urbano
siguieron la exploración y Marcos volvió con la noticia
de que el río estaba a un par de kilómetros
pero el camino por el arroyo era muy malo,
pues se convertía en una ciénaga.
h - 680 m.

25

Día negro. Se avanzó muy poco, y, para colmo
Marcos equivocó la ruta y se perdió la mañana;
había salido con Miguel y el Loro. A las 12 comunicó
esto y pidió relevo y la comunicación; fueron
Braulio, Tuma y Pacho. A las 2 horas retornó
Pacho diciendo que Marcos lo había enviado porque
ya no se escuchaba bien. A las 4.30 envié a
Benigno para que avisara a Marcos que si a las 6
no encontraba el río retornara; después de la

salida de Benigno, Pacho me llamó para decirme que
Marcos y él habían tenido una discusión y que Marcos
le había dado órdenes perentorias
amenazándolo con un machete y dándole con el
cabo en la cara; al volver Pacho y decirle que
no seguía más, lo volvió a amenazar con el machete,
zarandeándolo y rompiéndole la ropa.

Ante la gravedad del hecho, llamé a Inti
y Rolando, quienes confirmaron el mal clima que
existía en la vanguardia por el carácter
de Marcos, pero también informaron de algunos
desplantes de Pacho.

26

Por la mañana tuve una explicación con Marcos
y Pacho, de la que salí convencido de que existió por
parte de Marcos la injuria y el maltrato y, quizás,
la amenaza con el machete, pero no el golpe;
de parte de Pacho, contestaciones injuriosas
y una tendencia a la bravuconería innata en él,
con algunos antecedentes aquí. Esperé que todo
el mundo estuviera reunido y hablé entonces
de lo que significaba este esfuerzo por llegar
al Rosita, explicando como este tipo de privaciones
era una introducción a lo que sufriríamos
y explicando que, producto de la falta de adaptación,
se producían incidentes vergonzosos, como éste
protagonizado entre dos cubanos; critiqué a Marcos
por sus actitudes y aclaré a Pacho que otro
incidente como éste provocaría su baja deshonrosa
de la guerrilla. Pacho, además de negarse a seguir
con el comunicador, volvió sin avisarme nada
del incidente, y luego, según todas las probabilidades,
me mintió sobre los golpes de Marcos.

Le pedí a los bolivianos que el que se
sintiera flojo no apelara a métodos torcidos,
me lo dijera a mí y lo licenciábamos en paz.

Seguimos caminando, tratando de alcanzar
el Río Grande, para seguir por él; lo logramos
y se pudo seguir durante un poco más de 1 Km.,
pero hubo que volver a subir pues el río no daba
paso en un farallón. Benjamín se había quedado
atrás, por dificultades en su mochila y agotamiento
físico; cuando llegó a nuestro lado le di órdenes
de que siguiera y así lo hizo; caminó unos 50 ms.
y perdió el trillo de subida, poniéndose
a buscarlo arriba de una laja; cuando le ordenaba
a Urbano que le advirtiera la pérdida, hizo
un movimiento brusco y cayó al agua.
No sabía nadar. La corriente era intensa y lo fue
arrastrando mientras hizo pie; corrimos a tratar
de auxiliarlo y, cuando nos quitábamos la ropa
desapareció en un remanso. Rolando nadó
hacía allí y trató de bucear, pero la corriente
lo arrastró lejos. A los 5 minutos renunciamos
a toda esperanza. Era un muchacho débil
y absolutamente inhábil, pero con una gran voluntad
de vencer; la prueba fue más fuerte que él,
el físico no lo acompañó y tenemos ahora nuestro
bautismo de muerte a orillas del Río Grande,
de una manera absurda. Acampamos sin llegar
al Rosita a las 5 de la tarde. Nos comimos
la última ración de frijoles.

FEBRERO **27**

Tras otro día fatigoso, marchando por la ribera
y subiendo farallas, llegamos al río Rosita.
Éste es más grande que el Ñacahuasu y menor
que el Masicuri y tiene las aguas rojizas.

Nos comimos la última ración de reserva y no se
encontraron señales de vida próxima, a pesar
de lo cerca que estamos de lugares poblados
y carreteras.
h - 600.

28

Día de semidescanso. Después del desayuno (té)
di una corta charla, analizando la muerte
de Benjamín y contando algunas anécdotas de la
Sierra Maestra. A continuación salieron las
exploraciones, Miguel, Inti, y el Loro Rosita arriba,
con la instrucción de caminar 3½ horas, lo que
yo creía fuera necesario para alcanzar el río
Abaposito, pero no fue así por la falta de senda;
no encontraron señales de vida reciente. Joaquín
y Pedro subieron a los montes de enfrente,
pero no vieron nada ni encontraron senda alguna
o restos de ella. Alejandro y Rubio cruzaron
el río pero no encontraron senda, aunque la
exploración fue superficial. Marcos dirigió la
construcción de la balsa y se inició el cruce apenas
terminada, en un recodo del río donde desemboca
el Rosita. Pasaron las mochilas de 5 hombres,
pero pasó la de Miguel y quedó la de Benigno,
mientras que sucedía al revés con ellos, y para colmo,
Benigno dejó los zapatos.

La balsa no pudo ser recuperada y la segunda
no estaba terminada, de modo que suspendimos
el cruce hasta mañana.

¡Aunque no tengo noticias de lo ocurrido en el campamento, todo marcha aproximadamente bien, con las debidas excepciones fatales en estos casos.

En lo externo, no hay noticias de los dos hombres que debían mandarme para completar el conjunto; el francés ya debe estar en la Paz y cualquier día en el campamento; no tengo noticias de los argentinos ni del Chino; los mensajes se reciben bien en ambas direcciones; la actitud del partido sigue siendo vacilante y doble, lo menos que se puede decir de ella, aunque queda una aclaración, que puede ser definitiva, cuando hable con la nueva delegación.

La marcha se cumplió bastante bien, pero fue empañada por el accidente que costó la vida a Benjamín; la gente está débil todavía y no todos los bolivianos resistirán. Los últimos días de hambre han mostrado una debilitación del entusiasmo, caída que se hace más patente al quedar divididos.

De los cubanos, dos de los de poca experiencia, Pacho y el Rubio no han respondido todavía, Alejandro lo ha hecho a plenitud; de los viejos, Marcos da continuos dolores de cabeza y Ricardo no está cumpliendo cabalmente. Los demás bien.

La próxima etapa será de combate y decisiva.

Marzo 1

A las 6 de la mañana comenzó a llover. Pospusimos el cruce hasta que pasara, pero la lluvia arreció y siguió hasta las 3 de la tarde, hora en que llegó la crecida y no consideramos prudente intentar el cruce. Ahora está muy crecido y sin trazas

de bajar pronto. Yo me trasladé a una tapera[1]
abandonada para huirle al agua y allí hice
el nuevo campamento. Joaquín quedó en su mismo
lugar. Por la noche me informó que Polo se había
tomado su lata de leche y Eusebio la de leche
y las sardinas, por ahora, como sanción, no
comerán cuando toquen esas cosas. Mal síntoma.

MARZO 2

El día amaneció lluvioso y la gente disparada,
empezando por mí. El río más crecido aún.
Se decide dejar el campamento apenas escampe
y seguir paralelo al río por el camino que trajimos.
Salimos a las 12 e hicimos buena provisión
de palmitos de corojo.[1] A las 4.30 nos detuvimos,
pues habíamos dejado nuestro camino en un
intento por aprovechar una vieja senda que
se perdió. No se tiene noticias de la vanguardia.

MARZO 3

Empezamos con entusiasmo, caminando bien,
pero las horas nos fueron moderando y hubo que
enderezar el camino por el firme, pues temí
que se produjera algún accidente en la zona
por donde cayó Benjamín. Tardamos cuatro horas
en hacer el camino que nos tomó menos de ½ hora
por abajo. A las 6 llegamos a la orilla del arroyo
donde hicimos campamento, pero como sólo
teníamos dos palmitos, Miguel y Urbano, luego
Braulio fueron a buscar unos lejanos, volviendo
a las 9 de la noche. Cerca de las 12 comimos;

[1] **Tapera:** bohío abandonado o cabaña para uso provisional.
[1] **Palmito de corojo:** corazón del corojo. (N. del E.)

el palmito y el corojo (totai en Bolivia) están
salvando la situación.
h - 600 ms.

Miguel y Urbano salieron por la mañana
y estuvieron todo el día macheteando, retornando
a las 6 de la tarde; avanzaron unos 5 kilómetros
y ven un llano que debe permitir avanzar; pero
no hay lugar para campamento, por lo que
decidimos quedarnos aquí hasta alargar el trillo.
Los cazadores lograron dos monitos, una cotorra
y una paloma, que fue nuestra comida junto
con el palmito, abundante en este arroyo.

El ánimo de la gente está bajo y el físico
se deteriora día a día; yo tengo comienzo de
edemas en las piernas.

Joaquín y Braulio salieron de macheteros,
con lluvia, pero ambos están flojos y no avanzaron
mucho. Se colectaron 12 palmitos y se cazaron
algunos pajaritos, lo que permite guardar las latas
un día más y hacer reserva de palmito para dos días.

Día de caminata intermitente hasta las 5 de la tarde.
Miguel, Urbano y Tuma son los macheteros.
Se avanzó algo y se ven a lo lejos unos firmes
que parecen ser los de Ñacahuazo. Sólo se cazó
un lorito entregado a la retaguardia. Hoy comemos
palmito con carne. Nos quedan tres comidas
muy escasas.
h - 600 ms.

4 meses. La gente está cada vez más desanimada,
viendo llegar el fin de las provisiones, pero
no del camino. Hoy avanzamos entre 4 y 5
kilómetros por la orilla del río y dimos al final con
un trillo prometedor. La comida: 3 pajaritos y ½
y el resto del palmito; a partir de mañana,
lata pelada, a un tercio por cabeza, durante dos días;
luego la leche que es la despedida.
Para Ñacahuasu deben faltar dos a 3 jornadas.
h - 610 ms.

8

Días de poco camino, de sorpresa y tensiones.
A las 10 de la mañana salimos del campamento
sin esperar a Rolando que estaba cazando.
Caminamos sólo hora y media y nos encontramos
con los macheteros y los cazadores (Urbano,
Miguel, Tuma - Médico y Chinchu, respectivamente)
tenían un montón de loros pero se habían
encontrado con que había una toma de agua
y se detuvieron. Fui a ver el lugar luego de ordenar
un campamento y lució una estación de bombeo
de petróleo. Inti y Ricardo se tiraron al agua;
debían simular ser cazadores. Se tiraron vestidos
a pasar en dos etapas pero Inti tuvo dificultades
y casi se ahoga; Ricardo lo auxilió y por fin
salieron a la orilla llamando la atención de todo
el mundo. La contraseña si había peligro no se
produjo y desaparecieron. Habían iniciado el cruce
a las 12 y a las 15.15 me retiré sin que dieran
señales de vida. Pasó toda la tarde y no aparecieron.
La última posta se retiró a las 21 y no se habían
dado nuevas señales.

ocupe mucho, dos valiosos compañeros estaban expuestos y no se sabía lo que había pasado. Se resolvió que Alejandro y Rolando, los mejores nadadores, crucen mañana al aclarar.

Comimos mejor que otros días, a pesar de la falta de palmito por la abundancia de loros y dos monitos que mató Rolando.

MARZO **9**

Temprano iniciamos la tarea del cruce, pero fue necesario hacer una balsa, lo que demoró bastante. La posta anunció que se veían gentes semidesnudas del otro lado; eran las 8.30 y se suspendió el cruce. Se ha hecho un caminito que sale al otro lado pero a un claro desde donde nos ven, por lo que hay que salir de mañanita aprovechando la niebla del río. Cerca de las 16, tras un desesperante observatorio que para mí duró desde las 10.30, se tiraron al río los proveedores (Inti y Chinchu), saliendo muy abajo. Trajeron un puerco, pan, arroz, azúcar, café, algunas latas, maíz sarazo etc. Nos dimos un pequeño festín de café, pan y se autorizó a consumir la lata de leche condensada hecha dulce que traíamos en reserva. Explicaron que habían salido cada hora para que los vieran pero infructuosamente para nosotros. Marcos y su gente pasaron hace 3 días y parece que Marcos hizo de las suyas mostrando las armas. Los ingenieros de yacimientos no saben bien cuánto hay al Ñacahuasu, pero suponen 5 días de camino; los víveres nos alcanzan si fuera así. La bomba pertenece a una planta de bombeo que se está construyendo.

Salimos a las 6.30 caminando 45 minutos hasta
alcanzar a los macheteros. A las 8 comenzó
a llover siguiendo hasta las 11. Caminamos,
efectivos, unas 3 horas acampando a las 5. Se ven
unas lomas que podría ser el Ñacahuasu. Braulio
salió a explorar y regresó con la noticia de que
hay una senda y el río sigue recto al oeste.
h - 600.

El día comenzó bajo buenos auspicios. Caminamos
más de 1 hora por un camino perfecto, pero éste
se perdió sin transición. Braulio tomó el machete
y siguió trabajosamente hasta encontrar una playa.
Les dejamos tiempo a él y Urbano para que
abrieran camino y cuando íbamos a seguir,
la creciente nos cortó el camino, fue cosa
fulminante y el río creció cerca de un par de metros.

 Quedamos aislados de los macheteros
y contreñidos a hacer camino en el monte. A las 13.30
paramos y mandé a Miguel y Tuma con el
encargo de conectar con los vanguardistas y dar
orden de regresar si no se lograba llegar
al Ñacahuaso o a un lugar bueno.

 A las 18 volvieron; habían caminado unos
3 kilómetros llegando a un farallón cortado a pico.
Parece que estamos cerca pero las últimas jornadas
serán muy duras si no baja el río, lo que luce muy
improbable. Caminamos 4-5 K.

 Se suscitó un incidente desagradable porque
a la retaguardia le falta azúcar y oscila la sospecha
entre menos cantidad en el reparto o ciertas
licencias de Braulio. Hay que hablar con éste
h - 610.

En una hora y diez caminamos el tramo que se
había hecho ayer. Cuando llegamos, Miguel y Tuma
que habían salido primero, ya estaban explorando
para tratar de pasar un farallón cortado a pique.
En esto pasó todo el día: nuestra única actividad
fue cazar cuatro pajaritos que comimos como
complemento del arroz con mejillones. Nos quedan
dos comidas. Miguel quedó del otro lado y parece
que consiguió paso al Ñacahuaso.
Caminamos unos 3-4 K.

Desde las 6.30 hasta las 12 estuvimos montados
en farallas infernales, siguiendo el camino hecho
por Miguel en un trabajo ciclópeo. Pensábamos
que ya estaba el Ñacahuaso cuando nos topamos
con algunos pasitos malos y en 5 horas avanzamos
bastante poco. Acampamos bajo un aguacero
moderado a las 17. La gente está bastante
cansada y un poco desmoralizada nuevamente.
Queda una sola comida. Caminamos unos 6 K.
pero poco de provecho.

Cruzamos el río, pero sólo el centro, y el Rubio
y el Médico para ayudarnos. Pensábamos llegar
a la desembocadura del Ñacahuaso pero llevábamos
3 hombres que no saben nadar y un gran peso.
La corriente nos arrastró cerca de un kilómetro
y ya la balsa no se podía cruzar, como era nuestra
intención. Quedamos los 11 de este lado y mañana
volverán a cruzar el Médico y el Rubio.

cazamos 4 gavilanes que fue nuestra comida, no tan mala como podía preveerse. Todas las cosas se mojaron y el tiempo sigue cargado de agua. La moral de la gente es baja; Miguel tiene los pies hinchados y hay varios más en esas condiciones.

h - 580.

MARZO 16

Decidimos comernos el caballo, pues ya era alarmante la hinchazón. Miguel, Inti, Urbano, Alejandro, presentaban diversos síntomas; yo una debilidad extrema. Tuvimos un error de cálculo, pues creíamos que Joaquín pasaría pero no fue así. El Médico y Rubio trataron de cruzar para ayudarlos y fueron expulsados río abajo, perdiéndose de vista; Joaquín solicitó autorización para cruzar y se la di; también se perdieron río abajo Mandé a Pombo y Tuma a alcanzarlos, pero no los encontraron, retornando a la noche. Desde las 17 horas fue una orgía de caballo. Mañana serán las consecuencias, probablemente. Calculo que hoy debe llegar Rolando al campamento.

Se descifra completo mensaje No. 32 que anun la llegada de un boliviano para incorporarse con otro cargamento de glucantine, un antiparasitario (leismania). Hasta ahora no tenemos casos de esos.

MARZO 17

Otra vez la tragedia antes de probar el combate. Joaquín apareció a media mañana; Miguel y Tuma habían ido a alcanzarlo con buenos trozos de carne. La odisea había sido seria: no pudieron

dominar la balsa y ésta siguió Ñacahuaso abajo, hasta que les tomó un remolino que la tumbó, según ellos, varias veces. El resultado final fue la pérdida de varias mochilas, casi todas las balas, 6 fusiles y un hombre: Carlos. Éste se desprendió en el remolino junto con Braulio pero con suerte diversa: Braulio alcanzó la orilla y pudo ver a Carlos que era arrastrado sin ofrecer resistencia. Joaquín ya había salido con toda la gente, más adelante, y no lo vio pasar. Hasta ese momento, era considerado el mejor hombre de los bolivianos en la retaguardia, por su seriedad, disciplina y entusiasmo.

Las armas perdidas son: una Brno, la de Braulio; 2 M-1, Carlos y Pedro; 3 mausers, Abel, Eusebio y Polo. Joaquín informó que había visto al Rubio y al Médico en la otra banda y ya les había ordenado hacer una balsita y volver. A las 14 aparecieron con su cuenta de peripecias y sinsabores, desnudos y con el Rubio descalzo. La balsa se les descalabró en el primer remolino. Salieron a la orilla casi donde lo hiciéramos nosotros.

Nuestra partida está fijada para mañana temprano y Joaquín lo hará por el medio día. Espero encontrarme con noticias mañana mismo en el curso del día. La moral de la gente de Joaquín parece buena.

MARZO **18**

Salimos temprano, dejando a Joaquín para digerir y acabar de aderezar su medio caballo, con instrucciones de salir en cuanto se sienta fuerte.

Tuve una lucha para mantener cierta reserva de carne; contra la opinión de la gente que

quería metérsela toda. A media mañana se habían
retrasado Ricardo, Inti y Urbano y hubo que
esperarlos contra mis propósitos de descansar
en el campamento de donde habíamos partido a la
ida. De todas maneras, caminamos mal.

A las 14.30 se presentó Urbano con una urina[1]
cazada por Ricardo, lo que nos permite cierta
holgura y una reserva de costillar de caballo.
A las 16.30 llegamos al punto que debía ser
intermedio, pero allí dormimos. Hay varios hombres
quedones y malhumorados: Chinchu, Urbano
y Alejandro.

MARZO 19

Por la mañana caminamos bien los de adelante
y paramos a las 11, como habíamos convenido,
pero otra vez se retrasaron Ricardo y Urbano,
y esta vez, Alejandro. Llegaron a las 13,
pero con otra urina, también cazada por Ricardo
y con ellos llegó Joaquín. Se suscitó un incidente
por un cambio de palabras entre Joaquín y el
Rubio en que tuve que tratar duramente a este
último sin estar convencido de que fuera culpable.

Decidí seguir hasta el arroyo de todas maneras,
pero andaba volteando una avioneta que no
presagiaba nada bueno y, además, me tenía
preocupado la falta de noticias de la base.
Pensaba que la tirada sería más larga, pero, a pesa
del desgano de la gente, llegamos a las 17.30.
Allí nos recibió el médico peruano, Negro, que
ha venido con el Chino y el telegrafista
con la noticia de que Benigno esperaba con comida
y de que habían desertado dos hombres de
Guevara y la policía había caído a la finca.
Benigno explicó que había salido a encontrarnos

[1] **Urina:** Venadito. (N. del E.)

con alimentos y se cruzó hace tres días con
Rolando; lleva dos días aquí pero no se había
animado a seguir porque el ejército podía avanzar
por el río, ya que la avioneta llevaba tres días
volteando. El Negro era testigo presencial del
ataque a la finca por 6 hombres. No estaban
ni Antonio ni Coco; éste había ido a Camiri
a buscar otro lote de hombres de Guevara
y Antonio salió enseguida a avisarle la deserción.
Recibo un largo informe de Marcos (D. VIII)
en el que explica sus andanzas a su manera;
llegó a la finca contra mis órdenes expresas
y dos informes de Antonio explicando
la situación (D. IX y X).

Están ahora en la base el francés, el Chino, sus
compañeros, el Pelado, Tania y Guevara con la
primera parte de su grupo. Tras de comer una
opípara cena de arroz congrís y urina, Miguel salió
a buscar a Joaquín que no había llegado
y localizar a Chinchu, retrasado una vez más.
Volvió con Ricardo y a la madrugada se presentó
Joaquín juntándonos todos aquí.

MARZO **20**

Salimos a las 10, con buen paso, Benigno y el Negro
nos precedían con un mensaje para Marcos
en que le ordenaba hacerse cargo de la defensa
y dejarle las cosas administrativas a Antonio.
Joaquín salió después de haber borrado las huellas
de entrada al arroyo pero sin apuro.
Trae tres hombres descalzos. A las 13 cuando
estábamos haciendo una parada larga, apareció Pacho
con un mensaje de Marcos. La información
ampliaba la primera de Benigno, pero ahora
era más complicada pues los guardias se habían metido
por el camino del vallegrandino en número de 60

y apresaron un mensajero nuestro de la gente
de Guevara, Salustio. Nos quitaron una mula
y se perdió el jeep. No se tenían noticias del Loro
que se había quedado en la posta de la casita.
Decidimos llegar de todas maneras al campamento
del Oso, como se llama ahora por el hecho
de haber matado un animal de ésos.
Mandamos a Miguel y Urbano para preparar comida
para hombres hambrientos y llegamos nosotros
al anochecer. En el campamento estaban
Dantón, el Pelao, y el Chino, además de Tania
y un grupo de bolivianos usados en Góndola
para llevar comida y retirarse. Rolando había sido
enviado para organizar la retirada de todo;
un clima de derrota imperaba. Poco después llegó
un médico boliviano recién incorporado con un mensaje
para Rolando en el que se le comunicaba que Marcos
y Antonio estaban en la aguada, que fuera
a entrevistarse. Le mandé a decir con el mismo
mensajero que la guerra se ganaba a tiros,
que se retiraran inmediatamente hacia el campamento
y allí me esperaran. Todo da la impresión
de un caos terrible; no saben qué hacer.
 Hablé preliminarmente con el Chino.
Pide 5 mil dólares mensuales durante 10 meses
y de La Habana le dijeron que discutiera conmigo.
Trae además un mensaje que Arturo no pudo
descifrar por ser muy largo. Le dije que en principio sí
sujeto a que en 6 meses se alzara. Piensa hacerlo
con 15 hombres y él como jefe en la zona de Ayacucho
Convinimos además, en que le recibiría 5 hombres
ahora y 15 más, con algún lapso y les enviaría
con sus armas luego de entrenarlos en combate.
Él me debe enviar un par de trasmisores
de alcance medio (40 millas) y trabajaremos
en la confección de una clave para nuestro uso
y estar en permanente contacto.

Parece muy entusiasmado.

Trajo también una serie de informes de Rodolfo muy viejos ya. Se conoce que el Loro apareció y anunció haber matado un soldado.

MARZO **21**

Me pasé el día en charlas y discusiones con el Chino, precisando algunos puntos, el francés, el Pelao y Tania. El francés traía noticias ya conocidas sobre Monje, Kolly, Simón Reyes, etc. Viene a quedarse pero yo le pedí que volviera a organizar una red de ayuda en Francia y de paso fuera a Cuba, cosa que coincide con sus deseos de casarse y tener un hijo con su compañera. Yo debo escribir cartas a Sartre y B. Rusell para que organicen una colecta internacional de ayuda al movimiento de liberación boliviano. Él, debe, además, hablar con un amigo que organizará todas las vías de ayuda, fundamentalmente, dinero, medicinas y electrónica, en forma de un ingeniero del ramo y equipos.

El Pelao, por supuesto, está en disposición de ponerse a mis órdenes y yo le propuse ser una especie de coordinador, tocando por ahora sólo los grupos de Jozamy, Gelman y Stamponi y mandándome 5 hombres para que comiencen el entrenamiento. Debe saludar a María Rosa Oliver y al viejo. Se le dará 500 pesos para mandar y mil para moverse. Si aceptan, deben comenzar la acción exploratoria en el norte argentino y mandarme un informe.

Tania hizo los contactos y la gente vino, pero según ella, se la hizo viajar en su jeep hasta aquí y pensaba quedarse un día pero se complicó la cosa. Jozamy no pudo quedarse la primera vez y la segunda ni siquiera se hizo contacto por estar

Tania aquí. Se refiere a Iván con bastante desprecio; no sé qué habrá en el fondo de todo. Se recibe la rendición de cuentas de la Loyola hasta el 9 de febrero (1,500 dólares)*.

Se reciben dos informes de Iván; uno sin interés, con fotos, sobre un colegio militar, otro informando de algunos puntos, sin mayor importancia tampoco.

Lo fundamental es que no puede descifrar la escritura (D, XIII). Se recibe un informe de Antonio (D, XII) donde trata de justificar su actitud. Se escucha un informe radial en que se anuncia un muerto y se desmiente luego; lo que indica que fue verdad lo del Loro.

MARZO 22

A []¹ salimos dejando abandonado el campamento [] con alguna comida, precariamente guardada []. Llegamos abajo a las 12, constituimos un grupo de 47 hombres contando visitantes y todo.

Al llegar Inti me planteó una serie de faltas de respeto cometidas por Marcos; yo me exploté y le dije a Marcos que de ser cierto sería expulsado de la guerrilla, contestando él que moría, antes fusilado.

Se había ordenado una emboscada de 5 hombres hacia adelante en el río y una exploración de 3 hombres, encabezados por Antonio, con Miguel y el Loro. Pacho fue de observación a la loma pelada, que domina la casa de Argañaraz pero no observó nada. A la noche regresaron los exploradores y les espeté una descarga abundante.

* - e informa de su separación de la Dirección de la juventud.

¹ Los espacios en blanco corresponden a palabras ilegibles el original. (N. del E.)

Olo reaccionó muy emocionalmente y negó los cargos. La reunión fue explosiva e intempestiva y no dejó buen saldo. No está claro qué es lo que Marcos dijo. Mandé buscar a Rolando para arreglar definitivamente el problema de los incorporados con sus números y distribución, ya que fuimos más de 30 comensales pasando hambre en el centro.

<div align="right">

MARZO **23**

</div>

Día de acontecimientos guerreros. Pombo quería organizar una góndola hasta arriba para rescatar mercancía, pero yo me opuse hasta aclarar la sustitución de Marcos. A las 8 y pico llegó Coco a la carrera a informar que había caído una sección del ejército en la emboscada. El resultado final ha sido, hasta ahora, 3 morteros de 60 mm., 16 mausers, 2 Bz, 3 Usis, 1 30, dos radios, botas, etc., 7 muertos, 14 prisioneros sanos y 4 heridos, pero no logramos capturarles víveres. Se capturó el plan de operaciones que consiste en avanzar por ambos cabos del Ñacahuasu para hacer contacto en un punto medio. Trasladamos aceleradamente gente al otro lado y puse a Marcos con casi toda la vanguardia en el final del camino de maniobras mientras el centro y parte de la retaguardia queda en la defensa y Braulio hace una emboscada al final del otro camino de maniobras. Así pasaremos la noche para ver si mañana llegan los famosos rangers. Un mayor y un capitán, prisioneros, hablaron como cotorras.

Se descifra el mensaje enviado con el Chino. Habla del viaje de Debré, el envío de $60 mil, los pedidos del Chino y una explicación de por qué

no escriben a Iván. También recibo una comunicación de Sánchez donde informa sobre las posibilidades de establecer a Mito en algunos puntos.

El botín completo es el siguiente: 16 mausers, 3 morteros con 64 proyectiles, 2 Bz, 2,000 tiros de mauser, 3 Usis con 2 cargadores cada una, una 30 con dos cintas. Hay 7 muertos y 14 prisioneros, incluyendo 4 heridos. Se manda a Marcos a hacer una exploración la que no arroja nada, pero los aviones bombardean cerca de la casa nuestra.

Mandé a Inti a hablar por última vez con los prisioneros y ponerlos en libertad, desnudándolos de toda prenda que sirva menos a los dos oficiales con los que se habló aparte y salieron vestidos. Al Mayor, se le dijo que le dábamos hasta el 27 a las 12.00 para retirar los muertos y les ofrecimos una tregua para toda la zona de Lagunillas si él se quedaba por aquí, pero contestó que se retiraba del Ejército. El capitán informó que había reingresado al Ejército hacía un año, a pedido de la gente del partido y que tenía un hermano estudiando en Cuba; además, dio los nombres de otros dos oficiales dispuestos a colaborar. Cuando los aviones comenzaron el bombardeo que dieron un susto mayúsculo, pero también lo sufrieron dos hombres nuestros, Raúl y Walter; este último también estuvo flojo en la emboscada.

Marcos hizo una exploración sin encontrar nada por su zona. Ñato y Coco fueron con la resaca a una góndola hacia arriba pero debieron devolverlos porque no querían caminar. Hay que licenciarlos.

El día pasó sin novedad. León, Urbano y Arturo
fueron enviados a un observatorio que domina las
entradas del río por ambos lados. A las 12 se
retiró Marcos de su posición en la emboscada y toda
la gente quedó concentrada en la emboscada
principal. A las 18.30, con casi todo el personal
presente, hice un análisis del viaje y su significado
y expuse los errores de Marcos, destituyéndolo
y nombrando a Miguel jefe de la vanguardia. Al
mismo tiempo se anunció el licenciamiento de Paco,
Pepe, Chingolo y Eusebio, comunicándoles que
no comerán si no trabajan y se les suspende
la fuma, redistribuyendo las cosas personales entre
los otros compañeros más necesitados. Me referí al
proyecto de Kolle de venir a discutir que se hace
simultáneamente con la expulsión de los miembros
de la juventud aquí presentes, lo que interesan
son hechos; las palabras que no concuerden
con los hechos no tienen importancia. Anuncié
la búsqueda de la vaca y la reiniciación del estudio.

Hablé con Pedro y el Médico a quienes
anuncié su casi total graduación de guerrilleros
y con Apolinar a quien di ánimos. A Walter le hice
críticas por ablandarse durante el viaje, por su
actitud en el combate y por el miedo que mostró
a los aviones; no reaccionó bien. Precisamos detalles
con el Chino y el Pelado y le hice al francés un
largo informe oral sobre la situación. En el curso
de la reunión se le dio a este grupo el nombre
de Ejército de Liberación Nacional de Bolivia y se
hará un parte del encuentro.

Inti salió temprano con Antonio, Raúl y Pedro
para buscar una vaca en la zona de Ticucha pero
encontraron tropas a 3 horas de aquí y volvieron, al
parecer, sin ser vistos. Informaron que los soldados
tenían una posta en una pelada y una como casa
de techo brillante de la que vieron salir unos
8 hombres. Están en las inmediaciones del río que
llamábamos Yaki. Hablé con Marcos y le envié
a la retaguardia; no creo que mejore mucho
su conducta.

Se hizo una pequeña góndola y las habituales
postas; desde el observatorio de Argarañaz se vieron
30-40 soldados y aterrizó un helicóptero.

Hoy hizo explosión la noticia acaparando todo el
espacio radial y produciendo multitud
de comunicados, incluida una conferencia de prensa
de Barrientos. El parte oficial incluye un muerto
más que nosotros y los da como heridos y luego
fusilados y nos asigna 15 muertos y 4 prisioneros, do
de ellos extranjeros, pero también se habla de un
extranjero que se autoeliminó y de la composición
de la guerrilla. Es evidente que los desertores
o el prisionero hablaron, sólo que no se sabe
exactamente cuánto dijeron y cómo lo dijeron. Todo
parece indicar que Tania está individualizada con
lo que se pierden dos años de trabajo bueno
y paciente. La salida de la gente es muy difícil
ahora; me dio la impresión de que no le hizo
ninguna gracia a Dantón cuando se lo dije. Veremos
en el futuro.

Benigno, Loro y Julio salieron para buscar
el camino a Pirirenda; deben tardar dos o tres
días y sus instrucciones son llegar sin ser vistos
a Pirirenda para hacer luego una expedición
a Gutiérrez. El avión de reconocimiento tiró
unos paracaídas que la vigía informó habían caído
en el campo de caza; se envió a Antonio y dos más
para investigar y tratar de hacer prisioneros pero no
había nada.

Por la noche tuvimos una reunión de Estado
Mayor en la que fijamos los planes para los días
venideros. Hacer mañana una góndola a la casita
nuestra para recoger maíz, luego otra para comprar
en Gutiérrez y por fin un ataquecito de distracción,
que puede ser en el monte entre Pincal y Lagunilla
a los vehículos que transiten allí.

Se confecciona el comunicado No. 1 que
trataremos de hacer llegar a los periodistas
de Camiri (D XVI).

MARZO **28**

Las radios siguen saturadas de noticias sobre las
guerrillas. Estamos rodeados por 2,000 hombres en
un radio de 120 km, y se estrecha el cerco,
complementado por bombardeos con napalm;
tenemos unas 10-15 bajas.

Mandé a Braulio al frente de 9 hombres
para tratar de buscar maíz. Volvieron a la noche
con un rosario de noticias locas: 1º) Coco, que
había salido antes para avisarnos, desaparece.
2º) A las 16:00 llegan a la finca; se encuentran con
que la cueva ha sido revisada pero se despliegan
para comenzar la recogida cuando aparecen
7 hombres de la cruz roja, 2 médicos y varios

militares sin armas. Se les toma prisioneros, explicándoles que la tregua ya venció, pero autorizándolos a seguir. 3º) Llega un camión lleno de soldados, y, en vez de tirar, les hacen decir que se retiren. 4º) Los soldados, disciplinadamente, se retiran y los nuestros acompañan a los sanitarios hasta donde están los cadáveres podridos, pero éstos no los pueden cargar y dicen que vendrán mañana a quemarlos. Se les confiscan 2 caballos de Argarañaz y vuelven, quedando Antonio, Rubio y Aniceto donde los animales no pueden seguir; cuando se iba a buscar a Coco, éste apareció; parece que se había quedado dormido.

No hay noticias de Benigno todavía.

El francés planteó con demasiada vehemencia lo útil que podría ser fuera.

Marzo **29**

Día de poca acción pero de extraordinaria movilidad en las noticias; el Ejército suministra una amplia información que, de ser cierta, puede sernos de mucho valor. Radio Habana ya dio la noticia y el Gobierno anuncia que apoyará la acción de Venezuela presentando el caso Cuba en la OEA. Entre las noticias, hay una que me preocupa; la de que hubo un encuentro en la quebrada de Tiraboy donde murieron dos guerrilleros. Por ese lugar se va a Pirirenda, punto que debía explorar Benigno y hoy debía estar de vuelta, sin hacerlo. Tenían orden de no pasar por la quebrada, pero en los últimos días se han incumplido reiteradamente las órdenes que doy.

Guevara va avanzando muy lentamente en su trabajo; se le dio dinamita pero no pudieron explotarla en todo el día. Se mató un caballo

ᴬe con… carne generosamente, aunque esta debe durar 4 días; trataremos de traer el otro hasta aquí, aunque luce difícil. A juzgar por las aves de rapiña, todavía no han quemado los cadáveres. Apenas esté la cueva podemos hacer el traslado de este campamento, que ya resulta incómodo y muy conocido. Comuniqué a Alejandro que él quedaría aquí junto con el Médico y Joaquín (probablemente en el campamento del oso). Rolando está también muy agotado.

Hablé con Urbano y Tuma; con este último no pude siquiera hacerme entender sobre el origen de mis críticas.

MARZO 30

Todo vuelve a la tranquilidad: a media mañana aparecen Benigno y sus compañeros. Efectivamente, habían transitado por la quebrada de Piraboy, pero no encontraron sino rastros del paso de dos personas. Llegaron al lugar de destino, aunque fueron vistos por los campesinos, y regresaron. El informe expresa que se tarda unas 4 horas en llegar a Pirirenda y que, aparentemente, no hay peligro. La aviación ametralló constantemente la casita.

Mandé a Antonio con dos más para explorar el río hacia arriba y el informe es que los guardias permanecen estáticos, aunque hay huellas de un recorrido de exploración por el río. Han cavado trincheras.

Llegó la yegua que faltaba, de manera que, en el peor de los casos, tenemos carne para cuatro días. Mañana se descansará y pasado mañana saldrá la vanguardia para las dos próximas operaciones: tomar Gutiérrez y hacerles una emboscada en el camino a Argarañaz-Lagunillas.

eso para Marcos y Benigno; Aniceto se solidarizó
a medias con él pero luego le confesó a Coco que
habían sido cómplices en un robo de latas y a Inti
que no se solidarizaba con las expresiones de Loro
sobre Benigno y otra sobre Pombo y sobre la
"descomposición general de la guerrilla",
aproximadamente.

<div align="right">MARZO 31</div>

Sin mayores novedades. Guevara anunció para
mañana la terminación de la cueva. Inti y Ricardo
reportaron que los guardias habían vuelto a tomar
nuestra finquita, previa a una preparación artillera
(morteros) aviación, etc. Esto obstaculiza nuestros
planes de ir a Pirirenda a abastecernos; no obstante
le di instrucciones a Manuel de avanzar con su
gente hasta la casita. Si ésta está vacía, tomarla
y mandar dos hombres a avisarme para que
nosotros nos movilicemos pasado mañana,
si está tomada y no se puede hacer un ataque
por sorpresa, retornar y explorar la posibilidad
de flanquear a Argarañaz para hacerles una
emboscada entre el Pincal y Lagunillas. La radio
sigue con su alaraca y los partes se suceden a los
anuncios oficiosos de combate. Han fijado nuestra
posición con absoluta precisión entre el Yaki
y Ñacahuasu y temo que traten de hacer algún
movimiento envolvente. Hablé con Benigno sobre
su error en no irnos a buscar y le expliqué la situación
de Marcos; reaccionó bien.

Por la noche hablé con Loro y Aniceto. La
conversación fue muy mala; Loro llegó a decir que
estábamos descompuesto y cuando lo precisé, dejó

Éste está pletórico de acontecimientos pero
el panorama general se presenta con las siguientes
características: Etapa de consolidación y depuración
para la guerrilla, cumplida a cabalidad; lenta
etapa de desarrollo con la incorporación de algunos
elementos venidos de Cuba, que no parecen malos,
y los de Guevara que han resultado con un nivel
general muy pobre (2 desertores, 1 prisionero
y "hablador", 3 rajados, 2 flojos); etapa de comienzo
de la lucha, caracterizada por un golpe preciso
y espectacular, pero jalonada de indecisiones
groseras antes y después del hecho (retirada
de Marcos, acción de Braulio), etapa del comienzo
de la contraofensiva enemiga, caracterizada hasta
ahora por: a) tendencia a establecer controles que nos
aíslen, b) clamoreo a nivel nacional
e internacional, c) inefectividad total, hasta ahora,
d) movilización campesina.

Evidentemente, tendremos que emprender
el camino antes de lo que yo creía y movernos
dejando un grupo en remojo y con el lastre
de 4 posibles delatores. La situación no es buena,
pero ahora comienza otra etapa de prueba para
la guerrilla, que le ha de hacer mucho bien cuando
la sobrepase.

Composición: vanguardia — Jefe: Miguel;
Benigno, Pacho, Loro, Aniceto, Camba, Coco, Darío,
Julio, Pablo, Raúl.

Retaguardia — Jefe: Joaquín; segundo: Braulio;
Rubio Marcos, Pedro, Médico, Polo, Walter, Víctor
Pepe, Paco, Eusebio, Chingolo).

Centro — Yo, Alejandro, Rolando, Inti, Pombo,
Tato, Tuma, Urbano, Moro, Negro, Ricardo /Arturo)
Eustaquio, Guevara, Willy, Luis,[1] Antonio, León

Aparecerá más adelante, también, como **Chapaco**.
(N. del E.)

(Tania, Pelado, Dantón, Chino — visitantes),
(Serapio — refugiado).

Abril 1

La vanguardia partió a las 7, con bastante retraso.
Falta el Camba que no regresó de su expedición
con el Ñato para esconder las armas en la cueva
del Oso. A las 10:00 llegó Tuma del observatorio
avisando que había visto 3 ó 4 soldados en la pampita
de caza. Ocupamos las posiciones y Walter, desde
la vigía, avisó que había visto 3 y un mulo o burro
y que estaban emplazando algo; me lo mostró pero
no vi nada. A las 16.00 me retiré, juzgando que, en
todo caso, ya no era necesario permanecer pues
no atacarían, pero me parece que fue una ilusión
óptica de Walter.

Decidí evacuar todo mañana mismo y que Rolando
se hiciera cargo de la retaguardia en ausencia
de Joaquín. El Ñato y Camba llegaron a las 21.00
dejando todo guardado, menos una comida
para los 6 que se quedaron. Estos son: Joaquín,
Alejandro, Moro, Serapio, Eustaquio y Polo.
Los tres cubanos bajo protesta. Se mató la otra yegua
para dejarle charqui[1] a los 6. A las 23.00 llegó Antonio
con la noticia de que todo había transcurrido
sin novedad y con un saco de maíz.

A las 4.00 de la madrugada salió Rolando,
llevándose la impedimenta de los 4 flojos (Chingolo,
Eusebio, Paco, Pepe). Pepe quiso que le dieran
un arma y que se quedaba. Camba fue con él.

A las 5 llegó Coco con un nuevo mensaje
indicando que habían sacrificado una vaca y nos

[1] **Charqui:** carne secada al sol. (N. del E.)

esperaban. Le di como punto de reunión el arroyo
que sale monte abajo de la finca pasado mañana
a las 12 del día.

<div align="right">ABRIL **2**</div>

La increíble cantidad de cosas acumuladas
hizo que invirtiéramos todo el día en guardarlas
en sus cuevas respectivas, terminando el traslado
a las 17.00. Se mantuvo posta de 4 hombres,
pero el día transcurrió en una calma chicha;
ni aviones sobrevolaron la zona. Los comentarios
de la radio hablan de "estrechamiento del cerco"
y de que los guerrilleros se aprestan a la
defensa en el callejón del Ñacahuasu; informan
que Don Remberto está preso y como le vendió
la finca a Coco.

Debido a lo avanzado de la hora, decidimos
no salir hoy, sino a las 3 de la mañana y ganar
el día yendo directamente por el Ñacahuasu,
a pesar de que la cita es por detrás.
Hablé con Moro, explicándole que a él no lo nombré
en el grupo de los mejores porque tenía ciertas
debilidades en la comida y alguna tendencia
a exasperar los compañeros con sus chanzas.
Conversamos un rato sobre estos tópicos.

<div align="right">ABRIL **3**</div>

El programa se cumplió sin inconvenientes:
salimos a las 3.30 y caminamos lentamente
hasta pasar el codo del atajo a las 6.30 y llegar
al borde de la finca a las 8.30. Cuando pasamos
frente a la emboscada, en los cuerpos, de los 7 cadáveres
no quedaba más que unos esqueletos perfectamente
limpios, en los que las aves de rapiña habían ejercido

su función con toda responsabilidad.

Mandé dos hombres (Urbano y Ñato) a hacer contacto
con Rolando y por la tarde nos trasladamos
a la quebrada de Piraboy donde dormimos
ahítos de vaca y maíz.

Hablé con Dantón y Carlos exponiéndoles
3 alternativas: Seguir con nosotros, salir solos
o tomar Gutiérrez y de allí tentar fortuna
en la forma que mejor se pudiera; eligieron la tercera.
Mañana probaremos suerte.

6

Día de mucha tensión. Pasamos a las 4.00 el río
Ñacahuasu y nos quedamos a esperar el día
para caminar; luego Miguel comenzó a explorar pero
debió volver dos veces debido a equivocaciones
que nos ponían muy cerca de los guardias. A las 8
informó Rolando que una decena de soldados
estaba frente a la quebrada que acabábamos
de abandonar. Salimos lentamente y a las 11 ya
estábamos fuera de peligro, en un firme. Rolando
llegaba con la noticia de que eran más de 100
los que se habían apostado en la quebrada.

A la noche, cuando todavía no habíamos llegado
al arroyo, se oyeron voces de vaqueros en el río.
Le salimos y tomamos 4 campesinos con una partida
de vacas de Argarañaz. Traían un salvoconducto
del ejército para buscar 12 reses; algunos ya habían
pasado de largo y no fue posible recogerlos.
Dejamos dos vacas para nosotros y las trasladamos
por el río hasta nuestro arroyo. Los cuatro civiles
resultaron el contratista y su hijo, un campesino
de Chuquisaca y otro de Camiri que se mostró muy
receptivo y a quien le dimos el documento

...o... e lo difundirlo.

Lo retuvimos un rato y luego lo soltamos
con el pedido de que no dijera nada,
cosa que prometieron.

Nos pasamos la noche comiendo.

ABRIL 7

Nos internamos arroyo adentro llevando la vaca
sobreviviente, la que fue sacrificada para hacer charqui.
Rolando quedó en la emboscada del río con orden
de tirarle a lo que apareciera; no hubo nada
en todo el día. Benigno y Camba siguieron la senda
que debe llevarnos a Pirirenda e informaron
haber escuchado como el motor de un aserrío
en un cañón cercano a nuestro arroyo.

Envié a Urbano y Julio con un mensaje
para Joaquín y no regresaron en todo el día.

8

Día de pocas novedades. Benigno fue y volvió
a su trabajo sin acabarlo y manifiesta que mañana
tampoco lo hará. Miguel partió a buscar un cañón
que Benigno vio desde el alto y no retornó.
Urbano y Julio volvieron con Polo. Los guardias
han tomado el campamento y están haciendo
recorridos de exploración por las lomas; pasaron
el elevador viniendo desde arriba.
Joaquín informa de estos y otros problemas
en el documento adjunto (D. XIX).

Teníamos 3 vacas con sus terneras,
pero se nos escapó una, quedan 4 animales,
de los cuales charquiaremos uno o dos más
con la sal que nos queda.

Salieron Polo, Luis y Wyly con la misión de entregar
una nota a Joaquín y ayudarlos a volver para
situarlos en algún lugar oculto, arroyo arriba, que
Ñato y Guevara se ocuparán de seleccionar. Según
Ñato, hay buenos lugares aunque un poco cerca del
arroyo a una hora y pico de nuestro punto actual.
Llegó Miguel; según su exploración, el cañado
va a salir a Pirirenda y se tarda un día en recorrerlo,
con mochila, razón por la que ordené suspender el
que estaba haciendo Benigno al que le falta
por lo menos otro día.

Amaneció y siguió por la mañana con cosa de pocos
acontecimientos, mientras nos preparábamos a
dejar el arroyo, impoluto y cruzar por la quebrada
de Miguel hasta Pirirenda-Gutiérrez. A media
mañana llegó muy agitado el Negro a avisar que
venían 15 soldados río abajo. Inti había ido a avisar
a Rolando en la emboscada. No quedaba otra cosa
que esperar y eso se hizo; mandé a Tuma para
que estuviera listo a informarme. Prontó llegaron las
primeras noticias, con un saldo desagradable: El
Rubio, Jesús Suárez Gayol, estaba herido de muerte.
Y muerto llegó a nuestro campamento; un balazo
en la cabeza. La cosa sucedió así: La emboscada
estaba compuesta por 8 hombres de la retaguardia
1 refuerzo de 3 de la vanguardia, distribuidos a
ambos lados del río. Al informar de la llegada de los
15 soldados, Inti pasó por donde estaba el Rubio
y observó que éste estaba en muy mala posición,
pues era claramente visible desde el río. Los

soldado avanzaban sin mayores precauciones pero
explorando las márgenes en busca de sendas y
por una de éstas se internaron chocando con Braulio
o Pedro antes de penetrar en la emboscada. El
fuego duró unos segundos, quedando sobre el

terreno 1 muerto y 3 heridos, más 6 prisioneros; al
rato cayó también un suboficial y se escaparon 4.
Junto a un herido encontraron al Rubio ya
agonizante; su garand estaba trabado y una granada,
con la espoleta suelta, pero sin estallar, estaba a su
lado. No se pudo interrogar al prisionero por su
estado de gravedad, muriendo al rato, así como el
teniente que los mandaba.

Del interrogatorio de los prisioneros surge el
siguiente panorama: estos 15 hombres pertenecen a
una compañía que era la que estaba río arriba en
Ñancahuaso, había atravesado por el cañón, recogido
las osamentas y luego tomado el campamento. Según
los soldados no habían encontrado nada, aunque
la radio habla de fotos y documentos encontrados allí.
La compañía constaba de 100 hombres de los
cuales 15 fueron a acompañar un grupo de periodistas
al campamento nuestro y éstos habían salido
con la misión de hacer un recorrido de exploración
y retornar a las 17.00. En el Pincal están las fuerzas
mayores; en Lagunillas, unos 30 y se supone
que el grupo que anduvo por Piraboy haya sido
retirado a Gutiérrez. Contaron la odisea de este grupo
perdido en los montes y sin agua; por lo que hubo
que ir a rescatarlo; calculando que los prófugos
llegarían tarde resolví dejar instalada la
emboscada que Rolando había adelantado unos 500
metros pero contando ahora con el auxilio de toda la
vanguardia. En primera instancia había ordenado
el repliegue pero me pareció lógico dejarla así.

Cerca de las 17 llega la noticia de que el Ejército avanza con grandes efectivos. Ya no queda sino esperar. Mando a Pombo para que me dé una idea clara de la situación. Se oyen disparon aislados durante un rato y retorna Pombo anunciando que volvieron a caer en la emboscada, hay varios muertos y un mayor prisionero.

Esta vez, las cosas suceden así: avanzaron desplegados por el río, pero sin mayores precauciones y la sorpresa fue completa. Esta vez hay 7 muertos, 5 heridos y un total de 22 prisioneros. El balance es el siguiente: (total) (No se puede hacer por falta de datos).

ABRIL **11**

Por la mañana iniciamos el traslado de todos los enseres y enterramos al Rubio en una pequeña fosa a flor de tierra, dada la falta de materiales. Se dejó a Inti con la retaguardia para acompañar a los prisioneros y dejarlos en libertad, amén de buscar más armas regadas. El único resultado de la búsqueda fue hacer dos nuevos prisioneros con sus correspondientes garands. Se le dieron dos partes No. 1 al mayor con el compromiso de hacerlo llegar a los periodistas. El total de bajas se descompone así: 10 muertos, entre ellos 2 tenientes, 30 prisioneros, un mayor y algunos suboficiales, el resto soldados; 6 están heridos, uno del primer combate y el resto del segundo.

Están bajo las órdenes de la 4a. división pero con elementos de varios regimientos mezclados; hay rangers, paracaidistas y soldados de la zona, casi niños.

Sólo por la tarde acabamos todo el acarreo y localizamos la cueva para dejar la impedimenta, pero sin acondicionarla todavía. En el último tramo se espantaron las vacas y nos quedamos con un ternero nada más.

Temprano, en el momento de llegar al nuevo campamento, nos topamos con Joaquín y Alejandro que bajaban con toda su gente. Del informe se desprende que los soldados vistos fueron sólo fantasía de Eustaquio y el traslado hasta aquí un esfuerzo inútil.

La radio dio el parte de "un nuevo y sangriento choque" y habla de 9 muertos del ejército y 4 comprobados" de nosotros.

Un periodista chileno hizo una narración pormenorizada de nuestro campamento y descubrió una foto mía, sin barba y con pipa. Había que investigar cómo fue obtenida. No hay pruebas de que la cueva superior haya sido localizada aunque algunos indicios así lo manifiestan.

ABRIL **12**

las 6.30 reuní a todos los combatientes menos los 4 de la resaca para hacer una pequeña recordación del Rubio y significar que la primera sangre derramada fue cubana. Les salí al paso a una tendencia observada en la vanguardia a menospreciar los cubanos y que había cristalizado ayer al manifestar el Camba que cada vez confiaba menos los cubanos, a raíz de un incidente con Ricardo. Hice un nuevo llamado a la integración como única posibilidad de desarrollar nuestro ejército, que aumenta su poder de fuego y se foguea en

combates, pero no ve aumentar su número, sino al contrario, disminuye en los últimos días.

Luego de guardar todo el botín en una cueva bien condicionada por el Ñato, salimos a las 14, co paso lento. Tan lento que casi no avanzamos, debiendo dormir en una pequeña aguada, apenas iniciando el camino.

Ahora los muertos confesos del ejército son 11; parece que encontraron algún otro o murió uno d los heridos. Inicié un cursillo sobre el libro de Debray.

Se ha descifrado parte de un mensaje, que no parece muy importante.

ABRIL **13**

Dividimos el grupo en 2 para poder caminar más rápido; a pesar de todo lo hicimos con lentitud, llegando a las 16 al campamento y los últimos a las 18.30. Miguel había llegado por a mañana; las cuevas no han sido descubiertas y nada se ha tocado: permanecen intacto los bancos, las cocinas, el horno y los sementeros.

Aniceto y Raúl fueron a explorar pero no lo hicieron bien y mañana debe insistirse, llegando hasta el río Ikira.

Los norteamericanos anuncian que el envío de asesores a Bolivia responde a un viejo plan y no tiene nada que ver con las guerrillas. Quizás estamos asistiendo al primer episodio de un nuevo Vietnam.

Día monótono. Se traen algunas cosas del refugio
de los enfermos lo que nos da comida para cinco días.
De la cueva superior se buscan las latas de leche,
encontrándonos con que faltan 23 latas en forma
inexplicable, pues Moro dejó 48 y nadie parece
haber tenido tiempo material de sacarlas.
La leche es uno de nuestros factores de perversión.
Se sacaron de la cueva especial un mortero
y la ametralladora para reforzar la posición
hasta que venga Joaquín. No está claro cómo hacer
la operación, pero me parece lo más indicado
salir todo el mundo y operar un poco por la zona
de Muyupampa, para luego retroceder hasta el norte.
Si fuera posible, quedarían Dantón y Carlos
encaminados hacia Sucre-Cochabamba, de acuerdo
con las circunstancias. Se escribe el parte No. 2 *
para el pueblo boliviano y el informe No. 4 para Manila,
que deberá llevar el francés.

Llegó Joaquín con toda la retaguardia y se resolvió
salir mañana. Informó que habían sobrevolado
la zona y tiraban con cañón contra los montes.
El día transcurrió sin novedad. Se completó
el armamento del grupo asignando a ametralladora 30
a la retaguardia (Marcos) teniendo de ayudantes
a los de la resaca.

Por la noche hice la advertencia del viaje
sobre el problema de la desaparición
de las latas de leche, haciendo una severa advertencia.

D.XXI.

de descifró parte de un largo mensaje de Cuba,
en síntesis, Lechín sabe lo mío y va a redactar
una declaración de apoyo, reingresando
clandestinamente al país en 20 días más.

Se le escribe una nota a Fidel (# 4)
informándole de los últimos acontecimientos.
Va cifrado y en escritura invisible.

ABRIL **16**

La vanguardia salió a las 6.15 y nosotros a las 7.15,
caminando bien hasta el río Ikira, pero Tania
y Alejandro se retrasaron. Cuando se les tomó
la temperatura, Tania tenía más de 39 y 38 Alejandro.
Además, el retraso nos impedía marchar como
estaba programado. Dejamos a ellos dos,
más el Negro y Serapio un kilómetro río arriba
del Ikira, y seguimos tomando el caserío
llamado Bella Vista o más precisamente 4 campesino
que nos vendieron papas, un puerco y maíz.
Son campesinos pobres y están muy atemorizados
por nuestra presencia aquí. Nos pasamos la noche
cocinando y comiendo y no nos movimos
esperando la de mañana para pasar a Tikucha
sin ser observados en nuestras características.

ABRIL **17**

Fueron variando las noticias y con ellas las
decisiones; Tikucha es una pérdida de tiempo, segú
los campesinos, ya hay un camino directo a
Muyupampa (Vaca Guzmán) que es más corto y
cuyo tramo final permite el paso de vehículos;
resolvimos seguir directo a Muyupampa, tras much
vacilaciones de mi parte. Mandé buscar a los 4

rezagados para que se quedaran con Joaquín y a éste le ordené hacer una demostración por la zona para impedir un movimiento excesivo y esperarnos durante tres días, al cabo de los cuales debe permanecer por la zona pero sin combatir frontalmente y esperarnos hasta el regreso. Por la noche se supo que uno de los hijos de un campesino había desaparecido y podía haber ido a dar aviso pero se resolvió salir a pesar de todo para tratar de sacar al francés y Carlos de una vez por todas. Al grupo de los rezagados se unió Moisés, que debe quedarse por un fuerte cólico de vías biliares.

Este es el esquema de nuestra situación:

Al volver por el mismo camino, nos exponemos chocar con el Ejército alertado en Lagunillas alguna columna que viniera de Tikucha, pero debemos hacerlo para no quedar desconectados de la retaguardia.

Salimos a las 22.00 caminando con pausas hasta las 4.30 en que paramos para dormir un poco. Se avanzaron unos 10 Kms. De todos los campesinos que vimos, hay uno, Simón, que se muestra cooperativo aunque con miedo y otro, Vides, que puede ser peligroso; es el "rico" de la zona. Además hay que considerar que el hijo de Carlos Rodas desapareció y puede ser un chivato (aunque bajo la influencia de Vides que es el capo económico de la zona).

ABRIL **18**

Caminamos hasta la madrugada, dormitando la última hora de la noche con un frío considerable. Por la mañana fue la vanguardia a explorar encontrando una casa de guaraníes que dieron muy

poca información. Nuestra posta detuvo a un
jinete que resultó ser un hijo de Carlos Rodas
(otro) que iba a Yakunday y lo llevamos prisionero.
Se caminó lentamente y a las 3.00 fue que pudimos
llegar a Matagal, casa de A. Padilla, hermano
pobre de otro que vive a una legua de allí y por cuya
casa pasamos. El hombre tenía temor y trató por
todos los medios de que nos fuéramos, sólo que,
para colmo, comenzó a llover y debimos refugiarno
en su casa.

19

Permanecimos todo el día en el lugar, deteniendo
los campesinos que venían en ambas direcciones
del cruce con lo que logramos un amplio
surtido de prisioneros. A las 13.00 la posta nos
trajo un presente griego: un periodista inglés de
apellido Roth que venía, traído por unos niños de
Lagunilla, tras nuestras huellas. Los documentos
estaban en regla pero había cosas sospechosas:
el pasaporte estaba tachado en la profesión de
estudiante y cambiado por la de periodista (en
realidad dice ser fotógrafo); tiene visa de Puerto
Rico y luego confesó haber sido profesor de español
para los alumnos de ese cuerpo ante las preguntas
sobre una tarjeta del organizador en Bs. As.
Contó que había estado en el campamento y le había
mostrado un diario de Braulio donde contaba
sus experiencias y viajes. Es la misma historia de
siempre, La indisciplina y la irresponsabilidad
dirigiendo todo. Por informes de los muchachitos que
guiaban al periodista, se supo que la misma noche
de nuestra llegada allí se conoció en Lagunillas
gracias a un informe traído por alguien.
Presionamos al hijo de Rodas y éste confesó que su
hermano y un peón de Vides habían ido para

ganarse la recompensa que oscila entre $500 y 1,000. Le confiscamos el caballo como represalia y lo hicimos saber a los campesinos retenidos.

El francés pidió plantearle el problema al inglés y como una prueba de su buena fe que ayude a sacarlos; Carlos aceptó de mala gana y yo me lavé las manos. Llegamos a las 21.00 a [] y seguimos viaje hacia Muyupampa, donde, según informes de los campesinos, todo estaba tranquilo. El inglés aceptó las condiciones que Inti le puso, incluido un pequeño relato que yo redacté y a las 23.45, previo apretón de manos a los salientes, se inició la marcha para la toma del pueblo quedándome yo con Pombo, Tuma y Urbano. El frío era muy intenso e hicimos una pequeña fogata. A la 1 llegó el Ñato a informar que el pueblo estaba en estado de alerta con tropas del Ejército acantonadas en número de 20 y patrullas de autodefensa; una de éstas, con dos M-3 y 2 revolvers sorprendió a nuestras avanzadas pero se entregaron sin combatir. Me pidieron instrucciones y les dije que se retiraran dado lo avanzado de la hora, dejando al periodista inglés y que el francés y Carlos tomaran la decisión que consideraran más conveniente. A las 4 iniciamos el regreso, sin haber logrado nuestro objetivo, pero Carlos decidió quedarse y el francés lo siguió, esta vez él de mala gana.

Llegamos cerca de las 7 a casa de Nemesio Caraballo, a quién habíamos encontrado por la noche y que nos ofreciera un café. El hombre se había ido briando con llave la casa y sólo unos sirvientes asustados. Organizamos la comida allí mismo, comprándole a los peones el maíz y los jocos (zapallos) a eso de las 13 apareció una carioneta con bandera blanca en la que venían el subprefecto, el médico y el cura de Muyupampa, este último alemán. Inti habló con ellos. Venían en son de paz, pero una paz de tipo nacional de la que se ofrecían a ser intermediarios; Inti ofreció la paz para Muyupampa, sobre la base de una lista de mercancías que debían traernos antes de las 18.30 cosa que no se comprometieron a hacer pues según ellos el ejército está a cargo del poblado y pidieron ampliación del plazo hasta las 6.00 de mañana, lo que no se aceptó.

Trajeron en señal de buena voluntad dos cartones de cigarrillos y la noticia de que los 3 salientes habían sido apresados en Muyupampa y dos estaban comprometidos por tener documentos falsos. Malas perspectivas para Carlos; Dantón debe salir bien.

A las 17.30 vinieron 3 AT-6 y nos hicieron un bombardeíto en la propia casa donde cocinábamos. Una de ellas cayó a 15 metros e hirió muy levemente a Ricardo con una esquirla. Fue la respuesta del Ejército. Hay que conocer las proclamas para lograr la total desmoralización de los soldados que, a juzgar por los enviados, están bastante amargos.

Salimos a las 22.30 con dos caballos, el confiscado y el del periodista, caminando rumbo a Ticucha hasta la 1.30 en que paramos a dormir.

Caminamos poco hasta la casa de Rosa Carrasco quien nos atendió muy bien, vendiendo lo necesario. Por la noche caminamos hasta el cruce de la carretera Muyupampa Monteagudo, en un lugar llamado Taperillas. La idea era quedarnos en una aguada y hacer 1 exploración para situar la emboscada. Existía una razón adicional que es la noticia dada por la radio de la muerte de 3 mercenarios, un francés, un inglés y un argentino. Esa incertidumbre debe aclararse para hacer un escarmiento especial.

Antes de cenar pasamos por la casa del veterano, Rodas que era padrastro de Vargas, el muerto de Ñacahuazú. Le dimos una explicación que pareció satisfacerle. La vanguardia no entendió bien y siguió por el camino despertando unos perros que ladraron exesivamente.

Desde por la mañana comenzaron los errores. Rolando, Miguel y Antonio fueron a explorar para poner una emboscada, luego que retrocedimos, internándonos en el monte, pero sorprendieron a uno de una camioneta de YPFB que analizaban nuestras huellas recientes; el campesino les informaba de nuestra presencia nocturna y resolvieron apresar a todo el mundo. Es trastocó los planes, pero resolvimos enboscarnos durante el día y capturar los camiones con mercancía que pasarán y emboscar al Ejército si venía. Fue apresado un camión con alguna mercancía y abundante plátano; un número considerable de campesinos pero dejaron pasar al uno que venía observando las huellas y, sobre todo, otras camionetas de nacimientos. La emita con la tentación del pan ofrecido, que no llegaba nunca, nos hace demorar.

Mi intención era cargar la camioneta de nacimiento con todos los comestibles y avanzar con la vanguardia hasta el cruce del camino a Ticucha, situado a 4 Kms. Al anochecer, la avioneta comenzó a dar vueltas en torno a nuestra posición. Los ladridos de los perros en casas vecinas se hicieron más insistentes. A las 20.00 estábamos listos para partir a pesar de las evidencias de que se había detectado nuestra presencia, cuando comenzó un corto combate y luego se oyeron voces intimándonos la rendición. Todos estábamos descuidados y no tenía idea de lo que pasaba, afortunadamente, nuestras pertenencias y las mercancías estaban sobre la camioneta. Al rato se organizaron las cosas; faltaba solamente el Loro pero todo indicaba que hasta ahora no le había pasado nada, pues el chancho que con Ricardo que sorprendió al guía de los guardias cuando coronaban el firme para recearnos; puede ser que el guía haya sido tocado. Salimos con la camioneta y todos los caballos disponibles, 6 en total, alternando la gente a pie y a caballo, para finalizar todo el mundo en la camioneta y 6 de vanguardia de caballería. Llegamos a Ticucha a las 3.30 y al mesón, la propie-

tad del cura, a las 6.30 previo ataque en un noyo.

El balance de la acción es negativo; indisciplina e imprevisión por un lado, la pérdida (aunque espero transitoria) de un hombre, por otro; mercancía que pagamos y no llevamos y, por último, la pérdida de un paquete de dólares que se me cayó de la bolsa de Pombo, son los resultados de la acción. Sin contar con que nos sorprendió y puso en retirada un grupo que necesariamente debía ser pequeño. Falta mucho para hacer de esto una fuerza combatiente aunque la moral es bastante alta.

23

Fue declarado día de descanso y pasó sin novedad. A medio día la avioneta (AT-6) sobrevoló la zona; se reforzó la posta, pero no hubo novedad. Por la noche se dieron las instrucciones para mañana. Benigno y Aniceto irán a buscar a Joaquín 4 días; Coco y Camba explorarán la senda al Río Grande y la prepararán para hacerla practicable: 4 días; nosotros permaneceremos cerca del maíz, esperando a ver si viene el ejército hasta la incorporación de Joaquín, quien recibe la instrucción de venir con todo el mundo y sólo dejar allí, si está enfermo, alguno de la resaca.

Subsiste la incógnita sobre Danton y el Pelado y el periodista inglés; hay censura de prensa y ya han anunciado otro choque en el que hay de 3 a 5 prisioneros.

24

Salieron los exploradores. Nos pusimos a un km. arroyo-arriba, en un firmecito; la observación domina hasta la casa del último campesino, unos 500 ms. antes de la finca del cura (encontramos marihuana en el sembrado). El campesino llegó de nuevo y estuvo curioseando; por la tarde un AT-6 lanzó dos ráfagas sobre la casita. Pacho desapareció misteriosamente; estaba enfermo y se quedó atrás; Antonio le indicó el camino y fue marchando en la dirección de donde debía llegar en cinco hs. pero no retornó. Mañana lo buscaremos.

25

Día negro. A las 10 de la mañana volvió Pombo del observa-

torio avisando que 30 guardias avanzaban hacia la casita. Antonio quedó en el observatorio. Mientras nos preparábamos llegó éste con la noticia de que eran 60 hombres y se aprestaban a seguir. El observatorio se mostraba ineficaz para su cometido de avisar con antelación. Resolvimos hacer una emboscada improvisada en el camino de acceso al campamento; a toda prisa, elegimos una pequeña recta que bordeaba el arroyo con una visibilidad de 50 ms. Allí me puse con Urbano Miguel con el fusil automático; el Médico, Arturo y Raúl ocupaban la posición de la derecha para impedir todo intento de fuga o avance por ese lado; Rolando, Pombo, Antonio, Ricardo, Julio, Pablito, Darío, Willi, Luis, León ocupaban la posición lateral del otro lado del arroyo, para cogerlos completamente de flanco; Inti quedaba en el cauce, para atacar a los que retornaran a buscar refugio en el cauce; Ñato y Eustaquio iban a la observación con instrucciones de retirarse por atrás cuando se iniciara el fuego; el Chino permanecía en la retaguardia custodiando el campamento. Mis escasos efectivos se disminuían en 3 hombres, Pacho, perdido, Tuma, y Luis buscándolo.

Al poco rato apareció la vanguardia que para nuestra sorpresa estaba integrada por 3 pastores alemanes con su guía. Los animales estaban inquietos pero no me pareció que nos hubieran delatado; sin embargo, siguieron avanzando y tiré sobre el primer perro, errando el tiro, cuando iba a darle al guía, se encasquilló el M-2. Miguel mató otro perro, según pude ver sin confirmar, y nadie más entró a la emboscada. Sobre el flanco del Ejército comenzó un fuego intermitente. Al producirse un alto mandé a Urbano para que ordenara la retirada pero vino con la noticia de que Rolando estaba herido; lo trajeron al poco rato ya exangüe y murió cuando se empezaba a pasarle plasma. Un balazo le había partido el fémur y todo el paquete vásculo nervioso; se fue en sangre antes de poder actuar. Hemos perdido el mejor hombre de la guerrilla, y naturalmente, uno de sus pilares, compañero mío desde que, siendo casi un niño, fue mensajero de la columna 4, hasta la invasión y esta nueva aventura revolucionaria, de su muerte oscura sólo cabe decir, para un hipotético futuro que pudiera cristalizar: "Tu cadáver pequeño de capitán valiente ha extendido en lo inmenso su metálica forma."

El resto fue la lenta operación de la retirada, salvando to-

das las cosas y el cadáver de Rolando (San Luis). Pacho se incorporó más tarde: se había equivocado y alcanzó a Coco, tomándole la noche el regreso. A las 3 enterramos el cadáver bajo una débil capa de tierra. A las 16 llegaron Benigno y Aniceto informando que habían caído en una emboscada (más bien un choque) del Ejército, perdiendo las mochilas pero saliendo indemnes. Esto sucedió cuando, según cálculos de Benigno, faltaba poco para llegar al Ñacahuasu. Ahora tenemos las dos salidas naturales bloqueadas y tendremos que "jugar montaña", ya que la salida al río Grande no es oportuna, por la doble razón de ser natural y de alejarnos de Joaquín, de quien no tenemos noticias. Por la noche llegamos a la confluencia de los dos caminos, el de Ñacahuasu y el de Río Grande donde dormimos. Aquí esperaremos a Coco y Camba para concentrar todas nuestra tropita. El balance de la operación es altamente negativo: muere Rolando, pero no sólo eso; las bajas que le hicimos al Ejército no deben pasar de dos y el perro, a todo tirar, pues la posición no estaba estudiada ni preparada y los tiradores no veían al enemigo. Por último,- la observación era muy mala lo que nos impidió prepararnos con tiempo.

Un helicóptero descendió dos veces en la casita del cura; no se sabe si a retirar algún herido y la aviación bombardeó nuestras antiguas posiciones, lo que indica que no avanzaron. nada

26

Caminamos pocos metros y ordené a Miguel que buscara un lugar donde acampar mientras mandábamos a buscar a Coco y Camba pero se apareció a medio día con los dos. Según ellos habían trabajado para 4 horas de camino, cerrados y había posibilidades de tentar la subida del firme. Sin embargo, mandé a Benigno y Urbano a explorar una posible escalada cercana al cañón del arroyo que desemboca en el Ñacahuasu pero volvieron al atardecer con la noticia de que todo estaba muy malo. Resolvimos seguir por la senda abierta por Coco para tratar de encontrar otra que cae al Iquiri.

Tenemos una mascota: Lolo; un pichón de urina. Veremos si sobrevive.

27

Las 4 horas de Coco resultaron 2-1/2. Creíamos reconocer

en un lugar donde hay muchas matas de naranja a ría al punto - señalado en el mapa como básico. Urbano y Benigno siguieron - abriendo camino y prepararon recorrido para una hora más. El frío es intenso por la noche.

Las emisoras bolivianas trasmitieron partes del ejército - en que se consigna la muerte de un guía civil, el instructor de los perros y el perro Rayo. A nosotros nos asignan dos -- muertes: uno presuntamente cubano, apodado Rubio y otro boliviano. Se confirma que Dantón está preso cerca de Camiri; es seguro que los otros estarán vivos con él.

h - 950 ms.

28

Caminamos lentamente hasta las 15. A esa hora se había - secado el arroyo y tomaba otro rumbo por lo que paramos. Ya - era tarde para explorar, de modo que volvimos hacia el agua pa ra hacer campamento. Nos queda comida corta para 4 días. Maña na trataremos de llegar al Ñacahuasu por el Ikiri y tendremos que cortar montaña.

29

Se hizo otra prueba por algunas abras que se veían. Con re- sultado negativo. En este punto, al menos, estamos en un cañón sin fallas. Coco cree haber visto un cañón transversal que no- exploró; mañana lo haremos con toda la tropa.

Con mucho retardo se descifra completamente el mensaje Nº35 que tenía un párrafo en el que se me pedía autorización para po- ner mi firma en un llamado a favor de Vietnam encabezado por - Bertrand Russel.

30

Iniciamos el ataque de la loma. El presunto cañón muere en unas acantilados, pero encontramos un nervio por donde subir; la noche nos sorprendió cerca del pico y allí dormimos, sin mucho- frío.

Lolo murió víctima del torbellino de Urbano que le tiró un fusil en la cabeza.

Radio Habana trasmite una noticia de reporteros chilenos- indicando que las guerrillas tienen tanta fuerza que ponen en jaque a las ~~cuadrillas~~ y que recientemente tomaron los camiones

militares llenos de alimentos. La revista Siempre entrevistó a Barrientos quien, entre otras cosas, admitió que habían asesores militares yankis y que la guerrilla surge por las condiciones sociales de Bolivia.

Resumen del mes.

Las cosas se presentan dentro de lo normal, aunque debemos lamentar 2 severas pérdidas: Rubio y Rolando; la muerte de éste último es un severo golpe, pues lo pensaba dejar a cargo del eventual segundo frente. Tenemos cuatro acciones más, todas ellas con resultados positivos en general y una muy buena; la emboscada en que murió el Rubio.

En otro plano, el aislamiento sigue siendo total; las enfermedades han minado la salud de algunos compañeros, obligándonos a dividir fuerzas, lo que nos ha quitado mucha efectividad; todavía no hemos podido hacer contacto con Joaquín; la base campesina sigue sin desarrollarse; aunque parece que mediante el terror planificado, lograremos la neutralidad de los más, el apoyo vendrá después. No se ha producido una sóla incorporación y aparte de los muertos, hemos tenido la baja del Loro, desaparecido luego de la acción de Taperillas.

De los puntos anotados sobre la estrategia militar, se puede recalcar: a) los controles no han podido ser eficaces hasta ahora y nos causan molestias pero nos permiten movernos, dada su poca movilidad y su debilidad; además, luego de la última emboscada contra los perros y el instructor es de presumir que se cuidarán mucho de entrar en el monte; b) el clamoreo sigue, pero ahora por ambas partes y luego de la publicación en La Habana de mi artículo, no debe haber duda de mi presencia aquí.

Parece seguro que los norteamericanos intervendrán fuerte a-quí ya están mandando helicópteros y, parece, boinas verdes, aunque no se han visto por aquí; c) el Ejército (por lo menos 1 compañía o 2) ha mejorado su técnica; nos sorprendieron en Taperillas y no se desmoralizaron en el Mesón; d) la movilización campesina es inexistente, salvo en las tareas de información que molestan algo, pero no son muy ~~rápidas~~ ni eficientes; los podremos anular.

El estatus del Chino ha cambiado y será combatiente hasta la formación de un segundo o tercer frente. Dantón y Carlos cayeron víctimas de su apuro, casi desesperación, por salir y

te mi falta de energía para impetírselas, de modo que también se cortan las comunicaciones con Cuba (Dantón) y se pierde el esquema de acción en la Argentina (Carlos).

En resumen: Un mes en que todo se ha resuelto dentro de lo normal, considerando las eventualidades necesarias de la guerrilla. La moral es buena en todos los combatientes que habían aprobado su examen preliminar de guerrilleros.

MAYO

1

Celebramos la fecha abriendo picadas pero caminando muy poco; todavía no hemos llegado a la divisoria de las aguas.

En La Habana habló Almeida, pasándome la mano a mí y los famosos guerrilleros bolivianos. El discurso fue un poco largo pero bueno. Nos queda comida aceptable para tres días; hoy el Ñato mató a un pajarito con la honda, entramos a la era del pájaro.

2

Día de lento avance y confusión sobre la situación geográfica. Se caminó efectivamente dos horas, debido a la dificultad de la chapea. Desde un alto pude precisar un punto cercano al Ñacahuaso que indica que estamos muy al norte, pero no hay rastros del Iquiri. Di orden a Miguel y Benigno de chapear todo el día para tratar de llegar al Iquiri o, al menos, al agua, ya que estamos sin ella. Queda comida para 5 días, pero muy escasa.

Radio Habana sigue con su ofensiva de información sobre Bolivia, con noticias exageradas.

h - alcanzada 1,760 ms., dormimos a 1,730.

3

Después de un día de continuo chapeo, que arrojó una caminata útil de poco más de 2 horas, llegamos a un arroyo de bastante agua que parece tener rumbo norte. Para mañana haremos simultáneamente la exploración a ver si tuerce el rumbo y continuaremos la chapea. Nos queda comida para dos días solamente y escasa. Estamos a una altura de 1,080 metros, 200 sobre el nivel del Ñacahuaso. Se oye un ruido lejano de motor cuya dirección es inidentificable.

Por la mañana continuó el camino, mientras Coco y Aniceto explorabam el arroyo. Volvieron cerca de las 13 afirmando que el arroyo giraba al este y sur, con lo que parecía ser el Iquiri. Ordené buscar los macheteros y seguir aguas abajo. Salimos a las 13.30 y a las 17 paramos, seguros ya de que el rumbo general era este nordeste, por lo que no puede ser el Iquiri, a menos que cambie de rumbo. Los macheteros, informaron que no habían encontrado agua y seguían vientos firmes; se resolvió seguir adelante con la impresión de que vamos al Río Grande. - Se cazó sólo un cacaré que se repartió a los macheteros, dado su diminuto tamaño; nos queda comida floja para dos días.

La radio dió la noticia del arresto del Loro, herido en una pierna, sus declaraciones son buenas hasta ahora. Según todo - parece indicar, no fue herido en la casa sino en otro lado, presumiblemente tratando de escapar.

h - 980 ms.

Caminamos efectivamente 5 horas, unos 12-14 kilómetros llegando a un campamento hecho por Inti y Benigno. Estamos, pues, en el arroyo del Congrí, que no figura en el mapa, muy al norte de donde pensábamos. Esto plantea varias interrogantes: ¿Dónde está el Iquiri?; ¿no sería aquel donde Benigno y Aniceto fueron sorprendidos?; ¿los agresores, no serían gente de Joaquín? Por ahora pensamos dirigirnos al Oso, donde debe quedar desayuno para dos días y, de allí al campamento viejo. Hoy se mataron 2 pájaros grandes y un cacaré, confío que ahorramos la comida y seguimos con reservas para los días; sopas en sobre y carne en - latada. Inti, Coco y el Médico están emboscados para cazar. Se dió noticias de que Debray será juzgado por un tribunal militar en Camiri como presunto jefe u organizador de las guerrillas; - su madre llega mañana y hay bastante ruido en torno al asunto. Del Loro nada.

h - 840 ms.

Los cálculos sobre la llegada al Oso resultaron fallidos, pues la distancia a la casita del arroyo resultó mayor de la prevista y el camino estaba cerrado, por lo que hubo que abrir

camino. Llegamos a la casita a las 16.30 tras de pasar alturas
de 1,400 metros con la gente desganada para caminar. Se comió
la penúltima comida, muy pobre; sólo se cazó una perdiz que dimos
al machetero (Benigno) y los dos que le seguían en el orden
de marcha.

Las noticias se centran en el caso Debray.

h - 1,100 ms.

7

Llegamos temprano al Campamento del Oso y allí nos espera-
ba las 8 latas de leche, con lo que hicimos un desayuno recon-
fortante. Se sacaron algunas cosas de la cueva cercana, entre
ellas, un mauser para el Ñato, que será nuestro bazuquero, con-
tando con 5 proyectiles antitanque. Este tiene mal, luego de
un ataque de vómitos. Apenas llegados al campamento, salieron
a explorar la finquita Benigno, Urbano, León, Aniceto y Pablito.
Nosotros nos comimos las últimas sopas y carne, pero tenemos pro-
visión de manteca que había en la cueva. Se vieron huellas de
pies y hay algunos pequeños destrozos que indican que estuvie-
ron por aquí soldados. A la madrugada llegaron los explorado-
res con las manos vacías: los soldados están en la finquita y han
tumbado el maíz (Se cumplen 6 meses del inicio oficial de la -
guerrilla, con mi llegada).

h - 880 ms.

8

Insistí desde temprano en que se hicieran los arreglos de
las cuevas y se bajara la otra lata de manteca para ir relle-
nando botellas, pues es todo lo que tenemos de comer. A eso
de las 10.30 se oyeron disparos aislados en la emboscada; dos
soldados desarmados venían Ñacahuasu arriba, Pacho creyó que era
una vanguardia y los hirió en una pierna y a señal en el vientre.
Se les dijo que se había disparado porque no se pararon ante el
alto, ellos, naturalmente no oyeron nada. La emboscada estuvo
mal coordinada y actuación de Pacho no fue buena; muy nervioso.
Se mejoró enviando a Antonio y algunos más al lado derecho. Las
declaraciones de los soldados establecen que están situados cer-
ca del Iquiri, pero en realidad mentían. A las 12 se captura -
ron dos que venían a toda carrera Ñacahuasu abajo, declarando
que venían rápido porque habían salido a cazar y al volver, por
el Iquiri, se encontraron con que la compañía había desaparecido

y salieron en su búsqueda; también mentían; en realidad, estaban acampados en el llano de cazar y se escapaban a buscar comida a nuestra finca porque el helicóptero no venía a abastecerlos. A los dos primeros se le capturaron cargas de maíz tostado y crudo y 4 latas de cebolla, más azúcar y café; nos resolvieron el problema del tía con auxilio de la manteca que comimos en grandes cantidades; algunos se enfermaron.

Más tarde informó la posta de repetidas exploraciones de guardias que llegaban a la esquina del río y volvían. Todo el mundo estaba en tensión cuando llegaron, al parecer 27 guardias. Habían visto algo raro y el grupo comandado por el subteniente Loreto avanzó; el mismo inició el fuego y cayó muerto en el acto, junto con dos reclutas más. Ya caía la noche y los nuestros avanzaron capturando 6 soldados; el resto se retiró.

El resultado total arroja: 3 muertos y 10 prisioneros, dos de ellos heridos; 7 M-1 y 4 mausers, equipo personal, parque y un poco de comida que nos sirvió junto con la manteca, para mitigar el hambre. Dormimos allí.

9

Nos levantamos a las 4 (yo no dormí) y liberamos a los soldados, previa charla. Se le quitaron los zapatos, se les cambió la ropa y a los mentirosos se les envió en calzoncillos. Partieron hacia la finquita llevando al herido. A las 6.30 completamos la retirada rumbo al arroyo de los monos por el camino de la cueva, donde guardamos el botín. Sólo nos queda la manteca como alimento, me sentía des fallecer y debí dormir 2 horas para poder seguir a paso lento y vacilante; la marcha en general se hizo así. Comimos sopa de manteca en la primer aguada. La gente está débil y ya habemos varios con edema. Por la noche, el ejército dió el parte de la acción nombrando a sus muertos y heridos pero no a sus prisioneros y anuncia grandes combates con fuertes pérdidas por nuestra parte.

10

Seguimos avanzando lentamente. Al llegar al campamento donde está la tumba del Rubio encontramos charqui que habíamos dejado en mal estado y sebo; recogimos todo no había señales de guardias. Cruzamos el Ñacahuazú con precaución e iniciamos el camino hacia Pirirenda por una quebrada explorada por Miguel

... camino ... terminado. Paramos a las 1 y comi-
mos el pedazo de Charqui y el sebo.

11

La vanguardia salió primero; yo me quedé escuchando el noti-
ciero. Al rato vino Urbano a avisar que Benigno había muerto un
puerco de tropa (pecarí) y pedían autorización para hacer fuego
y pelarlo; decidimos quedarnos a comer el animal mientras Benig-
no, Urbano y Miguel seguían haciendo la senda rumbo a la laguna.
A las 14 horas reemprendimos la marcha, haciendo campamento a -
las 18. Miguel y los otros siguieron adelante.

Debo hablar seriamente con Benigno y Urbano, pues el prime-
ro se comió una lata el día del combate y lo negó y Urbano se -
comió una parte del charqui del campamento del Rubio.

Dieron la noticia del relevo del coronel Rocha, Jefe de la -
4ª división que opera en la zona.

h - 1,050 ms. 12

Se camino lentamente. Urbano y Benigno abrian la senda.
A las 15, se vio la laguna a unos 5 Kms. y poco después se
encontro una senda vieja. A la hora se dio con un tremendo
maizal con zapallos, pero no hay agua. Se preparó joco
asado y saltado con manteca y desgranamos maíz, además se
hizo maíz tostado. Los exploradores llegaron con la noticia
de que habían caído a la casa de Chicho el mismo de la otra
vez, que es nombrado como buen amigo en el diario del
Teniente Henry Laredo no estaba en la casa, pero si 4 peones
y una sirvienta, el marido de la cual vino a buscarla y
quedo retenido. Se hizo un puerco grande con arroz y fri-
turas, además de zapallo.

Pombo, Arturo, Willi y Dario quedaron custodiando las
mochilas. Lo malo es que no hemos localizado el agua,
fuera de la casa. Nos retiramos a las 5.30 a paso lento
con casi todo el mundo enfermo. El dueño de casa no
había llegado y se le dejó una nota especificando los daños
y gastos a los peones y la sirvienta se les pagó $10.00 a
cada uno por su trabajo.

-950 ms.

Día de eruptos, pedos y vómitos y diarreas; un verdadero concierto de órgano. Permanecimos en una inmovilidad absoluta tratando de asimilar el puerco. Tenemos dos latas de agua. Yo estuve muy mal hasta que vomité y me compuse. Por la noche comimos frituras de maíz y zapallo asado, más los restos del festín anterior, las que estaban en condiciones de ello. Todas las radios estuvieron dando con insistencia la noticia de que/había frustado un desembarco cubano en Venezuela y el gobierno de Leoni presentó dos hombres, con sus nombres y grados; no los conozco, pero todo indica que algo salió mal.

14

Temprano, salimos con pocas ganas, para llegar a la laguna de Pirirenda por un sendero que encontraron Benigno y Camba en una exploración. Antes de salir reuní a todo el mundo y les tiré una descarga sobre los problemas confrontados; fundamentalmente, el de la comida, haciendo críticas a Benigno por comerse una lata y negarlo, Urbano, por comerse un charqui a escondidas y Aniceto por su afán de colaborar en todo lo que sea comida y su renuencia a hacerlo cuando se trata de otra cosa. En el curso de la reunión se escucharon ruidos de camiones acercándose. En un escondite cercano guardamos una cincuentena de jocos y dos quintales de maíz desgranado para eventuales necesidades.

Cuando estábamos fuera del camino, ocupados en recoger frijoles, sonaron descargas cerca y, poco después, vimos la aviación "bombardeándonos ferozmente", pero como a 2 ó 3 Kms. de nuestras posiciones. Seguimos subiendo una lomita y apareció la laguna, mientras las guardias continuaban su tiradera. Al anochecer nos acercamos a una casa cuyos ocupantes la habían abandonado poco antes la que estaba muy bien surtida y con agua. Comimos un sabroso fricasé de gallina con arroz, y permanecimos hasta las 4.00.

15

Día sin novedad.

Al comenzar la caminata, se me inició un cólico fortísimo, con vómitos y diarrea. Me lo cortaron con demerol y perdí la noción de todo mientras me llevaban en hamaca; cuando desperté estaba muy aliviado pero cagado como un niño de pecho. Me prestaron un pantalón, pero sin agua, hiedo a mierda a una legua. Pasamos todo el día allí, yo adormilado. Coco y el Ñato hicieron una exploración encontrando un camino que tiene rumbo sur-norte. Por la noche lo seguimos mientras hubo luna y luego descansamos. Se recibió el mensaje Nº 36, de donde se desprende el total aislamiento en que estamos.

Proseguimos la marcha hasta las 13, hora en que llegamos a un aserradero con trazas de haber sido abandonado hace unos 3 días. Tenía azúcar, maíz, manteca, harina y agua en ~~barriles~~ turriles, al parecer, trasportada desde lejos. Nos quedamos acampados aquí, mientras se hacían exploraciones por los caminos que salen del campamento, los que mueren en el monte. Raúl presentó una tumoración en una rodilla con intenso dolor que no lo deja caminar; se le aplicó un antibiótico fuerte y mañana se le hará una punción. Caminamos unas 15 kms.

- 920 ms.

Roberto - Juan Martín.

Quedamos el día emboscados por si vienen los trabajadores o el ejército; sin novedad. Miguel salió con Pablito y encontró el agua a unas dos horas del campamento por un camino transversal. Se le hizo la punción a Raúl, extrayéndole 50 c.c. de líquido purulento; se le hace tratamiento general antiinfeccioso; no puede, prácticamente, dar un paso. Extraigo mi primera muela en esta guerrilla; víctima propiciatoria: Camba; todo marchó bien. Comimos pan hecho en un pequeño hornito y, por la noche, un potaje bárbaro, que me puso al parir.

La vanguardia salió temprano ocupando posiciones en la emboscada del cruce de caminos, después salimos nosotros, reemplazando una parte a la vanguardia mientras esta retornaba a buscar a Raúl y lo llevaba hasta el cruce; la otra parte del centro siguió hasta la aguada a dejar mochilas y retornó a buscar a Raúl, quien mejora lentamente. Antonio hizo una pequeña exploración arroyo abajo y encontró un campamento abandonado de guardias; aquí también hay restos de ración seca. El Ñacahuasu no debe estar lejos y calculo que debemos salir debajo del arroyo del Congrí. Llovió toda la noche, sorprendiendo a los expertos.

Tenemos comida para diez días y en las inmediaciones hay zapallo y maíz.

h - 780 ms.

Camilo

20

Día sin movimiento. Por la mañana se emboscó el centro y por la tarde la vanguardia, siempre al mando de Pombo, quien opina que es muy mala la posición elegida por Miguel. Este exploró arroyo abajo, encontrando el Ñacahuasu a 2 horas de camino sin mochila. Se escuchó nítido un disparo que no se sabe quién lo disparó; en las orillas del Ñacahuasu hay huellas de otro campamento militar de un par de pelotones. Incidente con Luis por protestón que fue sancionado con la orden de no ir a la emboscada; parece que reaccionó bien.

En conferencia de prensa, Barrientos negó la condición de periodista de Debray y anunció que pedirá al congreso el restablecimiento de la pena de muerte. Casi todas las periodistas, y todas las extranjeras, le preguntaron sobre Debray; se defendió con una pobreza de recursos increíble. Es lo más incapaz que se puede pedir.

21

Domingo. Sin movimiento. Se continuó con la emboscada, rotándola de 10 en 10, al medio día. Raúl mejora lentamente; se le hizo una segunda punción extrayéndole unas 40 c.c. de -

líquido purulento. Ya no tiene fiebre pero está dolorido y no puede caminar casi; es mi preocupación actual. Por la noche comimos opíparamente: potaje, harina, charqui aporreado y zapallo regado con mate.

22

Como era de esperar, a medio día apareció el encargado del aserrío, Guzmán Robles, con el chofer, y un hijo en un jeep destartalado. Al principio parecía una avanzada del ejército, para ver qué había, pero se fue abriendo y consintió en salir a Gutiérrez por la noche dejando su hijo de rehén; debe volver mañana. La vanguardia permanecerá toda la noche emboscada y mañana esperaremos hasta las 15. Luego será preciso retirarse pues la situación se tornaría peligrosa. Da la impresión de que el hombre no traicionará, pero no sabemos de su habilidad para comprar sin levantar sospechas. Se le pagó todo el consumo que se hizo en el batey. Dió informes sobre la situación en Tatarenda, Limón, Ipitá, donde no hay guardias, salvo un teniente en este último punto. En Tatarenda habla de oídas, pues no ha estado allí.

23

Día de tensión. El encargado no apareció en todo el día y, aunque no hubo actividad, resolvimos retirarnos por la noche con el rehén, un muchachón de 17 años. Caminamos una hora por la senda, a la luz de la luna, durmiendo en el camino. Salimos con carga de comida para unos 10 días.

24

En dos horas llegamos al Ñacahuassu, que estaba libre. Salimos como a las 4 horas aguas abajo del arroyo del congri. Caminamos lentamente soportando el paso lento y desganado de Ricardo y, hoy también de Moro. Llegamos al campamento que usamos el primer día de caminata en el primer viaje. No dejamos huella ni se vieron recientes. La radio dió la noticia de que no habrá lugar al pedido de habeas corpus sobre Debray. Calculo que estamos a una o dos horas del Saladillo; al llegar a la cima decidiremos qué hacer.

25

En hora y media llegamos al Salatillo, sin dejar huellas.
Caminamos unas dos horas arroyo arriba, hasta donde nacen las
aguas. Allí comimos y seguimos a las 15.30, caminando otro par
de horas hasta las 18 en que acampamos a 1,100 ms., sin coronar
el firme todavía. Después nos quedan, según el muchacho, un
par de leguas hasta el chaco del abuelo o, según Benigno, un
día entero de camino hasta la casa de Vargas, sobre el Río Gran-
de. Mañana tomaremos la decisión.

26

Tras dos horas de recorrido y pasar la cumbre de 1.200 ms.,
llegamos al chaco del tío abuelo del muchacho. Estaban trabajan-
do dos peones que debieron ser aprehendidos ya que caminaban en
nuestra dirección; resultaron cuñados del viejo, casado con una
hermana de ellas. Sus edades: 16 y 20 años. Dieron la infor-
mación de que el padre del muchacho hizo las compras pero fue
detenido y confesó todo. Hay 30 guardias en Ipita y patrullan
el poblado. Nos comimos un puerco frito con zapallos en carbo-
nada con manteca, pues no había agua en la zona y se traslada
en tunel desde el propio Ipita. Por la noche salimos rumbo al
chaco que tienen los muchachos, a 8 Kms., 4 hacia el propio Ipi-
ta y 4 hacia el oeste. Llegamos al amanecer.
h - 1,100 ms.

27

Día de holganza y, un poco, de desesperación: De todas las
maravillas prometidas, sólo tenían un poco de caña vieja y el
trapiche estaba inútil. Como era de esperar, el viejo dueño
del chaco vino a medio día con su carretón con agua para las
chanchas y vió algo raro regresando donde estaba la retaguar-
dia emboscada, la que lo apresó junto con un peón. Estuvieron
presos hasta las 18 horas en que los soltamos, conjuntamente
con el menor de las hermanas; con encargo de que permanecieran
hasta el lunes por ahí y no comentaran nada. Caminamos dos
horas, y dormimos en un maizal, ya orientados en el camino que
nos llevará a Caraguatarenda.

Domingo. Nos levantamos temprano y comenzamos a marchar; en hora y media estábamos en los límites de las chacras de Caraguatérenda y se mandó a Benigno y Coco para explorar, pero - fueron vistos por un campesino y lo apresaron. Al poco tiempo teníamos una colonia prisionera, sin mayores signos de temor, hasta que una vieja comenzó a gritar junto con sus hijas, al darle el alto, y ni Pacho ni Pablo se animaron a detenerla, huyendo hacia el poblado. Lo tomamos a las 14, apostándonos en ambas puntas del poblado. Poco después caía un jeep de yacimientos; en total, cayeron dos jeeps y dos camiones, mitad y mitad particulares y de yacimientos. Comimos algo, tomamos café y tras 50 broncas, salimos a las 19.30 rumbo a Ipitacito; allí violentamos una tienda y sacamos $500 en mercancía que dejamos a la custodia de dos campesinos, levantando - en acta muy ceremoniosa. Seguimos nuestro peregrinar, llegando a Itay donde ~~no recibieron~~ muy bien en una casa en la que resultó estar la maestra dueña de la tienda de Ipitacito y - confrontamos los precios. Yo alterné y me parece que me conocieron; tenían un queso y un poco de pan y nos regalaron eso y café, pero hay una nota falsa en el recibimiento. Seguimos - rumbo a Espino, en la vía férrea de Santa Cruz, pero el camión - un Ford al que le quitaron la tracción delantera, se quedó y nos tomó la mañana a tres leguas de Espino y el vehículo se - fundió definitiva y totalmente a dos de ese lugar. La vanguardia tomó el rancho y el jeep hizo 4 viajes hasta transportarnos a todos

h - 880 ms.

El caserío del Espino es relativamente nuevo, pues el viejo fue arrasado por el aluvión del 58. Es una comunidad guaraní - cuyas integrantes, muy tímidas, hablan o simulan hablar, muy poco español. Cerca había gente de petróleo trabajando y heredamos otro camión en el que podíamos embarcar todos, pero se malogró la oportunidad, pues Ricardo lo empantanó y no se pudo sacar. La tranquilidad fue absoluta, como si estuviéramos en mundo aparte. Coco fue encargado de la información sobre los caminos y la tra

jo deficiente y contradictoria, al punto que ya salíamos para ha-
cer una jornada algo peligrosa pero que nos llevaría cerca
del Río Grande, cuando a último momento resulta que no y que
debemos ir a Muchiri, lugar donde hay agua. Con todos los pro-
blemas de organización existentes, salimos a las 3.30, el gru-
po de vanguardia en el jeep (6, 7 con Coco) y los demás a pie.

La radio nos trae la noticia de la fuga del Loro, que es-
taba en Camiri.

30

De día llegamos a la línea del ferrocarril, encontrándonos
con que no existía el camino señalado que nos debía llevar a
Michuri. Buscando, se encontró a 500 ms del cruce un camino
recto, petrolero y la vanguardia siguió por él en jeep. Cuan-
do Antonio se retiraba, un jovencito venía con una escopeta y
un perro por la vía y al darle el alto huyó. Ante esa noticia,
dejé a Antonio emboscado a la entrada del camino y nosotros nos
apartamos unos 500 ms. A las 11.15 apareció Miguel con la no-
ticia de que había caminado 12 Kms. con rumbo este sin encontrar
casa ni agua; sólo un camino que apartaba al norte. Le dí or-
den de explorar con tres hombres en el jeep ese camino hasta 10
Kms. al norte y volver antes del anochecer. A las 15, cuando
dormía plácidamente, me despertó un tiroteo de la emboscada. Pron-
to llegaron las noticias: el ejército había avanzado y cayó en
la trampa. 3 muertos y un herido parece ser el saldo. Actuaron:
Antonio, Arturo, Ñato, Luis, Willy y Raúl, éste último flojo.
Nos retiramos a pie caminando los 12 Kms. hasta el cruce sin
encontrar a Miguel. En este punto, tuvimos noticias de que el
jeep se encangrejaba por falta de agua. A unos 3 Kms. de allí
lo encontramos; ~~meamos~~ todos en él y con una cantimplora de agua
pudimos llegar al punto máximo alcanzado, donde esperaban Julio
y Pablo. A las 2, ya estaba todo el mundo reunido allí, alre-
dedor de un fuego en el que asamos 3 pavos y freímos la carne
de puerco. Guardamos un animal para que tome agua en las agua-
das, por las dudas.
Estamos bajando: desde 750 ms. llegamos ~~hoy~~ ahora a 650 ms.

31

El jeep seguía braveando con sus orines y alguna cantimplora
de agua. Sucedieron dos hechos que cambiaron el ritmo: el cami-

no con rumbo norte se acabó, por lo que Miguel suspendió la marcha y uno de los grupos de seguridad detuvo en un camino lateral al campesino Gregorio Vargas, que venía en su bicicleta a preparar unas trampas, su oficio. La actitud del hombre no era del todo clara pero dió valiosas informaciones sobre las aguadas. Una de ellas nos quedaba atrás y mandé a un grupo a buscar agua y cocinar. Con él como guía; cuando estaban llegando, avistaron dos camiones del ejército y se les hizo una emboscada apresurada, tumbando, al parecer, dos hombres. El Ñato, al fallarle la primer bala de salva de su granada antitanque, le puso una de guerra y el aparato le explotó en las narices, sin hacerle nada personalmente, pero destruyéndole el trombón. Seguimos retirándonos, sin hostigamiento de la aviación, caminando unos 15 kms. antes de encontrar la segunda aguada, ya de noche. El jeep dió sus últimos extertores por falta de gasolina y recalentamiento. Pasamos la noche comiendo. El Ejército dió un comunicado reconociendo un subteniente y un soldado muertos en el día de ayer y atribuyéndonos muertos "vistos". Para mañana, tengo la intención de cruzar la línea férrea, buscando las montañas.

h - 620 ms.

Resumen del mes

El punto negativo es la imposibilidad de hacer contacto con Joaquín, pese a nuestro peregrinar por las serranías. Hay indicios de que éste se ha movido hacia el norte.

Desde el punto de vista militar, tres nuevos combates, causándole bajas al Ejército y sin sufrir ninguna, además de las penetraciones en Pirirenda y Caraguatarenda, indican el buen éxito. Los perros se han declarado incompetentes y son retirados de la circulación.

Las características más importantes son:

1º) Falta total de contacto con Manila, La Paz, y Joaquín, lo que nos reduce a los 25 hombres que constituyen el grupo.

2º) Falta completa de incorporación campesina, aunque nos van perdiendo el miedo y se logra la admiración de los campesinos Es una tarea lenta y paciente.

3º) El partido, a través de Kolle, ofrece su colaboración, al parecer, sin reservas,

4º) El clamoreo del caso Debray ha dado más beligerancia a nuestro movimiento que 10 combates victoriosos.

5°) La guerrilla va adquiriendo una moral prepotente y segura - que, bien administrada, es una garantía de éxito.

6°) El Ejército sigue sin organizarse y su técnica no mejora sustancialmente.

Noticia del mes: el apresamiento y fuga del Loro, que ahora deberá incorporarse o dirigirse a la Paz a hacer contacto.

El Ejército dio el parte de la detención de todos los campesinos que colaboraron con nosotros en la zona de Masicuri; ahora viene una etapa en la que el terror sobre los campesinos se ejercerá desde ambas partes, aunque con calidades diferentes; nuestro triunfo significará el cambio cualitativo necesario para su salto en el desarrollo.

JUNIO

1

Envié la vanguardia a apostarse en el camino y hacer una exploración hasta el cruce del camino petrolero, a unos 3 kms. La aviación comenzó a moverse por la zona, de acuerdo con la información de la radio en el sentido de que el mal tiempo había dificultado las acciones los días anteriores y ahora las reiniciarían. Dieron un parte extraño sobre dos muertos y tres heridos, que no se sabe si son los viejos o nuevos. Después de comer, a las 5, salimos rumbo a la vía. Fueron 7-8 Kms. hechos sin novedad, caminamos 1 1/2 por la vía y tomamos un callejón abandonado que nos debe llevar a un chaco 7 kms, pero ya estaba todo el mundo cansado y nos dormimos a mitad del camino. En todo el trayecto, sólo se escuchó un tiro lejano.

2

h- 800

Se cumplieron los 7 kms. previstas por Gregorio y llegamos al chaco, allí cogimos un chancho robusto y lo matamos; pero en ese momento aparecieron el vaquero de Braulio Robles, su hijo y dos peones, uno de los cuales resultó ser un "achacao" del dueño, Symuni. En sus caballos transportamos los 3 kms. hasta el arroyo, al chancho descuartizado y allí los retuvimos, mientras escondíamos a Gregorio, cuya desaparición se conocía. Casi al llegar al Centro, pasó un camión del ejército con dos soldaditos y unos tutiles, un bocado fácil, pero era día de

holgorio y puerco. Pasamos la noche cocinando y a las 3.30 soltamos los cuatro guajiros, pagándole $10 a cada uno por su día. A las 4.30 se iba Gregorio, que esperó comida y reenganche y recibió $200. El agua del arroyo es amarga.

V Cohocao: en Bolivia, hijo de la mujer, Ayaste. (N. del E.)

3

Salimos a las 6.30 por la márgen izquierda del arroyo caminando hasta las 12, hora en que se mandó a Benigno y Ricardo de exploración al camino, encontrando un buen lugar para emboscada. A las 13 ocupamos posiciones, Ricardo y yo con un grupo cada uno en el centro, Pombo en un extremo y Miguel, con toda la vanguardia en el punto ideal. A las 14.30 pasó un camión con chanchos que dejamos pasar, a las 16.20 una camioneta con botellas vacías y a las 17 un camión del ejército, el mismo de ayer, con dos soldaditos envueltos en frazada en la cama del vehículo. No tuve coraje ~~ánimo~~ para tirarles y no me funcionó el cerebro lo suficientemente rápido como para detenerlo, lo dejamos pasar. A las 18 levantamos la emboscada y seguimos camino abajo hasta encontrar el arroyo de nuevo. Apenas llegados pasaron 4 camiones en fila y luego 3 más al parecer sin ejército.

4

Seguimos caminando por la márgen del arroyo, con la intención de hacer otra emboscada si las condiciones se presentaban, pero apareció una senda que nos llevaba al oeste y la tomamos; luego siguió por un cauce seco y tomó rumbo al sur. A las 14.45 paramos a hacer café y avena. En un charquito de agua fangosa, pero se demoró mucho y acampamos allí mismo. Por la noche se desató el surazo con agua finita toda la noche.

5

Dejamos la senda y fuimos partiendo monte bajo el "chinchin" constante del surazo. Caminamos hasta las 17, efectivamente 2 1/4 horas rompiendo manigua brava por las laderas de la maes-

tra de este lugar. El fuego se convirtió en el gran Dios de la jornada. El día pasó en blanco en cuanto a comestibles; guardamos el agua salobre de las cantimploras para el desayuno de mañana.

h- 250 mts.

6

Tras un desayuno magro, Miguel, Benigno y Pablito salieron a hacer el camino y explorar. A las 14 aproximadamente volvía Pablo con la noticia de que se había llegado a un chaco abandonado, con ganado. Nos pusimos todos en marcha y, siguiendo el curso del arroyo, cruzamos el chaco y fuimos a dar al Río Grande. De allí se mandó una exploración con la misión de tomar alguna casa si se veía cerca y aislada; así se hizo y las primeras informaciones indicaban que estábamos a 3 kms. de Puerto Camacho, donde habían unos 50 soldados. Se comunica por senda. Pasamos toda la noche cocinando puerco y locro; no rindió la jornada lo esperado y salimos cansados, ya de día.

1/ Locro : sopa de arroz, charqui, papas y viandas típica de la región oriental de Bolivia (N. del E.)

7

Caminamos con parsimonia desechando potreros viejos, hasta que el guía, uno de los hijos del dueño, anunció que no había más. Seguimos por la playa hasta encontrar otro chaco, del que no había hablado, con jocos, caña, guineos, y un poco de frijoles. Aquí hicimos campamento. El muchacho que nos guía comenzó a quejarse de fuertes dolores de vientre, no sabemos si auténticos.

h- 560 ms.

8

Corrimos el campamento unos 300 ms. para librarnos de la doble vigilancia de la playa y el chaco aunque luego nos enteramos de que el dueño no había hecho camino y siempre venía en chalana. Benigno, Pablo, Urbano y León marcharon a tratar de hacer camino que cortara el farallón pero vinieron por la tarde con la

noticia de que era imposible. Tuve que hacerle otra advertencia a Urbano debido a sus desplantes. Convinimos en hacer una balsa mañana, cerca del farallón.

Se da noticias del estado de sitio y la amenaza minera, pero todo queda en agua de borrajas.

11

Día de total tranquilidad; permanecimos en la emboscada pero el Ejército no avanzó; sólo un avioncito sobrevoló la zona algunos minutos. Puede ser que nos esperen en el Rosita. El camino sobre el firme avanzó hasta casi coronar la loma. Mañana saldremos de todas maneras; nos queda comida amplia para 5 - 6 días.

12

Se creyó en principio que podríamos llegar al Rosita o, por lo menos, al Río Grande de nuevo, de modo que emprendimos la marcha. Al llegar a una pequeña aguada se vio difícil la cosa, por lo que permanecimos allí, esperando noticias. A las 15 llegó informe de que había otra aguada más grande, pero era imposible bajar todavía. Resolvimos quedarnos aquí. El día comenzó a descomponerse y, por último, el surazo nos obsequió una noche de frío y agua. La radio da una noticia interesante: el periódico Presencia anuncia un muerto y un herido por parte del Ejército en el choque del sábado; Esto es muy bueno y casi seguramente es cierto, de manera que mantenemos el ritmo de choques con muertos. Otro comunicado anuncia 3 muertos, entre ellos, Inti, uno de los jefes de los guerrilleros y la composición extranjera de la guerrilla: 17 cubanos, 14 brasileros, 4 argentinos, 3 peruanos. Los cubanos y peruanos corresponden a la realidad; había que ver de donde sacaron la noticia.
h - 900 ms.

13

Sólo caminamos una hora, hasta la próxima aguada, pues los chaqueadores no llegaron ni al Rosita, ni al río. Mucho frío. Mañana es posible que se llegue. Nos queda comida floja para 5 días.

Lo interesante es la convulsión política del país, la fabu-

losa cantidad de pactos y contrapactos que hay en el ambiente. Pocas veces se ha visto tan claramente la posibilidad de catalización de la guerrilla.

h - 840 ms.

Celita - (4?)

14

Pasamos el día en la aguada fría, al lado del fuego, esperando noticias de Miguel y Urbano que eran los daqueadores. El plazo para moverse era hasta las 15 horas, pero Urbano llegó pasada esa hora a avisar que se había llegado a un arroyo y que se veían piquetes, por lo que creía que podría llegar al Río Grande. Nos quedamos en el lugar, comiéndonos el último potaje, no queda más que una ración de maní y 3 de mote.

He llegado a los 39 y se acerca inexorablemente una edad que da que pensar sobre mi futuro guerrillero; por ahora estoy "entero".

h - 840 -

15

Caminamos un poco menos de 3 horas para llegar a las márgenes del Río Grande, en ufflugar que reconocimos y que, calculo, está a 2 horas del Rosita; Nicolás, el campesino, habla de 3 kms. Se le dieron 150 pesos y la oportunidad de irse y salió como un cohete. Nos quedamos en el mismo lugar a donde llegamos; Aniceto hizo una exploración y dice que se podrá cruzar el río. Comimos sopa de maní y un poco de palmito de totaí hervido y saltado en manteca; sólo queda mote para 3 días.

h - 620 ms.

16

Caminamos un kilómetro cuando vimos en la ribera opuesta a la gente de la vanguardia. Pacho había cruzado explorando y encontró el vado. Cruzamos con agua helada hasta la cintura y con alguna corriente, sin novedad. Una hora después llegamos al Rosita, donde hay algunas huellas viejas de zapatos, al parecer, del Ejército. Nos encontramos con que el Rosita traía más agua de lo previsto y no hay huellas de la senda marcada en el mapa. Caminamos una hora en el agua helada y decidimos acampar para aprovechar el palmito de totaí y tratar de encontr

una colmena que había encontrado Miguel en una exploración ante-
rior; no se encontró la colmena, y sólo comimos mote y palmito
con manteca. Queda comida para mañana y pasado (mote). Cami-
namos unos 3 kms. por el Rosita y otros 3 por el Río Grande.
- 610

17

Caminamos unos 15 kms por el Rosita, en 5 1/2 horas. En
el recorrido cruzamos 4 arroyos, a pesar de que en el mapa
figura uno solo, el Abapocito. Se han encontrado huellas abun-
dantes de tránsito reciente. Ricardo mató un hochi y con eso
el mote pasamos el día. Queda mote para mañana, pero es pre-
sumible que encontremos casa.

(1) Hochi : especie de jutía. (N. del E.)

18

Muchos quemamos las naves, comiéndonos todo el mote en el
desayuno. A las 11, luego de dos horas y media de camino, caí-
mos a un chaco con maíz, yuca, caña, un trapiche para molerla,
chicos y arroz. Preparamos comida, sin proteínas y mandamos a
Benigno y Pablito a explorar. A las 2 horas volvió Pablo con
la noticia de que se habían topado un campesino cuyo chaco
está a 500 ms. de éste y que más atrás venían otros, los que
fueron apresados al llegar. Por la noche cambiamos de campa-
mento durmiendo en el chaco de los muchachos, situado justo en
la desembocadura del camino que viene de Abapó a 7 leguas de
aquí. Sus casas están a 10-15 kms., arriba de la junta del
Pesquera con el Oscura, sobre éste último río.
- 680 ms.

19

Caminamos a paso lento unos 12 kms. para llegar al rancho
integrado por 3 casas por otras tantas familias. Dos kilóme-
tros abajo vive una familia Gálvez, justo en la junta del Mos-
quera y el Oscuro; a los habitantes hay que cazarlos para poder
hablar con ellos pues son como animalitos. Nos recibieron bien
en general, pero Calixto, nombrado alcalde por una comisión mi-
litar que pasó por aquí hace un mes, se mostró reservado y re-

nuente a vender algunas cositas. Al anochecer llegaron 3 comerciantes en chanchos con revolver y fusil mauser; se le pasaron a la posta de la vanguardia, Inti, que los interrogó, no les quitó las armas y Antonio, que los vigilaba, lo hizo con mucho descuido. Calixto aseguró que son comerciantes de Postrer Valle y que él los conoce.

h ÷ 680 ms.

Hay otro río que le cae al Rosita en su márgen izquierda y se llama Suspiro; no vive nadie en su curso.

20

Por la mañana, Paulino, uno de los muchachos del chaco de abajo, nos informó que los tres individuos no eran comerciantes había un teniente y los otros dos no eran del ramo. La información la obtuvo por la hija de Calixto que es su novia. Inti fue con varios hombres y les puso plazo hasta las 9 para que saliera el oficial; sino serían fusilados todos. Salió enseguida el oficial, llorando. Es un subteniente de policía que fue enviado con un carabinero y el maestro de Postrer Valle que vino como voluntario. Los mandó un coronel que está situado en ese pobladito con 60 hombres. Su misión incluía un largo viaje para el que le dieron 4 días, incluyendo en el recorrido otros puntos del camino de la Oscura. Se pensó en matarlos pero luego decidí devolverlos con una severa advertencia sobre las normas de la guerra. Averiguando como podían haber pasado se estableció que Aniceto abandonó la guardia para llamar a Julio y en ese lapso pasaron; además, Aniceto y Luis fueron hallados dormidos en la posta. Fueron sancionados a 7 días de ayudantes de cocina y uno sin comer los puercos, asado y frito, y el potaje que se sirvió hasta la exageración. Los detenidos serán despojados de todos sus enseres.

La vieja

21

Después de dos días de profusas extracciones dentales en que hice famoso mi nombre de Fernando Sacamuelas (a) Chaco, cerré mi consultorio y salimos por la tarde; caminando poco más de una hora. Por primera vez en esta guerra salí montado en un mulo. Los tres detenidos fueron llevados una hora por el camino del Mosquera y despojados de todos sus enseres, in

cluidos relojes y abarcas.* Pensamos llevar a Calixto, el al-
calde, de práctico junto con Paulino, pero aquél estaba enfer-
mo o lo fingió y lo dejamos con serias advertencias que pro-
bablemente no rindan muchos frutos. Paulino se ha comprometido
a llegar a Cochabamba con mi mensaje. Se le dará una carta
para la mujer de Inti, un mensaje en clave para Manila y los 4
comunicados. El cuarto explica la composición de nuestra gue-
rrilla y aclara el infundio de la muerte de Inti; es el[~~blanco~~.
Veremos si ahora podemos establecer contacto con la
ciudad. Paulino simuló venir como prisionero nuestro.
h - 750 ~~ms~~. ms.

↓ *abarcas*: sandalias rústicas
(N del E.)

2º *Ien blanco en el original*

22

Caminamos unas tres horas efectivas, dejando el río la Oscu-
ra o Morocos para llegar a una aguada en el lugar denominado Pa-
siones. Consultamos el mapa y todo indicaba que faltaban no me-
nos de 6 leguas para llegar a Florida o al primer punto donde
haya casas, Piray, donde vive un cuñado de Paulino, pero éste no
conoce el camino. Pensábamos seguir aprovechando la luna, pero
no vale la pena dada la distancia [que] a]estamos.
- 950 ms.

23

Sólo caminamos una hora efectiva, ya que se perdió la senda
y tardamos toda la mañana y parte de la tarde en encontrarla y
luego el resto en abrirla para mañana. La noche de San Juan no
fue tan fría como podría creerse de acuerdo a la fama.
- ~~1050~~. 1050.

El asma me está amenazando seriamente y hay muy poca reserva
de medicamentos.

24

Caminamos en total unos 12 kms., 4 horas efectivas. A tre-
chos el camino era bueno y se veía, a trechos había que inventar-

lo. Bajamos por una faralla increíble siguiendo las huellas de unos ganaderos que arrean ganado. Acampamos en un hilo de agua en las faldas del cerro Durán. La radio trae la noticia de lucha en las minas. Mi asma aumenta.

h - 1200 ms.

Seguimos por el camino fabricado por los ganaderos sin alcanzarlos. A media mañana había un potrero incendiado y un avión sobrevoló la zona. Quedamos sin saber qué relación existía entre esos dos hechos pero seguimos adelante y a las 16 llegamos al Piray, residencia de la hermana de Paulino. En este lugar hay 3 casas de las cuales una estaba abandonada, en la otra no había gente y en la tercera estaba la hermana con 4 hijos, pero sin el marido que había salido con Paniagua, el de la otra casa, a la Florida. Todo parecía normal. A un km. vive una hija de Paniagua y ésa fue la casa elegida para acampar, comprando una ternera que fue sacrificada inmediatamente. Coco, con Julio, Camba y León fueron mandados hasta Florida para hacer alguna compra, pero se encontraron con que hay ejército; unos 50 hombres y se espera más hasta completar 120+130. El dueño de la casa es un viejo que se llama Fenelón Coca.

La radio argentina dá la noticia de 87 víctimas; los bolivianos callan el número (Siglo XX). Mi asma sigue en aumento y ahora no me deja dormir bien.

h - 780 ms.

Día negro para mí. Parecía que todo transcurriría tranquilamente y había mandado 5 hombres a reemplazar a los emboscados el camino de Florida, cuando se oyeron disparos. Fuimos rápidamente en los caballos y nos encontramos con un espectáculo extraño: en medio de un silencio total, yacían al sol cuatro cadáveres de soldaditos, sobre la arena del río. No podíamos tomarles las armas por desconocer la posición del enemigo; eran las 17 horas esperábamos la noche para efectuar el rescate: Miguel mandó a avisar que se oían ruidos de gajos partidos hacia su izquierda; fueron Antonio y Pacho pero dí orden de no tirar sin ver. Casi inmediatamente se oyó un tiroteo que se generalizó por ambas partes y dí orden de retirada, ya que llevábamos las de perder en esas condiciones. La retirada se demoró y llegó la noticia

de dos heridos: Pombo, en una pierna y Tuma en el vientre. Los llevamos rápidamente a la casa para operarlos con lo que hubiera. La herida de Pombo es superficial y sólo traerá dolores de cabeza su falta de movilidad, la de Tuma le había destrozado el hígado y producido perforaciones intestinales; murió en la operación. Con él se me fue un compañero inseparable de todos los últimos años, de una fidelidad a toda prueba y cuya ausencia siento desde ahora casi como la de un hijo. Al caer pidió que se me entregara el reloj, y como no lo hicieron para atenderlo, se lo quitó y se lo dio a Arturo. Ese gesto revela la voluntad de que fuera entregado al hijo que no conoció, como había hecho yo con los relojes de los compañeros muertos anteriormente. Lo llevaré toda la guerra. Cargamos el cadáver en un animal, y lo llevamos para enterrarlo lejos de allí.

Se tomaron prisioneros dos nuevos espías; un teniente de carabineros y un carabinero. Se les leyó la cartilla y fueron dejados en libertad, en calzoncillos solamente, debido a una mala interpretación de mi orden, en el sentido de que fueran despojados de todo lo que sirviera. Salimos con 9 caballos.

27

Cumplida la penosa tarea de enterrar malamente a Tuma seguimos viaje arribando de día a Tejería propiamente dicho. A las 14 horas salió la vanguardia para un viaje de 15 kms. y a las 14.30 nosotros. El viaje fue largo para los últimos, a los que sorprendió la noche y debieron esperar la luna, llegando a las 2.30 a la casa de Paliza de donde eran los guías.
- 850 ms.

Devolvimos dos animales al dueño de la casa de Tejería que es sobrino de la vieja Paniagua, para que se los hiciera llegar.

28

Se logró un guía que por $40 se ofreció a conducirnos hasta el cruce del camino que va a casa de Don Lucas; pero nos quedamos una casa anterior que tenía su aguada. Salimos tarde, pero los últimos, Moro y Ricardo, tardaron una barbaridad y no pude escuchar noticias. Hicimos un promedio de 1 km por hora. Según las versiones, el Ejército, o alguna emisora por su cuenta

hablan de 3 muertos y 2 heridos en un encuentro con guerrilleros en la zona de Mosquera; tiene que ser una referencia a nuestro combate pero se veían, casi con absoluta certeza, 4 cadáveres, a menos que alguno lograra simular perfectamente la muerte.

La casa de un tal Zea, no estaba habitada pero tenía varias vacas cuyos terneros se encerraron.

h - 1150 ms.

Tuve una conversación fuerte con Moro y Ricardo por la demora, sobre todo con Ricardo. Salieron con mochila en los caballos Coco y D'río, de la vanguardia y Moro. El Ñato lleva la suya, pues es el encargado de todos los animales. Además, la de Pombo y la mía en un mulo. Pombo pudo llegar con bastante facilidad en una yegua de llano; lo acomodamos en la casa de don Lucas que vive en la cumbre, a 1800 ms. de altura y estaba con dos hijas, una de ellas cotuda. ✓ Hay dos casas más, una de ellas de un trabajador esporádico, casi sin nada, la otra bien acondicionada. La noche fue lluviosa y fría. Los informes dicen que Barchelón está a medio día de camino, pero, según los campesinos que vinieron por la senda, está muy mala, el dueño de casa no dice lo mismo y asegura que se arregla fácilmente. Los campesinos vienen a ver al de la otra casa y fueron detenidos por sospechosos.

En el camino tuve una conversación con nuestra tropa, ahora integrada por 24 hombres. Cité entre los hombres ejemplo uno más, el Chino; expliqué la significación de las pérdidas y la pérdida personal que significó para mí la muerte de Tuma a quien consideraba casi como a un hijo. Critiqué la falta de autodisciplina y la lentitud en la marcha y prometí dar algunas nociones más para que no nos suceda en las emboscadas lo que pasó ahora: pérdidas inútiles de vida por incumplir normas.

✓ Cotuda: que padece de bocio. (N.

El viejo Lucas dio algunas informaciones sobre sus vecinos de lo que se desprende que ya el Ejército anduvo haciendo su preparación por aquí. Uno de ellos, Andulfo Díaz, es el secr

tario general del sindicato campesino de la zona, sindicado como
barrientista; otro es un viejo hablador al que se dejó salir en
razón de estar paralítico y otro es un cobarde que puede hablar,
según sus colegas, para no buscarse complicaciones. El viejo
prometió acompañarnos y ayudarnos a abrir el camino a Barchelón;
los dos campesinos nos seguirán. Pasamos el día en descanso ya
que fue lluvioso y desapacible.

En el plano político, lo más importante es la declaración
oficial de Ovando de que yo estoy aquí. Además, dijo que el
ejército se estaba enfrentando a guerrilleros perfectamente en-
trenados que incluso contaba con comandantes vietcons que habían
derrotado a los mejores regimientos norteamericanos. Se basa en
las declaraciones de Debray que, parece, habló más de lo necesa-
rio aunque no podemos saber qué implicaciones tiene esto, ni
cuales fueron las circunstancias en que dijo lo que haya dicho.
Se rumora también que el Loro fue asesinado. Me atribuyeron ser
el inspirador del plan de insurrección en las minas, coordinado
con el de Ñancahuazú. La cosa se pone linda; dentro de algún
tiempo dejaré de ser "Fernando Sacamuelas".

Se recibió un mensaje de Cuba en que explican el poco desa-
rrollo alcanzado por la organización guerrillera en el Perú,
donde apenas tienen armas y hombres, pero han gastado un dineral
y hablan de una supuesta organización guerrillera entre Paz Es-
tensoro, un Coronel Seoane y un tal Rubén Julio, ricacho ~~movimientista~~
de la zona de Pando; serían ~~seguidos en Guayará~~ ~~Mama~~. Guayaramerín
el []

Análisis del mes

Los puntos negativos son: la imposibilidad de hacer contacto
con Joaquín y la pérdida gradual de hombres, cada uno de los cua-
les constituye una derrota grave, aunque el Ejército no lo sepa.
Hemos tenido dos pequeños combates en el mes, ocasionándole al
Ejército 4 muertos y 3 heridos, a guiarse por sus propias infor-
maciones.

Las características más importantes son:

1) Sigue la falta total de contactos, lo que nos reduce ahora a
los 24 hombres que somos, con Pombo herido y la movilidad reduci-

2º) Sigue sintiéndose la falta de incorporación campesina. Es un círculo vicioso: para lograr esa incorporación necesitamos ejercer nuestra acción permanente en un territorio poblado y para ello necesitamos más hombres.

3º) La leyenda de la guerrilla crece como espuma; ya somos los superhombres invencibles.

4º) La falta de contacto se extiende al partido, aunque hemos hecho una tentativa a través de Paulino que puede dar resultado

5º) Debray sigue siendo noticia pero ahora está relacionado con mi caso, apareciendo yo como jefe de este movimiento. Veremos el resultado de este paso del gobierno y si es positivo o negativo para nosotros.

6º) La moral de la guerrilla sigue firme y su decisión de lucha aumenta. Todos los cubanos son ejemplo en el combate y sólo hay dos o tres bolivianos flojos.

7º) El Ejército sigue nulo en su tarea militar, pero está haciendo un trabajo campesino que no debemos descuidar, pues transforma en chivatos a todos los miembros de una comunidad, ya sea por miedo o por engaños sobre nuestros fines.

8º) La masacre en las minas aclara mucho el panorama para nosotros y, si la proclama puede difundirse, será un gran factor de esclarecimiento.

Nuestra tarea más urgente es restablecer el contacto con La Paz y reabastecernos de equipo militar y médico y lograr la incorporación de unos 50-100 hombres de la ciudad, aunque la cifra de los combatientes se reduzca en la acción a unos 10-25.

JUL 90
1

Sin que el día despejara completamente, salimos en dirección de Barchelón, Barcelona en el mapa. El viejo Lucas nos dió un manito en el arreglo del camino pero, con todo, éste quedó bastante abrupto y resbaladizo. La vanguardia salió por la mañana y nosotros a medio día, invirtiendo toda la tarde en bajar y subir la quebrada. Debimos quedarnos a dormir en el primer chaco

separados de la vanguardia que siguió adelante. Eran 3 niños de apellido Yépez, sumamente tímidos.

Barrientos tuvo una conferencia de prensa en la que admitió mi presencia pero vaticinó que en pocos días quedaría liquidado. Habló la habitual retahíla de sandeces, llamándonos ratas y víboras y reiteró su propósito de castigar a Debray.
h - 1.550.

Retuvimos a un campesino llamado Andrés Coca, que encontramos en el camino y llevamos con nosotros a los otros dos, Roque y su hijo Pedro.

2

Por la mañana nos unimos a la vanguardia que había acampado en lo alto, en casa de Don Nicomedes Arteaga, donde hay un naranjal y nos vendieron cigarros. La casa principal está abajo, en el río de la piojera y allí fuimos, comiendo opíparamente. El río Piojera corre encañonado completamente y por él sólo se puede transitar a pie hacia abajo, rumbo a la Angostura; la salida es hacia la junta, otro punto sobre el mismo río, pero atravesando la loma, bastante alta. Es importante por constituir un cruce de caminos. Este lugar está a sólo 950 ms y es mucho más templado; aquí se cambia la garrapatilla por el marigüy. Está formado el caserío por la vivienda de Arteaga y de varios hijos; tienen un cafetalito a donde vienen a trabajar a partido gente de distintos puntos cercanos. Ahora hay unos 6 peones de la zona de San Juan.

La pierna de Pombo no evoluciona con suficiente rapidez debido, probablemente, a los interminables viajes a caballo pero no tiene complicaciones ni se temen ya.

3

Seguimos allí todo el día, tratando de darle mayor descanso a la pierna de Pombo. Las compras se están haciendo a precios altos y esto hace que los campesinos mezclen el miedo con el interés y nos consigan las cosas. Saqué unas fotos que me valieron el interés de todos ellos; veremos como las revelamos, las ampliamos, y se las hacemos llegar: 3 problemas. Un avión pasó por la tarde y por la noche alguien habló del peligro de los bom-

bardeos nocturnos y todo el mundo salía por la noche, cuando los (ilegible) atajamos, explicándoles que no había peligro. Mi asma sigue dando guerra.

Salimos temprano rumbo a Peña Colorada, cruzando una zona habitada que nos recibía con terror. Al atardecer llegamos al Alto de Palermo, 1,600 ms., e iniciamos la bajada hacia ese punto, donde hay una pequeña pulpería en la que compramos por las dudas. Ya de noche desembocamos en la carretera donde sólo hay una casita de una vieja viuda. La vanguardia no estuvo muy feliz en la toma de la misma por indecisiones. El plan era tomar un vehículo que viniera de Sumaipata, averiguar las condiciones reinantes y partir hacia allí con el conductor del vehículo, tomar el DIC, comprar en la farmacia, saquear el hospital, comprar alguna latería y golosinas y retornar.

Se cambió el plan porque no venían vehículos de Sumaipata y se tuvieron noticias de que no estaban deteniendo vehículos en esa localidad, es decir, la barrera estaba alta. Fueron comisionados para la acción Ricardo, Coco, Pacho, Aniceto, Julio y Chino. Pararon un camión que venía de Santa Cruz, sin novedad, pero detrás venía otro que paró por solidaridad y también hubo que detenerlo; allí comenzó el tira y afloja con una señora que viaja en el camión y no quería bajar a su hija, un tercer camión paró a ver que pasaba y ya se obstruyó el camino, parando un cuarto, ante la indecisión de la gente. Se arreglaron las cosas y quedaron los 4 vehículos a un costado y un chofer hablaba de descanso en un camión cuando le preguntaban. La gente salió en un camión, llegó a Sumaipata, capturó dos carabineros luego al teniente Vacaflor, jefe del puesto y al sargento lo hicieron decir la contraseña y tomaron en acción relámpago el puesto con 10 soldados, tras una brava escaramuza con cruce de disparos con un soldado que se resistió. Se lograron capturar 5 mausers y 1 Z.B-30 y subieron los 10 presos, dejándolos desnudos a 1 kms. de Sumaipata. En el orden de los abastecimientos, la acción fue un fracaso; el Chino se dejó mangonear por Pacho y Julio y no se compró nada de provecho y en las medicinas, ninguna de las necesarias para mí, aunque sí las más imprescindibles para la guerrilla. La acción se realizó ante todo el pueblo y la multitud de viajeros, de manera que se regará como pólvora. A las 2 ya estábamos caminando de vuelta con el botín.

Caminamos sin descanso hasta llegar a un campo de caña donde un hombre nos había recibido bien la vez anterior, a una legua de la casa de Ramón. El miedo sigue entronizado en la gente; el hombre nos vendió un puerco y fue amable, pero nos previno que había 200 hombres en los Sijos y que su hermano acababa de venir de San Juan y anunciaba que allí habían 100 soldados. Quería sacarse unas muelas pero prefirió no hacerlo. El asma mía está en aumento.

Caminamos desde la casa de la caña hasta el río Piojera, con precauciones, pero todo estaba limpio y no había ni rumores de soldados y la gente que venía de San Juan negaba que allí hubieran soldados. Parece que fue una treta del hombre para que nos fuéramos. Caminamos unas dos leguas por el río hasta el Piray y de allí una legua hasta la cueva, a donde llegamos anocheciendo. Estamos cerca del Filo.

Me inyecté varias veces para poder seguir usando al final una solución de Adrenalina al 1/900 preparada para colirio. Si Paulino no ha cumplido su misión, tendremos que retornar al Ñacahuaso a buscar medicamentos para mi asma.

El Ejército dió el parte de la acción, reconociendo un muerto que se debe haber producido en el tiroteo; Ricardo, Caco y Pacho tomaron el cuartelito.

Al salir, perdimos el camino y pasamos la mañana buscándolo. A medio día seguimos uno no muy claro que nos llevó a la mayor altura alcanzada hasta ahora 1,840 ms., poco después se llegó a una tapera donde hicimos noche. No hay seguridad sobre el camino al Filo. La radio dió la noticia de un acuerdo de 14 puntos entre los trabajadores de Catavi y Siglo XX y la Empresa Comibol, constituye una derrota total de los trabajadores.

Salimos tarde porque se había perdido un caballo, que apareció luego. Pasamos por la altura máxima, 1,900 ms., por un camino

poco transitado. A las 15,30 se llegó a una tapera donde decidimos pernoctar, pero la sorpresa desagradable fue que se acababan los caminos. Se mandó exploración a unas sendas desechadas, pero no conducen a ningún lado. Enfrente se ven unos chacos que podían ser el Filo.

La radio dio la noticia de un choque con guerrilleros en la zona de El Dorado, que no figura en el mapa y es ubicado entre Sumaipata y Río Grande; reconocen un herido y nos atribuyen dos muertos.

De otro lado, las declaraciones de Debray y el Pelado no son buenas; sobre todo, han hecho una confesión del propósito intercontinental de la guerrilla, cosa que no tenían que hacer.

11

Al retornar, en un día lluvioso y de bruma intensa, perdimos todos los caminos, quedando, en definitiva, separados de la vanguardia que bajó reabriendo una vieja senda. Matamos un ternero.

12

Todo el día lo pasamos esperando noticias de Miguel, pero sólo al anochecer llegó Julio con la noticia de que se había bajado a un arroyo que corría en dirección sur. Quedamos en el mismo lugar. El asma me dio una tángana regularcita.

Ahora la radio trae otra noticia que parece verídica en su parte más importante; habla de un combate en el Iquira, con un muerto de parte nuestra, cuyo cadáver llevaron a Lagunillas. La euforia sobre el cadáver indica que algo de verdad hay en el caso.

13

Por la mañana bajamos una loma empinada y resbaladiza, dado lo malo del tiempo; encontrando a Miguel a las 11.30. Había mandado a Camba y Pacho a explorar un sendero que apartaba del que seguía el curso del arroyo y volvieron una hora después con la noticia de que se veían chacos y casas y habían estado en uno abandonado. Nos trasladamos allí y luego, siguiendo el curso de un arroyito, llegamos hasta la primer casa, donde pernoctamos.

El dueño de casa llegó más tarde y nos informó que una mujer, la madre del corregidor, nos había visto y ya debía haber informado a los soldados que están en el propio rancho del Filo, a una legua de aquí. Se mantuvo posta toda la noche.

14

Tras una noche de continuo chilcheo⟨v⟩, continuó así todo el día, pero a las 12 salimos llevando dos prácticos, Pablo, cuñado del alcalde, y Aurelio Mancilla, el hombre de la primera casa. Quedaron llorando las mujeres. Llegamos a un punto donde se bifurcan los caminos; uno lleva a Florida y Moroco, el otro a Pampa. Los guías propusieron seguir el de Pampa, de donde se podía tomar una trocha recientemente abierta hasta el Mosquera y se aceptó, pero cuando habíamos caminado unos 500 ms aparecieron un soldadito y un campesino con una carga de harina en un caballo y un mensaje para el subteniente del Filo de su colega de Pampa, donde hay 30 guardias. Decidimos cambiar el rumbo y nos internamos por el camino a Florida, haciendo campamento al poco rato.

El PRA y el PSB se retiran del frente de la revolución y los campesinos advierten a Barrientos sobre una alianza con Falange. El gobierno se desintegra rápidamente. Lástima no tener 100 hombres más en este momento.

⟨v⟩ Chilcheo: lluvia fina (N. del E.)

15

Caminamos bastante poco debido a lo malo del camino, abandonado desde hace muchos años. Por consejos de Aurelio, matamos una vaca del corregidor, comiendo opíparamente. El asma me ha abandonado un poco.

Barrientos anunció la operación Cintia, para liquidarnos en pocas horas.

16

Iniciamos la marcha muy lentamente, debido al intenso trabajo de chapea y los animales sufrieron mucho dado lo malo del camino, pero llegamos sin mayores incidentes al fin de la jornada, a un cañadón donde es imposible seguir con los caballos cargados.

... y 4 hombres de la vanguardia siguieron adelante y durmieron aparte.

No hubo noticias dignas de importancia por radio. Pasamos una altura de 1,°90 ms. cerca del cerro Durán que quedó a nuestra izquierda.

17

Seguimos caminando lentamente, debido a lo perdido del camino. Teníamos la esperanza de llegar a un naranjal que había indicado el guía, pero al hacerlo nos encontramos con las matas secas. Hay una poza que nos sirvió para acampar. No hicimos más de 3 horas efectivas de camino. Mi asma está mucho mejor. Parece que empataremos con el camino que usamos para llegar a Piray. Estamos al lado del Durán.
h - 1,560 ms

18

A la hora de camino, el guía perdió la ruta y manifestó no conocer más. Al fin se encontró una senda vieja y, mientras se abría, Miguel la siguió, rompiendo monte, y llegó al cruce del camino al Piray. Llegando a un arroyito donde acampamos, se liberó a los 3 campesinos y el soldadito, luego de leerles la cartilla. Coco salió con Pablito y Pacho para investigar si Paulino dejó algo en el hueco; deben volver mañana a la noche si todos los cálculos salen bien. El soldadito dice que va a desertar.
h - 1,300 ms.

19

Hicimos el corto trayecto hasta el antiguo campamento y allí quedamos, con guardia reforzada, a la espera de Coco, el que llegó después de las 1800 horas anunciando que allí todo está sin novedad; el fusil en su lugar y no hay huellas de Paulino. En cambio hay muchas huellas del paso de una tropa que ha dejado sus señales también en la parte del camino en que estamos.

Las noticias políticas son de una tremenda crisis que no se ve en que va a parar. Por lo pronto, los sindicatos agrícolas de Cochabamba han formado un partido político "de inspiración cristiana" que apoya a Barrientos y este pide que lo "dejen gobernar 4 años"; es casi una imploración. Siles Salinas ame-

naza a la oposición con que la subida nuestra al poder le costará la cabeza a todos y llama la unidad nacional, declarando al país en pie de guerra. Parece implorante por un lado y demagógico por otro; tal vez se prepara a una sustitución.

Caminamos con precaución hasta llegar a las dos casitas primeras donde se encontró a uno de los muchachos Paniagua y al yerno de Paulino. De éste no sabían nada ellos, salvo que el Ejército lo buscaba por habernos guiado. Las huellas corresponden a un grupo de 100 hombres que pasaron una semana después que nosotros y siguieron hasta Florida. Parece que el Ejército sufrió 3 muertos y 2 heridos en la emboscada. Se mandó a Coco, con Camba, León y Julio a explorar Florida y comprar lo que se encontrara allí. Volvió a las 4 con algunos víveres y un tal Melgar, dueño de dos de nuestros caballos que se ofrecía a cualquier servicio y tenía una información detallada y poco fantasiosa de lo que se extrae lo siguiente: 4 días después de nuestra partida fue descubierto el cadáver de Tuma, comido por los animales; el Ejército sólo avanzó al día siguiente del combate, luego de la aparición del Teniente desnudo; la acción de Sumaipata se conoce con pelos y señales y agregados y es motivo de burla de los campesinos; encontraron la pipa de Tuma y algunos enseres regados; un mayor, llamado Soperna parecía ser medio simpatizante o admirador nuestro; el Ejército llegó hasta la casa de Coca, donde muriera Tuma y de allí pasó a Tejería, retornando a Florida. Coco pensaba utilizar al hombre en llevar una carta, pero me pareció más prudente probarlo primero enviándolo a comprar algunos medicamentos. Este Melgar nos habló de un grupo que viene hacia aquí, donde hay una mujer, y que lo supo por carta del corregidor de Río Grande al de este punto; como el hombre está en el camino a Florida mandamos a Inti, Coco y Julio a que lo entrevistaran. Negó tener noticias de otro grupo pero confirmó, en general, las declaraciones del otro. Pasamos una noche perra por el agua. La radio dió la noticia de la identificación del cadáver del guerrillero muerto y que sería Moisés Guevara, pero Ovando, en conferencia de prensa, fue muy cauto al respecto y cargó la identificación sobre el ministerio del Interior. Cabe la posibilidad de que sea todo una farsa o inventada la supuesta identificación.

h - 680 ms.

Pasamos el día en casa. Se habló con el viejo Cruz sobre la vaca que nos había vendido sin ser de él, y luego dijo que no se la habían pagado, pero negó enfáticamente el hecho; lo emplazamos a que pagara.

Por la noche fuimos a Tejería, compramos un puerco grande y chankaka.[1] Aquella gente recibió muy bien a Fati, Benigno y Aniceto que son los que fueron.

(1) chankaka: raspadura guarapo (Nota)

22

Salimos temprano, con abundante carga en hombros y animales y la intención de despistar a todo el mundo sobre la realidad de nuestra presencia. Dejamos el camino que conduce a Moroco y tomamos el de la laguna. A uno o dos kilómetros al sur. Desgraciadamente, ignorábamos el resto y debimos mandar exploradores, en el ínterin, Mancilla y el muchacho Paniagua aparecieron por la laguna campeando ganado. Fueron apercibidos de no decir nada pero ya la cosa es muy distinta. Caminamos un par de horas durmiendo a la vera de un arroyo que tiene una senda hacia el sureste, siguiendo su curso y otras menos marcadas al Sur.

La radio trae la noticia de que la mujer de Bustos (Pelao) confirma que me vio azul, pero dice que vino con otras intenciones
h - 640 ms.

23

Permanecimos en el mismo campamento mientras se mandaban exploraciones por los dos caminos posibles. Uno de ellos conduce al Río Seco, en un punto en que ya el Piray le da sus aguas y todavía no las absorbe la arena, es decir, entre la emboscada que pusimos y Florida; el otro conduce a una tapera a unas 2-3 horas de camino y, según Miguel, que hizo la exploración, de allí es posible salir al Rosita. Mañana tomaremos ese camino, que puede ser uno de Melgar, según los cuentos hechos por éste a Coco y Julio.

Caminamos unos 3 horas siguiendo la senda explorada, la que nos hizo trasponer alturas de 1,000 ms, acampando a 940 ms., a la orilla de un arroyo. Aquí se acaban los caminos y el día de mañana íntegro debe dedicarse a la búsqueda de la mejor salida. Aquí hay una serie de chacos en producción que indican su relación con Florida; podría ser el lugar llamado Canales. Estamos tratando de descifrar un largo mensaje de Manila. Raúl habló a la promoción de oficiales de la Escuela Máximo Gómez y, entre otras cosas, refutó las calificaciones de los checos sobre el artículo de los Vietnam. Los amigos me llaman un nuevo Bakunin, y se lamentan de la sangre derramada y de la que se derramaría en caso de 3 ó 4 Vietnam.

Pasamos el día en reposo, mandando 3 parejas a explorar diversos puntos, Coco, Benigno y Miguel fueron los encargados de hacerlo. Coco y Benigno desembocaron al mismo lugar y de allí se puede tomar el camino a Moroco. Miguel informo que el arroyo sale, con toda seguridad, al Rosita y que se puede caminar por él aunque haciendo camino a base de machete.

Se informa de dos acciones, una en Taperas y otra en San Juan del Potrero, que no pueden haber sido hechas por el mismo grupo y surge la incógnita sobre su existencia real o la veracidad de los hechos.

Benigno, Camba y Urbano fueron comisionados para hacer un camino por el arroyo, huyéndole a Moroco, el resto del personal quedó en el campamento y el centro hizo una emboscada atrás. Sin novedad.

Las noticias de la acción de San Juan del Potrero fueron difundidas por las radios extranjeras con pelos y señales: captura de 15 soldados y un coronel, despojo y libertad, nuestra técnica. Ese punto está al otro lado del camino carretero Cochabamba-Santa Cruz. Por la noche di una pequeña charla sobre el significado del 26 de Julio; rebelión contra las oligarquías y contra los dogmas revolucionarios. Fidel le dió su pequeña mención a Bolivia.

Teníamos todo listo para salir y la gente de la emboscada
había recibido orden de hacerlo automáticamente a las 11, cuando
llegó Willy, faltando pocos minutos para esa hora, anunciando
que estaba el Ejército; fueron para allá el mismo Willi, Ricardo
Inti, Chino, León, Eustaquio, los que junto con Antonio, Arturo
y Chapaco hicieron la acción. Esta se desarrolló así: 8 soldado
aparecieron en la cresta, caminaron hacia el sur, siguiendo un c
minito viejo y retornaron, tirando algunos morterazos, haciendo
señas con un trapo. En algún momento se escuchó el llamado a un
tal Melgar, que podría ser el de Florida. Luego de descansar un
rato, 8 soldaditos emprendieron la marcha hacia la emboscada. Y
cayeron en ella 4, pues el resto venían un poco reposado; hay 3
muertos seguros y el cuarto probable, pero de todas maneras, here
Nos retiramos sin quitarle armas y equipo por lo difícil que se
hacía el rescate y salimos arroyo abajo. Luego de la confluenc
con otro cañoncito se hizo una nueva emboscada, los caballos av
ronhasta donde llega el camino.

El asma me trató duro y se van acabando los míseros calmant
h - 800 ms

Se mandó a Coco, con Pacho, Raúl y Aniceto a cubrir la
desembocadura del río que pensamos es el Suspiro. Se caminó
poco, abriendo camino por un cañón bastante cerrado. Acampamos
separados de la vanguardia, pues Miguel avanzó demasiado para
la posibilidad de los caballos que se hunden en la arena o su-
fren por las piedras.
h - 760 ms.

Seguimos caminando por un cañón que baja hacia el sur con
buenos refugios a los costados en zona de bastante agua. A la
16 aproximadamente nos encontramos con Pablito quien avisó que
estábamos en la desembocadura del Suspiro sin novedad; creí po
un momento que ese cañón no era el del Suspiro, por la manteni
dirección sur, pero en la última vuelta, viró al oeste y desem
có en el Rosita.

A las 16.30 aproximadamente llegó la retaguardia y decidí
seguir viaje para alejarnos de la desembocadura pero no me ani

mé a exigir el esfuerzo necesario para llegar más allá del chaco de Paulino e hicimos campamento a orillas del camino, a una hora de marcha de la desembocadura del Suspiro. Por la noche di la palabra al Chino para que se refiriera a la Independencia de su patria, el 28 de Julio, y luego expliqué porque este campamento estaba mal situado, dando la orden de levantarse a las 5 y partir a tomar el chaco de Paulino.

Radio Habana informó de una emboscada en la que cayeron algunos efectivos del ejército, que fueron rescatados en helicóptero, pero no se oyó bien.

<center>30</center>

El asma me apuró bastante y estuve toda la noche despierto. A las 4.30, cuando Moro estaba haciendo el café, avisó que veía una linterna cruzando el río, Miguel, que estaba despierto por hacer cambio de posta, y Moro fueron a detener a los caminantes. Desde la cocina oí el diálogo así: Oiga, ¿quién es? Destacamento Trinidad. Allí mismo la balacera. Enseguida Miguel trata un M1 y una canana de un herido y la noticia de que eran 21 hombres en camino hacia Abapó y en Moroco había 150. Se les hicieron otras bajas no muy bien precisadas en la confusión reinante. Los caballos tardaron mucho en ser cargados y el Negro se perdió con el hacha y un mortero que se le había ocupado al enemigo. Ya eran cerca de las 6 y todavía se perdió más tiempo porque se cayeron algunas cargas. Resultado final fue que ya en los últimos cruces estábamos bajo el fuego de los soldaditos quienes se envalentonaron. La hermana de Paulino estaba en su chaco y con gran tranquilidad, nos recibió, informando que todos los hombres de Moroco habían sido apresados y estaban en la Paz.

Apuré a la gente y pasé con Pombo, nuevamente bajo el fuego, el cañón del río donde se acaba el camino y por ende, se puede organizar la resistencia. Mandé a Miguel con Coco y Julio a que tomaran la delantera mientras yo espoleaba la caballería. Cubriendo la retirada quedaban 7 hombres de la vanguardia, 4 de la retaguardia y Ricardo, que se rezagó para reforzar la defensa. Benigno, con Darío, Pablo y Camba estaba en la margen derecha; el resto venía por la izquierda. Acababa de dar la orden de descanso, en la primera posición aceptable, cuando llegó Camba con la noticia de que habían caído Ricardo y Aniceto, cruzando el río; envié a Urbano con el Ñato y León con dos caballos y mandé buscar a Miguel y Ju-

lio, dejando a Coco de posta hacia adelante. Estos pudieron re-
cibir instrucciones mías y, a poco, Camba de nuevo con la noticia
de que los habían sorprendido junto con Miguel y Julio que ha-
bían avanzado mucho los soldados y que aquel había retrocedido
y esperaba instrucciones. Le reenvié al Camba más Eustaquio
y quedamos sólo Inti, Pombo, Chino y yo. A las 13 mandé a bus-
car a Miguel dejando a Julio de posta adelantada y me retiré
con el grupo de hombres y los caballos. Cuando llegué a la
altura de la posta de Coco, nos alcanzaron con la noticia de
que habían aparecido todos los sobrevivientes, Raúl estaba muer-
to y Ricardo y Pacho heridos. Las cosas sucedieron así Ricar-
do y Antonio avanzaron imprudentemente por sí Limbo e hirieron
al primero. Antonio organizó una línea de fuego y entre Arturo,
Aniceto y Pacho lo rescataron, pero hirieron a Pacho y mataron
a Raúl de un balazo en la boca. La retirada se hizo dificulto-
samente, arrastrando a los dos heridos y con poca colaboración
de Willi y Chapaco, sobre todo de este último. Luego se le
juntaron Urbano y su grupo con los caballos y Benigno con su
gente, dejando desguarnecida la otra ala por la que avanzaron
sorprendiendo a Miguel. Tras una penosa marcha por el monte,
salieron al río y se nos unieron. Pacho venía a caballo, pero
Ricardo no podía montar y hubo que traerlo en hamaca. Envié
a Miguel, con Pablito, Darío, Coco y Aniceto a que tomara la
desembocadura del primer arroyo, en la margen derecha, mientras
nosotros curábamos los heridos. Pacho tiene una herida super-
ficial que le atraviesa las nalgas y la piel de los testículos,
pero Ricardo estaba muy grave y el último plasma se había per-
dido en la mochila de Willi. A las 22 murió Ricardo y lo ente-
rramos cerca del río, en un lugar bien oculto, para que no lo
localicen los guardias.

31

A las 4 salimos por el río y, luego de cruzar un atajo, nos
largamos río abajo sin dejar huellas, llegando por la mañana al
arroyo donde estaba emboscado Miguel que no había entendido la
orden y dejó huellas. Caminamos río arriba unos 4 kilómetros
y nos metimos al monte, borrando huellas de nuestro paso y acam-
pando cerca de un afluente del arroyo. Por la noche expliqué los
errores de la acción: 1° Mal situado el campamento; 2° mal uso
del tiempo, lo que les permitió tirotearnos, 3° Exceso de confian-
za que hace caer a Ricardo y luego a Raúl en el rescate, 4° fal-
de decisión para salvar toda la impedimenta. Se pierden 11 mo-

chilas con medicamentos, prismáticos y algunos útiles conflictivos, como la grabadora en que se copian los mensajes de Manila, el libro de Debray anotado por mí y un libro de Trotsky, sin contar el caudal político que significa para el gobierno esa captura y la confianza que le da a los soldados. Calculamos unos 2 muertos y hasta 5 heridos de ellos, pero hay dos noticias contradictorias: una, del ejército, reconociendo 4 muertos y 4 heridos el día 28, y otra de Chile, habla de 6 heridos y 3 muertos del 30. El Ejército da después otro parte en que anuncia la toma de un cadáver y que un subteniente está fuera de peligro. De nuestros muertos, Raúl no puede ser casi catalogado, dada su introspección; era poco combativo y poco trabajador, pero se le notaba constantemente interesado en problemas políticos, aunque no hacía nunca preguntas. Ricardo era el más indisciplinado del grupo cubano y el que menos decisión tenía frente al sacrificio cotidiano pero era un extraordinario combatiente y un viejo compañero de aventuras en el primer fracaso de Segundo, en el Congo y ahora aquí. Es otra pérdida sensible por su calidad. Somos 22, entre ellos, dos heridos, Pacho y Pombo y yo, con el asma a todo vapor.

Análisis del mes

Se mantienen los puntos negativos del mes anterior, a saber: imposibilidad de contacto con Joaquín y con el exterior y la pérdida de hombres, ahora somos 22, con 3 baldados, incluyéndome mí, lo que disminuye la movilidad. Hemos tenido 3 encuentros, incluyendo la toma de Samaipata, ocasionándole al Ejército unos muertos y 10 heridos, cifras aproximadas de acuerdo con partes confusos. Nosotros perdimos dos hombres y un herido.

Las características más importantes son:

) Sigue la falta total de contacto.

) Sigue sintiéndose la falta de incorporación campesina aunque hay algunos síntomas alentadores en la recepción que nos hicieron viejos conocidos campesinos.

) La leyenda de las guerrillas adquiere dimensiones continentales; Onganía cierra fronteras y el Perú toma precauciones.

) Fracasó la tentativa de contacto a través de Paulino.

5°) La moral y experiencia de lucha de la guerrilla aumenta en cada combate: quedan flojos Camba y Chapaco.

6°) El ejército sigue sin dar pie con bola, pero hay unidades que parecen más combativas.

7°) La crisis política se acentúa en el gobierno, pero E.U. está dando pequeños créditos que son una gran ayuda a nivel boliviano con lo que atempera el descontento.

Las tareas más urgentes son: Reestablecer los contactos, incorporar combatientes y lograr medicinas.

AGOSTO

1

Día tranquilo; Miguel y Camba iniciaron la senda pero avanzaron poco más de un kilómetro debido a las dificultades del terreno y la vegetación. Matamos un potro bellaco que nos debe dar carne para 5 + 6 días. Se hicieron las trincheritas para tender una emboscada al Ejército si viniera por aquí. La idea es dejarlos pasar si vinieran mañana o pasado y no descubrieran el campamento y meterles bala después.
h - 650 ms.

2

La senda parece haber avanzado bien gracias a Benigno y Pablo que la siguieron. Tardaron casi dos horas en llegar de vuelta al campamento desde la punta del camino. No dan noticia nuestras por la radio, luego de anunciar el traslado del cadáver de un "antisocial". El asma me sonó muy duro y ya agoté la última inyección antiasmática; no quedan sino tabletas para unos 10 días.

3

Lo del camino resultó un fiasco; Miguel y Urbano tardaron 57 minutos en regresar hoy; se avanza muy lentamente. No hay noticias. Pacho se recupera bien, yo, en cambio estoy mal; el día y la noche estuvieron duros para mí y no se vislumbra salida a corto plazo. Probé la inyección endovenosa de novocaína sin resultado.

La gente llegó a un cañón que toma rumbo sur/oeste y puede
ser que desagüe en los arroyos que van al Río Grande. Para ma-
ñana irán dos parejas a chapear y Miguel subirá por el nuestro
a explorar lo que parecen ser chacos viejos. Mi asma mejoró
algo.

5

Benigno, Camba, Urbano y León se repartieron en parejas
para avanzar más, pero fueron a dar a un arroyo que desagua
en el Rosita y hoy seguido a campo traviesa. Miguel fue a
explorar el chaco pero no lo encontró. Se acabó la carne de
caballo; mañana trataremos de pescar y pasado mañana sacrifi-
caremos otro bicho. Mañana avanzaremos hasta la nueva aguada.
Mi asma estuvo implacable; a pesar de mi repugnancia a la se-
paración, tendré que mandar un grupo por delante; Benigno y
Julio se ofrecieron de voluntarios; falta examinar la disposi-
ción del Ñato.

6

Se hizo el traslado de campamento; desgraciadamente no eran
horas de camino sino una, lo que indica que todavía estamos
lejos. Benigno, Urbano, Camba y León siguieron macheteando,
mientras Miguel y Aniceto salían a explorar el nuevo arroyo has-
ta su confluencia con el Rosita. A la noche no habían retorna-
do por lo que se tomaron precauciones, máxime que yo había oído
algo así como un morterazo lejano. Inti, Chapaco y luego yo,
dijimos algunas palabras referentes al día de hoy, de la Inde-
pendencia Boliviana.
- 720.

7

A las 11 de la mañana había dado por perdidos a Miguel y
Aniceto, habiéndole ordenado a Benigno que avanzara con muchas
precauciones hasta la desembocadura en el Rosita e investigara
poco su situación que tuvieran sí es que habían llegado hasta
él. Sin embargo a las 13 aparecieron los perdidos, que sim-
plemente encontraron dificultades en el camino y se les hizo no-
che sin llegar al Rosita. Fue un rato amargo el que me hizo
pasar Miguel. Permanecimos en el mismo sitio pero los chapea-
dores encontraron otro arroyo y hacia él nos trasladaremos ma-

ñana, los muros hacían ... el orden viejo a va no nos queda
más que uno de ... y el ... sin variantes, pero las
medicinas se acaban. Mañana tomaré una decisión sobre el envío
de un grupo al Ñacahuazú.

Hoy se cumplen 9 meses exactos de la constitución de la gue-
rrilla con nuestra llegada. De los 6 primeros, dos están muer-
tos, uno desaparecido y dos heridos; yo con asma que no sé cómo
cortarla.

Caminamos algo así como una hora efectiva, que para mí
fueron dos por el cansancio de la yegüita; en una de ésas, le
metí un cuchillazo en el cuello abriéndole una buena herida.
El nuevo campamento debe ser el último con agua hasta la lle-
gada al Rosita o al Río Grande; los macheteros están a 40 minu-
tos de aquí (2-3 kms.). Designé un grupo de 8 hombres para
cumplir la siguiente misión: Salen mañana de aquí, caminando
todo el día; al día siguiente, Camba retorna con las noticias
de lo que hay; al otro día, retornan Pablito y Darío con las
noticias de ese día; los 5 restantes siguen hasta la casa de
Vargas y allí retornan Coco y Aniceto con la noticia de cómo
está la cosa; Benigno, Julio y el Ñato siguen hasta el Ñacahua-
zú para buscar medicinas mías. Deben ir con mucho cuidado para
evitar emboscadas; nosotros los seguiremos y los puntos de reu-
nión son: la casa de Vargas o más arriba, según nuestra veloci-
dad, el arroyo que está frente a la cueva en el Río Grande, el
Masicurí (Honorato) o el Ñacahuazú. Hay una noticia del ejér-
cito en el sentido de haber descubierto un depósito de armas en
uno de nuestros campamentos.

Por la noche reuní a todo el mundo haciéndole la siguiente
descarga: Estamos en una situación difícil; el Pacho se recupe-
ra pero yo soy una piltrafa humana y el episodio de la yegüita
prueba que en algunos momentos he llegado a perder el control;
eso se modificará pero la situación debe pesar exactamente sobre
todos y quien no se sienta capaz de sobrellevarla debe decirlo.
Es uno de los momentos en que hay que tomar decisiones grandes;
este tipo de lucha nos da la oportunidad, de convertirnos en
revolucionarios, el escalón más alto de la especie humana, pero
también nos permite graduarnos de hombres; los que no puedan
alcanzar ninguno de estos dos estadios deben decirlo y dejar
la lucha. Todos los cubanos y algunos bolivianos plantearon

seguir hasta el final; Eustaquio hizo lo mismo pero planteó una crítica a Muganga por llevar su mochila en el mulo y no cargar leña, lo que provocó una respuesta airada de éste; Julio fustigó a Moro y a Pacho, por parecidas circunstancias y una nueva respuesta airada, esta vez de Pacho. Cerré la discusión diciendo que aquí se debaten dos cosas de muy distinta jerarquía: una era si se estaba o no dispuesto a seguir; la otra era de pequeñas rencillas o problemas internos de la guerrilla lo que le quitaba grandeza a la decisión mayor. No me gustaba el planteamiento de Eustaquio y Julio pero tampoco la respuesta de Moro y Pacho, en definitiva, tenemos que ser más revolucionarios y ser ejemplo.

9

h - 780.

Salieron por la mañana los 8 exploradores. Los macheteros, Miguel, Urbano y León se alejaron 50 minutos más del campamento. Me abrieron un ántrax en el talón, lo que me permite apoyar el pie, pero todavía muy dolorido y con fiebre. Pacho, muy bien.

10

Antonio y Chapaco salieron de caza hacia atrás logrando una Urina o Guaso y una pava; exploraron el primer campamento donde no hay novedad y trajeron una carga de naranjas. Comí dos y me dio asma inmediatamente, pero poca. A las 13.30 llegó Camba, uno de los 8 con las siguientes noticias: ayer durmieron sin agua y hoy siguieron hasta las 9 sin hallarla. Benigno ha reconocido el lugar y se tirará hacia el Rosita para lograr agua, Pablo y Darío volverán sólo en caso de llegar al agua.

Largo discurso de Fidel en que arremete contra los partidos tradicionales y, sobre todo, contra el venezolano; parece que la bronca entre bastidores fue grande. Me volvieron a curar el pie; estoy mejorando, pero no estoy bien. Con todo, mañana debemos partir para acercar más nuestra base a los macheteros que sólo avanzaron 35 minutos en el día.

11

Los chapeadores avanzan muy lentamente. A las 16 llegaron Pablo y Darío con nota de Benigno en la que anuncia que está cer-

ca del Rosita y que calcula 3 días más a casa de Vargas. Pablito
salió a las 8.15 de la aguada donde pernoctaron y a las 15 aproxi-
madamente topó con Miguel, de modo que falta harto para llegar.
Parece que la pava me hace mal para el asma, pues me dio un poco
y se la regalé a Pacho. Cambiamos campamento para situarnos en
un nuevo arroyo que desaparece a medio día y reaparece a media
noche. Llovió y no hace frío, mucho marigüi.
h - 740 ms.

12

Día gris. Los macheteros avanzaron poco. Aquí no hubo nove-
dad ni mucha comida; mañana sacrificaremos otro caballo que
deberá durar 6 días. Mi asma está estacionada a un nivel conve-
niente. Barrientos anunció el ocaso de los guerrilleros y vol-
vió a amenazar con una intervención en Cuba; fue tan estúpido
como siempre.

La radio anunció un combate cerca de Monteagudo con el re-
sultado de un muerto de parte nuestra: Antonio Fernández, de Tara-
ta. Se parece bastante al nombre real de Pedro, que es de Tarata

13

Miguel, Urbano, León y Camba salieron para acampar en la
aguada descubierta por Benigno y avanzar desde allí. Llevan co-
mida para 3 días, vale decir, trozos del caballo de Pacho, sacri-
ficado hoy. Quedan 4 animales y todo parece indicar que habrá
que sacrificar otro antes de llegar a la comida. Si todo ha mar-
chado bien, Coco y Aniceto deben llegar aquí mañana. Arturo ca-
dos pavas que me fueron adjudicadas en razón de que ya casi no q
da maíz. El Chapaco está dando pruebas crecientes de desequili-
brio, Pacho mejora a buen ritmo y mi asma tiene tendencia a aumen-
tar desde ayer; ahora tomo 3 tabletas al día. El pie está casi
bien.

14

Día negro. Fue gris en las actividades y no hubo ninguna
novedad, pero a la noche el noticiero dio noticias de la toma
de la cueva a donde iban los enviados, con señales tan precisas
que no es posible dudar. Ahora estoy condenado a padecer asma
por un tiempo no definible. También nos tomaron documentos de
todo tipo y fotografías. Es el golpe más duro que nos hayan da
alguien habló ¿Quién?, es la incógnita.

Temprano envié a Pablito con un mensaje a Miguel para que dispusiera dos hombres en busca de Benigno, siempre que Coco y Aniceto no hubieran llegado, pero se topó con ellos por el camino y volvieron los tres. Miguel mandaba decir que se iba a quedar donde lo sorprendiera la noche y que le mandara un poco de agua. Se envió a Darío, con la advertencia de que mañana temprano saldremos de todas maneras, pero ahora se cruzó con León que venía a avisar que estaba completo el camino.

Una emisora de Santa Cruz informó, de pasada, de dos prisioneros hechos por el Ejército al grupo de Muyupampa que, ya no cabe duda, es el de Joaquín y debe estar muy acosado, amén de que esos dos prisioneros hablaron. Hizo frío pero no pasé una noche mala; hay que abrirme otro abceso en el mismo pie. Pacho está dado de alta.

Se anunció otro choque en Chuyuyako, sin bajas para el ejército.

Caminamos efectivamente 3.4 horas y una de descanso, por un camino relativamente bueno; la mula me sacó limpio de la montura al pincharse en un palo pero no me hice nada; el pie mejora. Miguel, Urbano y Camba siguieron el macheteo y llegaron al Rosita. Hoy era el día en que debían llegar a la cueva Benigno y sus compañeros y los aviones volaron varias veces por la zona. Puede deberse a alguna huella que ellos hayan dejado cerca de Vargas o a una tropa que esté bajando por el Rosita o avanzando por el Río Grande. Por la noche previne a la gente sobre el peligro del cruce y se tomaron previsiones para mañana. h - 600 ms.

Salimos temprano llegando al Rosita a las 9. Allí Coco creyó oír dos tiros y se dejó una emboscada, pero no hubo novedad. El resto del camino fue lento por continuas pérdidas y malas interpretaciones, llegando al Río Grande a las 16.30 y acampando allí. Pensaba seguir con la luna, pero la gente venía muy cansada. Nos queda carne de caballo para dos días, racionada; a mí, mote para uno. Habrá que sacrificar otro

animal, según todos los indicios. La radio anunció que presentará documentos y pruebas de las 4 cuevas del Ñacahuazu, lo que indica que también cayó la de los monos. El asma me trató bastante bien, dadas las circunstancias.

h - 640 mts. (una cosa ilógica, si se considera que ayer fueron 600).

18

Salimos más temprano que de costumbre, pero hubo que pasar cuatro vados, uno de ellos un poco profundo y hacer sendas en algunos puntos. Por todo ello, llegamos a las 14 al arroyo y la gente quedó como muerta, descansando. No hubo más actividad. Hay nubes de nibarigüises por la zona y sigue el frío por las noches. Inti me planteó que Camba quiere irse; según él, sus condiciones físicas no le permiten seguir, además no ve perspectivas a la lucha. Naturalmente, es un caso típico de cobardía y es un saneamiento dejarlo ir, pero ahora conoce nuestra ruta futura para tratar de unirnos a Joaquín y no puede salir. Mañana hablaré con él y con Chapaco.

h - 680 ms.

19

Miguel, Coco, Inti y Aniceto salieron a explorar para tratar de encontrar el mejor camino a casa de Vargas donde parece haber un destacamento, pero no hay nada nuevo y parece que debemos seguir la senda vieja. Arturo y Chapaco fueron a cazar y lograron una Urina y el mismo Arturo, estando de posta con Urbano cazó un anta lo que puso en tensión al campamento pues fueron 7 tiros. El animal dará carne para 4 días, uno la Urina y hay una reserva de frijoles y sardinas; total, 6 días. Parece que el caballo blanco, el siguiente en la lista, tiene chance de salvarse. Hablé con Camba, manifestándole que no podrá salir hasta que se defina nuestro próximo paso que es la reunión con Joaquín. Chapaco manifestó que no se iría pues eso es una cobardía, pero que quiere una esperanza de poder salir dentro de 6 meses - 1 año; se la di, habló una serie de cosas inconexas. No está bien.

Las noticias están llenas de Debray, de los otros acusados ni se habla. Ninguna noticia de Benigno; ya podría estar aquí.

Los macheteros, Miguel y Urbano, ~~mis~~ "obras públicas" Willy y Darío, avanzaron poco, por lo que resolvimos quedarnos otro día más aquí mismo. Coco e Inti no cazaron nada, pero Chapaco cazó un mono y una urina. Yo comí urina y a la media noche me dio un fuerte ataque de asma. El Médico sigue enfermo de un aparente lumbago con toma del estado general que lo convierte en un inválido. No hay noticias de Benigno, a partir de este momento es de preocuparse.

La radio informa de la presencia de guerrilleros a 85 kilómetros de Sucre.

21

Otro día más en el mismo lugar y otro día sin noticias de Benigno y sus compañeros. Se cazaron 5 monos; 4 Eustaquio como cazador y 1 Moro, al pasar cerca; éste sigue mal de su lumbago y se le puso una meperidina. Mi asma no funciona con la urina.

22

Por fin nos movimos, pero antes hubo una alarma porque vieron un hombre que, al parecer, huía por la playa; resultó ser Urbano, perdido. Le hice una anestesia regional al Médico y con eso pudo viajar, en la yegua, aunque llegó dolorido; parece un poco mejorado; Pacho hizo el camino a pie. Hicimos campamento sobre la margen derecha y solo falta un pedazo de macheteo para tener listo el camino hasta casa de Vargas; nos queda carne de anta para mañana y pasado y a partir de mañana no se podrá cazar. No hay noticias de Benigno, hace 10 días que se separaron de Coco.
h - 580 ms.

23

El día fue muy trabajoso, pues hubo que bordear una faralla muy mala; el caballo blanco se negó a seguir y lo dejaron enterrado en el fango, sin aprovecharla ni los huesos. Llegamos a una cabañita de cazadores con huellas de estar habitada recientemente, nos emboscamos y al poco rato cayeron dos. Su coartada es que tienen 10 trampas puestas y salieron a revisarlas; según ellas,

hay ejército en casa de Vargas, en Tatarenda, Caraguatarenda, Ipitá, Ytmón y hace un par de días hubo un encuentro en Caraguatarenda con un militar herido. Puede ser Benigno empujado por el hambre o el cerco. Los hombres anunciaron que mañana vendría Ejército a pescar. viene en grupos de 15-20 hombres. Se distribuyó anta y algunos pescados que lograron con un cartucho, yo comí arroz, que me vino muy bien; el Médico está algo mejor. Se anunció la postergación del juicio a Debray para setiembre.

h - 580 m.

24

La diana se dió a las 5.30 y nos encaminamos a la quebrada que pensábamos seguir. La vanguardia inició la marcha y había recorrido algunos metros cuando aparecieron 3 campesinos por la otra banda, se llamó a Miguel con su gente y se emboscó todo el mundo, apareciendo 8 soldados. Las instrucciones eran dejarlas cruzar el río por el vado que está enfrente y tirarles cuando estuvieran llegando, pero los soldados no cruzaron; se limitaron a dar unas vueltas y pasaron junto a nuestros fusiles, sin que les tiráramos. Los civiles presos, dicen no ser otra cosa que cazadores. Se envió a Miguel y Urbano con Camba y Darío y Hugo Guzmán un cazador para que siguieran una senda que toma rumbo oeste, pero cuyo fin no se sabe cuál es. Nosotros permanecimos emboscados todo el día. Al anochecer volvieron los macheteros con las trampas, un cóndor y un gato podrido, todo fue a parar adentro junto con el último pedazo de anta, quedan los frijoles y lo que se cace. El Camba está llegando al último extremo de su degradación moral; ya tiembla ante el solo anuncio de los guardias. El Médico sigue dolorido y administrándose talamonal; yo bastante bien pero con un hambre atroz. El Ejército dió un parte comunicando haber logrado otra cueva y que hay dos heridos leves de su parte y "bajas de los guerrilleros". Radio Habana da la noticia de un combate sin confirmar en Taparillas con un herido de parte del ejército.

25

El día transcurre sin novedad. La diana se dió a las 5 y los macheteros salieron temprano; el Ejército, 7 hombres, llegó hasta algunos pasos de nuestra posición pero no trataron de cruzar. Parecen estar llamando a los cazadores con sus tiros; mañana los atacaremos, si la ocasión se presenta. La senda no

avanzó lo suficiente pues Miguel mandó hacer una consigna con Urbano y éste la trasmitió mal y a una hora en que no se podía hacer nada.

La radio anunció un combate en Monte Dorado, que parece ser la jurisdicción de Joaquín y la presencia de guerrilleros a 3 kms de Camiri.

26

Todo salió mal: Vinieron los 7 hombres, pero se repartieron, 5 río abajo y dos a cruzar, Antonio, que era responsable de la emboscada tiró antes de tiempo y erró, permitiendo que los dos hombres salieran a la carrera a buscar refuerzos; los otros 5 se retiraron a la carrera, a saltos e Inti y Coco les cayeron atrás pero se parapetaron y los rechazaron. Mientras observaba la caza vi como le picaban las balas cerca, por efecto de tiros de nuestro lado, salí corriendo y me encontré conque Eustaquio les estaba tirando, pues Antonio no le había avisado nada. Tenía una furia tan grande que perdí el control y maltraté a Antonio.

Salimos con paso cansino, pues el Médico no da mucho, mientras el ejército, recuperado avanzaba por la isla de enfrente en número de 20-30; no valía la pena hacerle frente. Pueden tener hasta 2 heridos, máximo. Se distinguieron Coco e Inti por su decisión.

La cosa fue bien hasta que el Médico se agotó y comenzó a retrasar la marcha. A las 18.30 paramos sin haber alcanzado a Miguel, que estaba, no obstante, a escasos metros e hizo contacto con nosotros. Moro quedó en una quebrada sin poder subir el último tramo y dormimos separados en 3 partes. No hay indicios de persecución.
h - 900 ms.

27

El día transcurre en una desesperada búsqueda de salida, cuyo resultado no es claro todavía; estamos cerca del Río Grande y ya pasamos Yumon, pero no hay nuevos vados, según noticias, de modo que se podría ir allí para seguir por el farallón de Miguel pero las mulas no pueden hacerlo. Hay una posibilidad de cruzar una cadenita de montañas y seguir luego hacia Río Grande-Masicuri pero solo sabremos mañana si es factible. Hemos cruzado alturas

de 1,300 ms, aproximadamente las alturas máximas de la zona y dormimos a 1,240 ms. con bastante frío. Yo estoy muy bien, pero el Medico bastante mal y ya se acabó el agua, quedándole a él un poco.

La noticia buena, o el acontecimiento bueno, fue la aparición de Benigno, Ñato y Julio. Su odisea fue grande pues hay soldados en Vargas y Yumon y casi chocan con ellos, luego siguieron una tropa que bajó por el Saladillo y subió por el Ñacahuazu y se encontraron conque el arroyo del Congrí tiene 3 subidas hechas por los soldados. La cueva del oso, a donde llegaron el día 18, es un campamento antiguerrillero que tiene como 150 soldados, casi fueron sorprendidos allí pero lograron retornar sin ser vistos. Estuvieron en el chaco del abuelo, donde consiguieron jocos, lo único que hay, pues está abandonado todo y pasaron nuevamente entre los soldados, escuchando el tiroteo nuestro y quedándose a dormir cerca para seguir luego nuestras huellas hasta alcanzarnos. Según Benigno, el Ñato se portó muy bien pero Julio se perdió 2 veces y le tenía un poco de miedo a los soldados. Benigno opina que alguna gente de Joaquín anduvo por allí hace unos días.

<center>28</center>

Día gris y algo angustioso. Mitigamos la sed con panes de caracoré(?) que es más bien un engañito a la garganta. Miguel envió a Pablito sólo con uno de los cazadores a buscar agua, y, para más, con sólo un revolvito. A las 16.30 no había llegado y envié a Coco y Aniceto a buscarlo; no regresaron en toda la noche. La retaguardia quedó en el lugar del descenso y no se pudo escuchar radio; parece que hay un nuevo mensaje. Por fin, se sacrificó la yeguita, luego de acompañarnos dos penosos meses; hice todo lo posible por salvarla, pero el hambre arreciaba y, por lo menos, ahora sólo se sufre sed. Parece que mañana tampoco llegaremos al agua.

La radio dió la información de un soldado herido en la zona de Tatarenda. La incógnita para mí es ésta: ¿Por qué, si son tan escrupulosos en anunciar sus bajas, van a mentir en el resto de los partes? y, si no mienten, ¿quiénes son los que les están haciendo bajas en lugares tan apartados como Caraguatarenda y Taperillas? Salvo que Joaquín esté dividido en dos partes o exis tan nuevos focos independientes.
h - 1,200 ms.

Día pesado y bastante angustioso. Los macheteros avanzaron muy poco y en una oportunidad equivocaron la ruta creyendo ir hacia el Masicuri. Hicimos campamento a 1,600 ms., de altura, en un lugar relativamente húmedo que tiene una cañita cuya pulpa mitiga la sed. Algunos compañeros: Chapaco, Eustaquio, Chino, se están desmoronando por falta de agua. Mañana habrá que enderezar a donde ésta se vea más cerca. Los muleros aguantan bastante bien.

Por la radio no hubo grandes noticias; lo más es el juicio de Debray que se prolonga de una semana a otra.

30

Ya la situación se tornaba angustiosa; los macheteros sufrían desmayos, Miguel y Darío se tomaban los orines y otro tanto hacía el Chino, con resultados nefastos de diarreas y calambres. Urbano, Benigno y Julio bajaron a un cañón y encontraron agua. Me avisaron que los mulos no podían bajar, y decidí quedarme con el Ñato, pero Inti subió nuevamente con agua y quedamos los 3, comiendo yegua. La radio quedó abajo de manera que no hubieron noticias.

h - 1,200 ms.

31

Por la mañana salieron de exploración hacia abajo Aniceto y León, volviendo a las 16 horas con la noticia de que había paso para las mulas del campamento del agua en adelante; lo feo estaba antes, pero yo lo vi y si pueden pasar los animales, de modo que ordené a Miguel que mañana nos haga un desvío en la última faralla y siga abriendo camino hacia adelante, que nosotros bajaremos las mulas. Hay mensaje de Manila pero no se pudo copiar.

Resumen del mes

Fue, sin lugar a dudas, el mes más malo que hemos tenido en lo que va de guerra. La pérdida de todas las cuevas con sus documentos fue un golpe duro, sobre todo sicológico. La pérdida de 2 hombres en las postrimerías del mes y la subsiguiente marcha carne de caballo desmoralizó a la gente, plantéandose el primer

caso de abandono, el Camba, lo que no constituye sino una ganan
cia neta, pero no en esta circunstancia. La falta de contacto
al exterior y con Joaquín y el hecho de que prisioneros hechos
éste hayan hablado, también desmoralizó un poco a la tropa. M
enfermedad sembró la incertidumbre en varios más y todo esto se
reflejó en nuestro único encuentro, en que debíamos haber caus
varias bajas al enemigo y sólo le hicimos un herido. Por otra
parte la difícil marcha por las lomas sin agua, hizo salir a f
te algunos rasgos negativos de la gente.

Las características más importantes:

1°) Seguimos sin contacto de ninguna especie y sin razonable
esperanza de establecerlo en fecha próxima.

2°) Seguimos sin incorporación campesina, cosa lógica además
se tiene en cuenta el poco trato que hemos tenido con éstos e
los últimos tiempos.

3°) Hay un decaimiento, espero que momentáneo, de la moral co
bativa.

4°) El Ejército no aumenta su efectividad ni acometividad.

Estamos en un momento de baja de nuestra moral y de nuest
leyenda revolucionaria. Las tareas más urgentes siguen siend
las mismas del mes pasado. a saber: Reestablecer los contacto
incorporar combatientes. abastecernos de medicina y equipo.

Hay que considerar que despuntan cada vez más firmemente
como cuadros revolucionarios y militares Inti y Coco.

SEPTIEMBRE

1

Temprano bajamos las mulas, tras algunas peripecias que
incluyeron espectacular desbarranque del macho. El Médico
no se halla repuesto pero yo sí y camino perfectamente lle-
vando a la mula. El camino se extendió más de lo pensado y
sólo a las 18.15 caímos en la cuenta de que estábamos en el

arroyo de casa de Honorato. Miguel siguió a toda velocidad pero sólo llegó al camino real y ya era completamente de noche; Benigno y Urbano avanzaron con precaución y no notaron nada anormal, por lo que se tomó la casa que estaba vacía, pero se había aumentado en varios barracones para el Ejército, a la sazón abandonadas. Encontramos harina, manteca, sal y chivas, matando a dos las que configuraron un festín junto con la harina, aunque la cocinada nos consumió toda la noche a la expectativa. Por la madrugada nos retiramos dejando posta en la casita y en la entrada del camino.

i - 740 ms.

2

Temprano en la mañana nos retiramos hasta los chacos, dejando una emboscada en la casa, a cargo de Miguel y con Coco, Pablo y Benigno. Del otro lado quedó una posta. A las 8 Coco vino a avisar que había pasado un arriero a buscar a Honorato; son 4 y se le ordenó que hiciera pasar a los otros 3. Todo esto tardó, pues había una hora de nuestro punto a la casa. A las 13.30 sonaron varios disparos y luego se supo que venía un campesino con un soldado y un caballo, Chino, que estaba de posta junto con Pombo y Eustaquio, lanzó un grito: Un soldado, y alanqueó el fusil; el soldado le tiró y salió huyendo y Pombo tiró, matando el caballo. Mi bronca fue espectacular, pues es el colmo de la incapacidad; el pobre Chino está aronadado. Liberamos a los 4, que en el interín habían pasado y a los dos prisioneros nuestros enviando todo el mundo Masicuri arriba. A los arrieros se les compró un torete en $700 y a Hugo se le dió $100 por su trabajo y $50 por algunas cosas que se le cogieron. El caballo muerto resultó ser uno que habían dejado en casa de Honorato porque estaba baldado. Los arrieros contaron que la mujer de Honorato se había quejado del ejército por los golpes que le habían propinado al marido y porque se comieron todo lo que tenía. Cuando los arrieros pasaron, hace 8 días, Honorato estaba en Valle Grande reponiéndose de una mordedura de tigre. De todas maneras, alguien había en la casa, ya que se encontró fuego encendido cuando llegamos. Debido al error del Chino, decidí salir por la noche con el mismo rumbo que los arrieros y tratar de llegar a la primera casa, presumiendo que los soldados fueran pocos y hubieran seguido la retirada, pero salimos muy tarde y sólo cruzamos el vado a las 3.45 hs. Sin encontrar la casa y dormimos en una senda de vaca esperando el día.

La radio trajo una noticia fea sobre el aniquilamiento de un grupo de 10 hombres dirigidos por un cubano llamado Joaquín en la zona de Camirí; sin embargo, la noticia la dió la voz de las Américas y las emisoras locales no han dicho nada.

3

Como corresponde al día domingo, hubo choque. Al amanecer buscamos Masicuri abajo hasta la desembocadura y luego subimos algo por el Río Grande; a las 13 horas salieron Inti, Coco, Benigno, Pablito, Julio y León para tratar de llegar a la casa, si no estaba el Ejército y comprar las mercancías que hagan más pasable nuestra vida. Primero el grupo capturó 2 peones, quienes dijeron que no estaba el dueño ni había soldados y que se podía conseguir bastantes víveres. Otras informaciones: ayer pasaron a galope 5 soldados sin parar en la casa. Honorato pasó hace dos días para su casa con dos de sus hijos. Al llegar a la casa del latifundista, se encontraron conque 40 soldados acababan de llegar, produciéndose un encuentro confuso en el que los nuestros mataron por lo menos un soldado, el que traía un perro; los soldados reaccionaron y los rodearon, pero luego se retiraron ante los gritos; no se pudo coger ni un grano de arroz. El avión voló por la zona y tiró unos cohetecitos, aparentement por el Ñacahuazú. Otra información de los campesinos por esta zona no han visto guerrilleros y la primera información la tuvieron por los arrieros que pasaron ayer.

Otra vez la voz de los Estados Unidos dió un informe sobre combates con el Ejército y esta vez nombró a José Carrillo como único sobreviviente de un grupo de 10 hombres. Como este Carrillo es Paco, uno de la resaca y el aniquilamiento se produjo en Masicuri, todo parece indicar que es un soberano paquete. h - 650 ms.

4

Un grupo de 8 hombres al mando de Miguel se embosco en el camino de Masicuri a Honorato, hasta las 13 horas, sin novedad. Mientras, Ñato y León traían con mucho trabajo una vaca pero luego se lograban 2 magníficos bueyes mansos. Urbano y Camba caminaban unos 10 kms. río arriba; hay que pasar 4 vados, uno de los cuales es un poco hondo. Se mató el novillito y se pidieron voluntarios para hacer una incursión en busca de comida e información; se eligió a Inti, Coco, Julio, Aniceto,

Chapaco y Arturo, al mando de Inti; se ofrecieron también Pacho, Pombo, Antonio y Eustaquio. Las instrucciones de Inti son: llegar a la madrugada a la casa, observar el movimiento, abastecerse si no hubiera soldados; rodearla y seguir adelante, si los hubiera; tratar de capturar uno; recordar que lo fundamental es no sufrir bajas, se recomienda la mayor cautela.

La radio trae la noticia de un muerto en Vado del Yeso, cerca de donde fuera aniquilado el grupo de 10 hombres, en un nuevo choque, lo que hace aparecer lo de Joaquín como un paquete; por otro lado, dieron todas las generales del Negro, el médico peruano, muerto en Palmarito y trasladado a Camiri; en su identificación colaboró el Pelado. Parece que éste sí es un muerto real, los otros pueden ser ficticios o miembros de la resaca. De todas maneras, está extraño el tenor de los partes que ahora se trasladan a Masicuri y Camiri.

5

El día transcurrió sin novedad alguna, esperando el resultado. A las 4,30 retornó el grupo trayendo una mula y alguna mercancías. En la casa del hacendado Morón había soldados, los que estuvieron a punto de descubrir al grupo por los perros; al parecer se movilizan de noche. Rodearon esa casa y fueron rompiendo monte hacia la de Montaño, donde no había nadie pero sí maíz, del que se trajo un q. Siendo las 12, aproximadamente, cruzaron el río y cayeron en las casas del otro lado, que resultaron ser dos: de una se escapó todo el mundo y allí se requisó el mulo, en la otra hubo muy poca colaboración y se debió recurrir a las amenazas. Las informaciones que dieron es que nunca hasta ahora habían visto guerrilleros y sólo a casa de Pérez fue un grupo antes del carnaval (nosotros). Retornaron de día y esperaron la noche para cuerpear la casa de Morón. Todo iba perfecto pero Arturo se perdió y se echó a dormir en la senda, perdiendo dos horas en buscarlo; han dejado algunas huellas que podrían permitir el rastreo si el ganado no borra todo; además, se les cayó algunas cosas por el camino. El espíritu de la gente cambió enseguida.

La radio informa que no se pudo identificar a los guerrilleros muertos pero en cualquier momento puede haber novedades. Se descifró el parte total en el que se dice que OLAS fue un triunfo pero la delegación boliviana fue una mierda; Aldo Flores del P.C.B. pretendió ser el representante del ELN; lo

tuvieron que desmentir. Han pedido que vaya un hombre 'de Kolle á discutir; la casa de Lozano fue allanada y este está clandestino; piensa que pueden canjear a Debray. Eso es todo, evidentemente, no recibieron nuestro último mensaje.

Benigno

El cumpleaños de Benigno lucía prometedor; por la madrugada hicimos una harina con lo traído y se tomó un poco de mate con azúcar; luego Miguel, al mando de 8 hombres más fue a emboscarse mientras León cogía algún novillo más para llevar. Como era un poco tarde, algo más de las 10, y no regresaban mandé a Urbano a avisar que a las 12 suspendieron la emboscada. A los pocos minutos se escuchó un disparo, luego una corta ráfaga y un tiro solo en nuestra dirección; cuando tomábamos posiciones, llegó Urbano a la carrera; había chocado con una patrulla que traía perros. Con 9 hombres del otro lado, sin saber su ubicación precisa, mi desesperación era grande; se mejoró el camino, para sacarlo sin llegar a la orilla del río y se envió por él a Moro, Pombo y Camba, con Coco. Pensaba ir trasladando mochilas y haciendo contacto de retaguardia si me lo permitían, hasta que se reincorpore el grupo, que, por otra parte, podía caer en una emboscada. Sin embargo, Miguel se reincorporó con toda su gente, rompiendo mon Explicación de lo sucedido: Miguel avanzó sin dejar posta en nuestra sendita y se dedicaron a buscar el ganado, León escuchó el ladrido de un perro y Miguel; por las dudas, decidió retroceder, en ese momento oyeron los disparos y notaron que una patrulla había pasado entre ellos y el monte por una senda y ya los tenía delante, entonces rompieron monte.

Nos retiramos con tranquilidad, con las 3 mulas y las 3 vacas y, tras cruzar 4 vados, dos de ellos bravos, hicimos campamento a unos 7 kms del anterior y sacrificamos a la vaca, comí opíparamente. La retaguardia informó que se oyó un prolongado tiroteo en dirección al campamento, con abundancia de ametralla
h - 640 ms.

Camino corto. Sólo se cruzó un vado y luego se tropezó con dificultades por la faralla, decidiendo Miguel acampar para esperarlos. Mañana haremos exploraciones buenas. La situación es ésta: la aviación no nos busca por aquí a pesar

de haber llegado al campamento y la radio informa incluso que yo soy el jefe del grupo. El interrogante es: ¿tienen miedo? Poco probable; ¿consideran imposible el paso hacia arriba? Con la experiencia de lo que hemos hecho y ellos conocen, no lo creo; ¿Nos quieren dejar avanzar para esperarnos en algún punto estratégico? Es posible; ¿creen que insistiremos en la zona de Masicuri para abastecernos? También es posible. El Médico está mucho mejor, pero yo vuelvo a recaer y paso la noche en blanco.

La radio trae la noticia de las valiosas informaciones suministradas por José Carrillo (Paco); habría que hacer escarmiento con él. Debray se refiere a las imputaciones de Paco contra él, diciendo que a veces cazaba, por eso lo han podido ver con fusil. Radio la Cruz del Sur anuncia el hallazgo del cadáver de Tania la guerrillera en los márgenes del Río Grande; es una noticia que no tiene los visos de veracidad de la del Negro; el cadáver fue llevado a Santa Cruz, según informa esa emisora y sólo ella, no Altiplano.
h - 720 ms.

Hablé con Julio; está muy bien pero siente la falta de contacto y de incorporación de gente.

8

Día tranquilo. Se hicieron emboscadas de 8 hombres desde la mañana hasta la noche, a cargo de Antonio y Pombo. Los animales comieron bien en un chuchial[1] y el mulo se está reponiendo de sus golpes. Aniceto y Chapaco fueron a explorar río arriba y volvieron con la noticia de que estaba relativamente bueno el camino para los animales; Coco y Camba cruzaron el río con el agua al pecho y subieron una loma enfrente pero sin arrojar resultado para la información. Mandé a Miguel con Aniceto y el resultado de una exploración más prolongada es que, según Miguel será muy difícil pasar los animales. Para mañana insistiremos por esta banda, pues siempre existe la posibilidad de que los animales pasen vacíos y por el agua.

La radio trajo la información de que Barrientos había asistido a la inhumación de los restos de la guerrillera Tania a la que se dió "cristiana sepultura" y luego estuvo en Puerto Mauricio, que es la casa de Honorato; ha hecho una proposición a

los bolivianos engañados, a los que no se pagó el salario prometido, para que se presenten con las manos en la frente a los puestos del Ejército y no se tomará medidas contra ellos. Un avioncito bombardeó de Honorato hacia abajo, como para hacerle una demostración a Barrientos.

Un diario de Budapest critica al Che Guevara, figura patética y, al parecer irresponsable y saluda la actitud marxista del Partido Chileno que toma actitudes prácticas frente a la práctica. Cómo me gustaría llegar al poder, nada más que para desenmascarar cobardes y lacayos de toda ralea y refregarles en el hocico sus cochinadas.

(1) Chuchial: campo de una especie de bambú. (N. del E.)

9

Miguel y Nato fueron de exploración, volviendo con la noticia de que sí se puede pasar pero los animales deberán cruzar a nado; la gente tiene vadas. Hay un arroyo bastante grande en la margen izquierda donde haremos campamento. Las emboscada continuaron con 8 hombres, a cargo de Antonio y Pombo; no hubo novedad. Hablé con Aniceto; parece estar muy firme, aunque piensa que hay varios bolivianos aflojando: se quejó de la falta de trabajo político de Coco e Inti. Acabamos la vaca, de la que sólo quedan las 4 patas para un caldo por la mañana.

La única noticia de la radio es la suspensión del juicio a Debray hasta el 17 de septiembre, por lo menos.

10

Día malo. Comenzó bajo buenos auspicios pero luego los animales se resistieron del camino tan malo y al final el macho no caminaba, se quedó atrás y hubo que dejarlo en la otra banda. La decisión la tomó Coco debido a una creciente violenta del río, pero quedaron del otro lado 4 armas, entre ellas la de Mor y tres proyectiles antitanques para el arma de Benigno. Yo crucé el río a nado con la mula pero perdí los zapatos en el

cruce y ahora estoy a abarcá, cosa que no me hace ninguna gracia. El Ñato hizo un lío con su ropa y sus armas envueltas en un hule, y se tiró cuando la crecida estaba brava, perdiendo todo en el cruce. La otra mula se atascó y se lanzó sola a cruzar, pero hubo que retornarla pues no había paso y al intentar el nuevo cruce con León, éste y la mula casi se ahogan, pues ya había llegado el turbión. Al final todos llegamos al arroyo que era nuestra meta, el Médico en muy malas condiciones, quejándose luego de sus neuralgias, en las extremidades, durante toda la noche. Desde aquí nuestro plan era tirar los animales nuevamente a nado por la otra banda pero con la crecida queda interrumpido ese plan, por lo menos hasta que el río baje. Además, han volado aviones y helicópteros por la zona; el helicóptero no me gusta nada, pues pueden estar dejando emboscados en el río. Mañana saldrán exploraciones río arriba y arroyo arriba, para tratar de precisar el punto en que estamos.

h - 780 ms. camino - 3-4 kms.

Se me olvidaba recalcar un hecho: hoy, después de algo más de seis meses, me bañé. Constituye un record que ya varios están alcanzando.

11

Día tranquilo. Salieron exploradores hacia arriba por el río y por el arroyo; los del río volvieron al atardecer con la noticia de que muy probablemente diera paso cuando bajara algo más el río y hay playas por donde pueden caminar las bestias. Benigno y Julio fueron a hacer la exploración del arroyo pero fue muy superficial y a las 12 estaban de vuelta. Ñato y Coco fueron, apoyados por la retaguardia, a buscar las cosas que estaban atrás, pasando el mulo y dejando solo un costal con las anillas de bala de ametralladora.

Hubo un incidente desagradable: el Chino vino a decirme que el Ñato había asado y comido un filete entero delante de él; yo me puse cabrón con el Chino pues a él le correspondía impedirlo, pero luego de las averiguaciones, la cosa se complicó pues no se podía precisar si el Chino había autorizado o no esa acción. Éste pidió su sustitución y volví a nombrar a Pombo en el cargo, pero, sobre todo para el Chino fue un trago amargo.

La radio trajo por la mañana la noticia de que Barrientos afirmaba que yo estaba muerto desde hacía tiempo y todo era propaganda y por la noche la de que ofrecía $50,000 (4,200 U$$) por los datos que facilitaran mi captura vivo o muerto. Parece que le dieron un [tapón] las fuerzas armadas. Se tiraron volantes sobre la región, con las generales mías, probablemente. Requeterán dice que el ofrecimiento de Barrientos puede considerarse sicológico, ya que es conocida la tenacidad de los guerrilleros y que se preparan para una guerra prolongada.

Hablé largamente con Pablito; como todos, está preocupado por la falta de contactos y es que nuestra tarea fundamental es ... blecerlo con la ciudad pero se mostró ... y decidido, "de Patria o Muerte" y hasta donde se le ... † Ilegible en el original. (N. del E.)

El día comenzó con un episodio tragicómico: Justo a las 6, hora de la diana, Eustaquio viene a avisar que avanza gente por el arroyo; llamó a las armas y se movilizó todo el mundo; Antonio los ha visto y, cuando le pregunto cuántos son, me contesta con la mano que cinco. A fin de cuentas, resultó una alucinación, peligrosa para la moral de la tropa pues enseguida se comenzó a hablar de psicosis. Conversé luego con Antonio y, evidentemente, no está normal; se le saltaron las lágrimas pero negó que tuviera ninguna preocupación y manifestó que sólo le afectaba la falta de sueño, pues es ayudante durante 6 días debido a que se durmió en la posta y luego lo negó. Chapaco, desobedeció una orden y fue sancionado a 3 días de ayudantía. Por la noche me habló para pasar a la vanguardia pues, según él no congeniaba con Antonio; me negué a ello. Inti, León y Eustaquio partieron a hacer una buena exploración del arroyo para ver si por él se puede pasar del otro lado de una gran cordillera que se ve a lo lejos. Coco, Aniceto y Julio salieron río arriba para tratar de explorar los vados y la forma de llevar los animales en el caso de seguir por allí.

Parece que el ofrecimiento de Barrientos ha provocado cierta sensación; en todo caso, un periodista clemente opinaba que 4,200 US era poca plata dada mi peligrosidad. Radio Habana in-

formaba que ONS había recibido un mensaje de apoyo del EdLN; ¡mis logros de la telepatía!

Volvieron los exploradores: Inti y su grupo subieron por el arroyo todo el día; durmieron a bastante altura y con bastante frío; el arroyo nace, aparentemente, en una cordillera que está al frente, con rumbo este; no da tránsito a los animales. Coco y sus compañeros trataron infructuosamente de cruzar el río; atravesaron 11 farallos antes de llegar al cañón del que debe ser el Río La Pesca, con señales de vida, chacos quemados y un buey; los animales deberían cruzar al otro lado, a menos que lo hagamos todos en balsa para ir juntos que es lo que trataremos de hacer.

Hablé con Darío, planteándole el problema de su ida, si así lo desea; primero me contestó que salir era muy peligroso pero le advertí que esto no es un refugio y que si decide quedarse es de una vez y para siempre. Dijo que sí y que corregiría su defecto. Veremos.

La única noticia de la radio es el tiro al aire que le soplaron a Debray padre y que al hijo le secuestraron todos sus documentos preparatorios para la defensa con el pretexto de que no quieren que esta se convierta en un panfleto político.

Día fatigoso. A las 7 salió Miguel con toda la vanguardia y el Ñato. Llevaban las instrucciones de caminar lo más posible por ese lado y hacer una balsa donde fuera difícil pasar; Antonio quedó con toda la retaguardia emboscado. Se dejó un par de M-1 en una cuevita que conoce el Ñato y Willi. A las 3.30, ante la falta de noticias, iniciamos la marcha.

No se pudo caminar en mula y yo, con un principio de ataque de asma, tuve que dejar el animal a León y seguir a pie. La retaguardia recibió orden de iniciar la marcha a las 15, sino había contraorden. Aproximadamente a esa hora llegó Pablito con la noticia de que el buey estaba frente el cruce de los animales y la balsa la estaban construyendo un km más arriba. Esperé que llegaran los animales y sólo lo hicieron a las 18.15, luego que se les enviara gente para ayudarlos. A esa

hora cruzaron los dos mulos (el buey lo había hecho antes) y
seguimos con paso cansino hasta donde estaba la balsa, encon-
trándose con que de este lado todavía quedaban 12 hombres;
sólo habían pasado 6. Así divididos pasamos la noche, comién-
donos la última ración de buey, medio podrido.
h - 720 ms. - camino 2-3 kms.

15

El tramo recorrido fue un poco más largo: 5-6 kms., pero no
llegamos al río La Pesca, pues hubo que pasar dos veces los
animales y una de las mulas está negada a los cruce. Todavía
falta hacer un cruce y explorar a ver si las mulas pueden pasar.

La radio trae la noticia de la detención de Loyola, las fo-
tos deben ser las culpables. Murió el toro que nos quedaba a
manos del verdugo, naturalmente.
h - 780 ms.

16

Se consumió la jornada en la confección de la balsa y el
cruce del río, caminando sólo unos 500 ms. hasta el campamento
donde está un pequeño manantial. El cruce se efectuó sin no-
vedad en una buena balsa que se halaba con sogas de ambas ori-
llas. Al final, cuando los dejamos sólo, Antonio y Chapaco
tuvieron otro incidente y Antonio le puso 6 días de castigo a
Chapaco por insultarlo: yo respeté esa decisión, aunque no
estoy seguro de que sea justa. Por la noche hubo otro inci-
dente ante una denuncia de Eustaquio sobre una comida que el
Ñato estaba comiendo de más; resultaron ser unos gordos del
cuero. Otra penosa situación creada por la comida. El Médico
me planteó otro problemita, sobre su enfermedad y la opinión
que la gente tenía de ella, a raíz de unas manifestaciones de
Julio; todo parece sin importancia.
h - 820 ms.

 Pablito

17

Día estomatológico; le extraje piezas a Arturo y Chapaco.
Miguel hizo su exploración hasta el río y Benigno el camino;
las noticias son que las mulas pueden subir, pero antes deben
nadar, cruzando y recruzando el río. En honor de Pablito se
hizo, para éste, un poco de arroz, cumple 22 años y es el menor
de la guerrilla.

La radio solo trae noticias de la postergación del juicio y una protesta por la detención de Loyola Guzmán.

Se inició la marcha a las 7, pero pronto Miguel vino con la noticia que tras el recodo se habían visto 3 campesinos, no sabían si nos habían visto a nosotros; se ordenó detenerlos. Chapaco escenificó la infaltable grisca, acusando a Arturo de haberle robado 15 balas de su cargador; es siniestro y lo único bueno consiste en que, aunque sus broncas son con los cubanos, ningún boliviano le hace caso. Las mulas hicieron todo el trayecto sin nadar pero, al cruzar un barranco, se nos fue la mula negra y se lastimó, pues rodó como 50 ms. Se tomaron presas a 4 campesinos que iban con sus burritos a Piraypandi, un río situado a una legua de éste, aguas arriba y éstos informaban que en la orilla del Río Grande estaban Aladino Gutiérrez con su gente cazando y pescando. Benigno cometió la imprudencia máxima de hacerse ver y dejarlo ir, a él, la mujer y otro campesino. Cuando me enteré, la bronca fué mayúscula y llamé acto de traición a esto, lo que provocó una crisis de llanto en Benigno. Todos los campesinos han sido avisados de que mañana saldrán con nosotros a Zitano, el rancho donde viven, a 6-8 leguas de aquí. Aladino y su mujer son medio resbalosos y costó mucho que vendieran comida. Ahora la radio trae la noticia de dos intentos de suicidio de Loyola "por tener a la represalias guerrillas" y la detención de varios maestros, que si no están complicados, por lo menos simpatizan con nosotros. Parece que a Loyola le tomaron muchas cosas en la casa, pero no sería raro que todo dependiera de las fotos de la cueva.

Al anochecer la avioneta y el avión mustang, sobrevolaron la zona en forma sospechosa.
h - 800 ms.

No salimos muy temprano debido a que los campesinos no encontraban sus bestias. Al final, luego de una buena descarga mía, salimos con la caravana de presos. Con Moro caminamos lentamente y cuando llegamos al aparte del río nos encontramos con la noticia de que se habían tomado 3 presos más y la vanguardia acababa de salir y pensaba llegar a una hacienda con caña, a dos leguas. Fueron largas, como muy largas resultaron

las 2 primeras. Cerca de las 9 de la noche llegamos a la hacienda, que solo es un cañal y la retaguardia llegó pasadas las 21.

Tuve una conversación con Inti sobre algunas debilidades suyas en la comida y me contestó muy molesto, que sí que haría una autocrítica pública cuando estuviéramos sólos, pero negó algunas acusaciones. Pasamos alturas de 1440 ms. y nos hallamos a 1,000; de aquí a Lucitano hay 3 horas de camino, tal vez cuatro, dicen los pesimistas. Por fin comimos puerco y los azucareros pudieron llenarse de chankaka.

La radio insistió sobre el caso Loyola y los maestros están en plena huelga, los alumnos de la secundaria donde trabajaba Higueras, uno de los detenidos, en huelga de hambre, y los petroleros en pie de huelga por la creación de la empresa del petróleo.

Signo de los tiempos. Se me acabó la tinta.

20

Decidí salir a las 15 para llegar anocheciendo al rancho de Lucitano, pues decían que en 3 horas se llegaba bien, pero diversos inconvenientes retrasaron el viaje hasta las 17, para nosotros y una oscuridad completa nos cogió en la loma; a pesar de q encendimos un mechón, llegamos sólo a los 23 a la casa de Aladino Gutiérrez, que no tenía gran cosa de pulpería, aunque se consiguieron unos cigarros y otras boberías; nada de ropa. Dormitamos un poco para iniciar la marcha a las 3 rumbo a Alto Seco que dicen dista 4 leguas. Se tomó el teléfono del corregidor, pero no anda, desde hace años y, además la línea está caída. El corregidor se llama Vargas y hace poco que tiene el cargo.

La radio no trae nada importante; pasamos por alturas de 1800 ms y Lucitano está a 1,400 ms.

Se caminaron unas dos leguas hasta el rancho.

21

A las 3 salimos con buena luna por el camino averiguado de antemano y caminamos hasta las 9 aproximadamente sin encontrar vivientes y cruzando por alturas de 2,040 ms, la más alta alcan

zada. A esa hora nos topamos con un par de arrieros que indicaron nuestro camino a Alto Seco, para el que faltaban 2 leguas, en una parte de la noche y la mañana habíamos caminado apenas 2 leguas. Al llegar a las primeras casas de la bajada compramos algunos víveres y fuimos a hacer comida a casa del alcalde, más tarde pasamos a un molino de maíz movido por fuerza hidráulica en las márgenes del Piraymiri (1.400 ms altura). La gente tiene mucho miedo y trata de desaparecer de nuestra presencia, hemos perdido mucho tiempo debido a nuestra poca movilidad. Las dos leguas hasta Alto Seco se hicieron desde las 12.35 hasta las 5.

22

Al llegar nosotros, el Centro, a Alto Seco, nos encontramos con que el corregidor, al parecer, había salido ayer para avisar que nosotros estábamos cerca; en represalia, le cogimos toda la pulpería. Alto Seco es un villorrio de 50 casas, situado a 1.900 ms. de altura que nos recibió con una bien sazonada mezcla de miedo y curiosidad. La máquina del aprovisionamiento comenzó a funcionar y pronto teníamos en nuestro campamento, una casa abandonada cerca de la aguada, una respetable cantidad de comestibles. La camioneta que debía llegar de Valle Grande no lo hizo, lo que confirmaría la versión de que el corregidor fue avisar, no obstante, debí aguantar el llanto de su mujer que, en nombre de Dios y de sus hijos pedía el pago, cosa a la que no accedí. Por la noche Inti dió una charla en el local de la escuela (1 y 2 grados) a un grupo de 15 asombrados y callados campesinos explicándoles el alcance de nuestra revolución, el maestro fue el único que intervino para preguntar si nosotros combatíamos en los pueblos. Es una mezcla de zorro campesino, letrado e ingenuidad de niño; preguntó un montón de cosas, sobre el socialismo. Un muchachón se ofreció a servirnos de guía pero previno contra el maestro al que califican de zorro. Salimos a la 1.30 rumbo Santa Elena a/donde llegamos a las 10.
h - 1.300 ms.

Barrientos y Ovando dieron una conferencia de prensa en la que sacaron todos los datos de los documentos y dieron como liquidado al grupo de Joaquín.

23

El lugar era un naranjal lindísimo que todavía conservaba una buena cantidad de frutas. El día se pasó descansando y dur-

miendo pero hubo que hacer mucha posta. A la 1 nos levantamos y salimos a las 2 rumbo a Loma Larga, a donde llegamos al amanecer. Pasamos alturas de 1,300 ms. La gente va muy cargada y la marcha es lenta. Yo me empaché con la comida de Benigno.

24

Llegamos al rancho denominado Loma Larga. ~~yo~~ con un ataque al hígado, vomitando, y la gente muy agotada por caminatas que no rinden nada. Decidí pasar la noche en el entronque del camino a Pujio y se mató un chancho vendido por el único campesino que quedó en su casa: Sóstenos Vargas; el resto huye al vernos. h - 1,400 ms.

25

Temprano llegamos a Pujio pero allí había gente que nos había visto abajo el día anterior; vale decir estamos siendo previstos por radio Bemba. Pujio es un ranchito situado en un alto y la gente que huyó al vernos, luego se fue acercando y nos trató bien. Por la madrugada se había ido un carabinero que vino a tomar preso a un deudor desde Serrano en Chuquisaca; estamos en un punto donde convergen los 3 departamentos. El caminar con mulas se hace peligroso, pero trato de que el Médico siga lo mejor posible, pues viene muy débil. Los campesinos dicen ignorar de Ejército en toda esta zona. Caminamos a retazos hasta llegar a Tranca Mayo donde dormimos a la vera del camino, pues Miguel no tomó las precauciones exigidas por mí. El corregidor de Higueras está por la zona y le dimos orden a la posta de detenerlo. h - 1,800 ms.

Hablamos, Inti y yo, con el Camba y éste quedó en acompañarnos hasta la Higuera, punto situado cerca de Pucará y allí tratar de salir hasta S. Cruz.

26

Derrota. Llegamos al alba a Picacho donde todo el mundo estaba de fiesta y es el punto más alto que alcanzamos, 2,280 ms.; los campesinos nos trataron muy bien y seguimos sin demasiados temores, a pesar de que Ovando había asegurado mi captura de un momento a otro. Al llegar a la Higuera, todo cambió: habían desaparecido los hombres y sólo alguna que otra mujer había. Coco

fue a casa del telegrafista, pues hay teléfono y trajo una comunicación del día 22 en el que el Subprefecto de Valle Grande comunica al corregidor que se tienen noticias de la presencia guerrillera en la zona y cualquier noticia debe comunicarse a V.G. donde pagarán los gastos; el hombre había huido, pero la mujer aseguró que hoy no se había hablado porque en el próximo pueblo, Jagüey, están de fiesta.

A las 13 salió la vanguardia para tratar de llegar a Jagüey y allí tomar una decisión sobre las mulas y el Médico; poco después estaba hablando con el único hombre del pueblo, muy asustado, cuando llegó un comerciante de coca, que decía venir de V.G. y Pucará y no había visto nada. También estaba muy nervioso pero lo atribuía a nuestra presencia y dejé ir a los dos, a pesar de las mentiras que nos dijeron. Cuando salí hacia la cima de la loma, 13.30 aproximadamente, los disparos desde todo el firme anunciaron que los nuestros habían caído en una emboscada. Organicé la defensa en el pobladito, para esperar a los sobrevivientes y di como salida un camino que sale al Río Grande. A los pocos momentos llegaba Benigno herido y luego Aniceto y Pablito, con un pie en malas condiciones; Miguel, Coco y Julio habían caído y Camba desapareció dejando su mochila. Rápidamente la retaguardia avanzó por el camino y yo la seguí, llevando aún las dos mulas; los de atrás recibieron el fuego muy cerca y se retrasaron e Inti perdió contacto. Luego de esperarlo media hora en una emboscadita y de haber recibido más fuego desde la loma, decidimos dejarlo, pero al poco rato nos alcanzó. En ese momento vimos que León había desaparecido e Inti comunicó que había visto su mochila por el cañado por donde tuvo que salir; nosotros vimos un hombre que caminaba aceleradamente por un cañón y sacamos la conclusión de que era él. Para tratar de despistar, soltamos las mulas cañón abajo y nosotros seguimos por un cañoncito que luego tenía agua amarga, durmiendo a las 12, pues era imposible avanzar.

27

A las 4 reiniciamos la marcha tratando de encontrar un lugar para subir, cosa que se logró a las 7, pero para el lado contrario al que pretendíamos; en frente había una loma pelada, de apariencia inofensiva. Subimos un poco más para encontrarnos a salvo de la aviación, en un bosquecillo muy ralo y allí descubrimos que la loma tenía un camino, aunque por él no transitó nadie en todo el día. Al atardecer un campesino y un soldado

subieron la loma hasta la mediación y jugaron un rato allí, sin vernos. Aniceto acababa de hacer una exploración y vio en una casa cercana un buen grupo de soldados, ése era el camino más fácil para nosotros y está cortado ahora. Por la mañana vimos subir en una loma cercana una columna cuyos objetos brillaban al sol y luego, a medio día, se escucharon tiros aislados y algunas ráfagas y más tarde los gritos de: "allí está"; "sale de ahí"; "vas a salir o no", acompañado de disparos. No sabemos la suerte del hombre y presumimos que podía ser Camba. Nosotros salimos al atardecer para tratar de bajar al agua por otro lado y nos quedamos en un matorral un poco más tupido que el anterior; hubo que buscar agua por el mismo cañón pues una faralla no deja hacerlo aquí.

La radio trajo la noticia de que había chocado con la compañía Galindo dejando 3 muertos que iban a trasladarse a V.G. para su identificación. No han apresado, al parecer, a Camba y León. Nuestras bajas han sido muy grandes esta vez; la pérdida más sensible es la de Coco, pero Miguel y Julio eran magníficos luchadores y el valor humano de los tres es imponderable. León pintaba bien.

h - 4.00 ms.

<center>2</center>

Día de angustias que, en algún momento pareció ser el último nuestro. Por la madrugada se trajo agua y casi enseguida salieron Inti y Willi a explorar otra posible bajada al cañón, pero volvieron enseguida, pues toda la loma de enfrente está marcada por un camino y un campesino a caballo lo transitaba. A las 10 pasaron enfrente nuestro 46 soldados con sus mochilas puestas, tardando siglos en alejarse. A las 12 hizo su aparición otro grupo, esta vez de 77 hombres y, para colmo, se oyó un tiro en ese momento y los soldados tomaron posición; el oficial ordenó bajar a la quebrada, que parecía ser la nuestra, de todas maneras, pero, al fin, se comunicaron por radio y pareció quedar satisfecho, reiniciando la marcha. Nuestro refugio no tiene defensa contra un ataque desde el alto y las posibilidades de escapar eran remotas si nos descubrían. Más tarde pasó un soldado retrasado con un perro cansado, pues lo tironeaban para que caminara y más tarde aun, un campesino guiando otro soldadito retrasado; el campesino retornó al rato y no hubo novedad ya, pero la angustia del momento del tiro fue grande. Todos los soldados pasaron con mochila, lo que da la impresión

que están de retirada y no se vieron fuegos en la casita por la noche, amén de no oírse los disparon conque habitualmente saludan el atardecer. Mañana haremos una exploración de todo el día sobre el rancho. Una lluvia ligera nos mojó pero me parece que no fue suficiente para borrar huellas.

La radio trajo la identificación de Coco, y una noticia confusa sobre Julio; a Miguel lo confunden con Antonio, cuyos cargos en Manila dieron. En un principio hicieron correr la noticia de mi muerte, luego la desmintieron.

29

Otro día tenso. La exploración: Inti y Aniceto, salió temprano para vigilar la casa durante todo el día. Desde temprano comenzaron a transitar el camino y a media mañana lo hicieron soldados sin mochila en ambas direcciones, además de otros conduciendo burros vacíos desde abajo, que luego retornaron cargados. Inti llegó a las 18.15 informando que los 16 soldados que bajaron se metieron en el chaco y no se vieron más y los burros parecen haber sido cargados allí. Dadas esas noticias, era difícil tomar la decisión de hacer ese camino, el más fácil y lógico, dado que es fácil que haya soldados emboscados y, en todo caso, hay perros en la casa que delatarían nuestra presencia. Mañana saldrán dos exploraciones: una al mismo lugar y otra a tratar de caminar firme arriba lo más posible para ver si hay salida por allí, probablemente atravesando el camino que hacen los soldados.

La radio no trajo ninguna noticia.

30

Otro día de tensión. Por la mañana, radio Balmaceda de Chile anunció que altas fuentes del Ejército manifestaron tener acorralado al Che Guevara en un cañón selvático. Las emisoras locales, en silencio; parece que puede ser una infidencia y tienen la certeza de nuestra presencia en la zona. Al poco rato comenzó el trasiego de soldados de uno a otro lado. A las pasaron 4 en columna separadas y arma en ristre y fueron a rar a la casita donde hicieron campamento y establecieron una gilancia nerviosa. Aniceto y Pacho informaron de esto. Inti Willy volvieron con la noticia de que el Río Grande estaba a os 2 kms. en línea recta, hay tres casas por el cañón para riba y se puede acampar en lugares donde no seríamos vistos

de ningún lado. Se buscó agua y a las 22 iniciamos una fatigosa marcha nocturna demorada por el Chino que camina muy mal en la oscuridad. Benigno está muy bien, pero el Médico no se acaba de recuperar.

Resumen del mes

Debiera ser un mes de recuperación y estuvo a punto de serlo, pero la emboscada en que cayeron Miguel, Coco y Julio malogró to y luego hemos quedado en una posición peligrosa, perdiendo además a León; lo de Camba es ganancia neta.

Tuvimos pequeños encuentros en que matamos un caballo, matam y herimos un soldado y Urbano se tiroteó con una patrulla y la nefasta emboscada de La Higuera. Ya dejamos las mulas y creo que en mucho tiempo no tendremos animales de ese tipo, salvo que vue va a caer en un estado de mal asmático.

Por otra parte, parecen ser ciertas varias de las noticias sobre muertos del otro grupo al que se debe dar como liquidado, aunque es posible que deambule un grupito, rehuyendo contacto con el Ejército, pues la noticia de la muerte conjunta de los 7 puede ser falsa o, por lo menos, exagerada.

Las características son las mismas del mes pasado, salvo que ahora sí el Ejército está mostrando más efectividad en su acción y la masa campesina no nos ayuda en nada y se convierten en del tores.

La tarea más importante es zafar y buscar zonas más propici luego los contactos, a pesar de que todo el aparato está desqui ciado en la Paz donde también nos dieron duros golpes. La mora del resto de la gente se ha mantenido bastante bien, y sólo me quedan dudas de Willy, que tal vez aproveche algún zafarrancho para tratar de escapar solo, si no se habla con él.

OCTUBRE

1

h - 1,600 ms.

Este primer día del mes pasó sin novedad. Al amanecer lle gamos a un bosquecillo ralo donde hicimos campamento situando

pastas en las diferentes puntas de aproximación. Las 40 hom-
bres se alejaron por un cañón que pensábamos tomar disparando
algunas tiros. A las 14 se escucharon los últimas disparos;
en las casitas no parece haber nadie, aunque Urbano vió bajar
5 soldadas que no siguieron por ningún camino. Decidí perma-
necer un día más aquí, pues el lugar está bueno y tiene reti-
rada garantizada, dado que se domina casi todas los movimien-
tos de la tropa enemiga. Pacho, con Ñato, Dario y Eustaquio
fueron a buscar agua y retornaron a las 21. Chapaco cocinó
grituras y se dió un poco de charqui con lo que el hambre no
se hace sentir.

No hubieron noticias.

íntonio

2

El día transcurrió sin la menor huella de soldados pero unos
chivitos conducidos por perros pastores pasaron por nuestras po-
iciones y los animales ladraron. Decidimos tratar de pasar por
l lado de uno de los chacos que está más cerca del cañón e ini-
iamos el descenso a las 18, con tiempo para llegar cómodos y co-
inar antes del cruce, solo que el Ñato se perdió y se obsecó en
eguir. Cuando decidimos regresar nos perdimos e hicimos noche
n el alto, sin poder cocinar y con mucha sed. La radio nos tra-
o la explicación del despliegue de los soldadas el día 30, se-
n noticias difundidas por la Cruz del Sur, el Ejército comunicó
aber tenido un encuentro en alra del Quiñol con un pequeño gru-
o nuestro, sin que hubieran bajas de ambas partes, aunque dicen
aber encontrado huellas de sangre en nuestra huida. El grupo
ra de 6 individuos, según el mismo parte.

3

Día largo e innecesariamente intenso: al movilizarnos para
egar a nuestro campamento base, llegó Urbano con la noticia
e había oído comentar a unos campesinos que pasaban: "ésos
n los que hablaban anoche", mientras nosotros estábamos en ca-
no. A todas luces, el informe lucía inexacto, pero decidí
cer como si fuera perfectamente real y, sin mitigar la sed,
bimos nuevamente a un firme que domina el camino de los sol-
dos. El resto del día permaneció en absoluta calma y al ano-
ecer bajamos todos e hicimos café, que supo a gloria a pesar

del agua amarga y la manteca de la polla en que se hizo. Luego hicimos harina para comer allí y arroz con carne de anta para llevar. A las 3 emprendimos la marcha, previa exploración y sorteamos con toda felicidad el chaco, cayendo a la cañada elegida, la que no tiene agua y sí huellas de haber sido explorada por los soldados.

La radio trajo la noticia de dos prisioneros: Antonio Domínguez Flores (León) y Orlando Jiménez Bazón (Camba), éste reconoce haber luchado contra el Ejército; aquél dice haberse entregado confiado en la palabra presidencial. Ambos dan abundantes noticias de Fernando, su enfermedad y todo lo demás, sin contar lo que habrán hablado y no se publica. Así acaba la historia de dos heroicos guerrilleros.

h - 1.360 ms.

Se escuchó una entrevista de Debray, muy valiente frente a un estudiante provocador.

4

Luego de descansar en la quebrada, la seguimos una media hora hacia abajo, hasta encontrar otra que se le unía, por la que subimos, descansando hasta las 15 para huir del sol. A esa hora reiniciamos la marcha, algo más de media hora; allí estaba los exploradores que habían llegado al final de los cañoncitos sin encontrar agua. A las 18 abandonamos la quebrada y seguimos por un camino de ganado hasta las 19.30, hora en que no se ve nada y paramos hasta las 3.

La radio dio la noticia del cambio de puesto de avanzada de Estado Mayor de la 4ª división de Lagunillas a Padilla, para atender mejor la zona de Serrano donde se presume que pueden tratar de huir los guerrilleros y el comentario de que si me capturan fuerzas de la 4ª me juzgarán en Camiri y si lo hacen los de la 8ª, en Santa Cruz.

h - 1.650 ms.

5

Al reiniciar la marcha caminamos con dificultad hasta las 5.15 hs., momento en que dejamos un trillo de ganado y nos internamos en un bosquecillo ralo pero lo suficientemente alto como para ponernos a cubierto de miradas indiscretas. Benigno

Pacho hicieron varias exploraciones buscando agua y vadearon completamente la casa cercana sin encontrarla, probablemente sea un pocito al lado. Al acabar la exploración vieron llegar soldados a la casa, al parecer de camino. Salimos al anochecer con la gente agotada por la falta de agua y Eustaquio dando espectáculo y llorando la falta de un buche de agua. Tras un camino muy malo y muy jalonado de paradas, llegamos por la madrugada a un bosquecillo donde se oía el ladrido de los perros cercanos. Se ve un firme alto y pelado muy cerca.

Curamos a Benigno que tiene un poco supurada la herida y le apliqué una inyección al Médico. De resultas de la cura, Benigno se quejó de dolor por la noche.

La radio informó que nuestros dos cambas fueron trasladados a Camiri para servir de testigos en el juicio de Debray.
- 2000 ms.

6

Las exploraciones demostraron que teníamos una casa muy cerca pero también que, en una quebrada más lejana, había agua. Hacia allí nos dirigimos y cocinamos todo el día bajo una gran teja que servía de techo, a pesar que yo no pasé el día tranquilo, pues nos aproximamos a pleno sol por lugares algo poblados y quedamos en un hoyo. Como la comida se retrasó, decidimos salir de madrugada hasta un afluente cercano a este arroyito y allí hacer una exploración más exhaustiva para determinar rumbo futuro.

La Cruz del Sur informó de una entrevista a los Cambas; Orlando fue un poco menos bellaco. La radio chilena informó de una noticia censurada que indica que hay 1,800 hombres en la zona buscándonos.
- 1,750 ms.

7

Se cumplieron los 11 meses de nuestra inauguración guerrillera sin complicaciones, bucólicamente; hasta las 12.30 horas en que una vieja, pastoreando sus chivas entró en el cañón en que habíamos acampado y hubo que apresarla. La mujer no ha dado ninguna noticia fidedigna sobre los soldados, contestando a todo que no sabe, que hace tiempo que no va por allí. Sólo

dió información sobre los caminos; de resultados del informe de la vieja se desprende que estamos aproximadamente a una legua de Higueras y otra de Jagüey y unas 2 de Pucará. A las 17.30, Inti, Aniceto y Pablito fueron a casa de la vieja que tiene una hija postrada y una medio enana; se le dieron 50 pesos con el encargo de que no fuera a hablar ni una palabra, pero con pocas esperanzas de que cumpla a pesar de sus promesas. Salimos los 17 con una luna muy pequeña y la marcha fue muy fatigosa y dejando mucho rastro por el cañón donde estábamos, que no tiene casas cerca, pero sí sembradíos de papa regadas por acequias del mismo arroyo. A las 2 paramos a descansar, pues ya era inútil seguir avanzando. El Chino se convierte en una verdadera carga cuando hay que caminar de noche.

El Ejército dió una rara información sobre la presencia de 250 hombres en Serrano para impedir el paso de los cercados en número de 37 dando la zona de nuestro refugio entre el río Acero y el Oro. La noticia parece diversionista. h - 2,000 ms.

(another one) who was on his way to Yakunday and we took him prisoner. Walking was slow and it was not until 3 that we managed to reach Matagal, the house of A. Padilla. He is the poor brother of another man who lived a league from there, whose house we passed. The man was afraid and tried all ways to make us leave and, to make matters worse, it rained and we had to find shelter in his house.

[19]

WE STAYED ALL DAY in the place, detaining the peasants that came in both directions, and thereby obtaining a varied mixture of prisoners. At 13, the sentry brought us a "greek present." An English newspaperman by the name of Roth, on our tracks, was brought by some children from Lagunilla. His documents were in order but there were some suspicious things. In the part referring to profession, "student" had been changed to "newsman" (really, he claims to be a photographer). He has a Puerto Rican visa and when questioned about a card of an organizer in Buenos Aires, he admitted having been Spanish professor for the student body. He told us that he had been in the camp and had been shown Braulio's diary in which he told of his travels and experiences. The same old story: the lack of discipline and of responsibility take first place. By means of the information given by the children who had led the newspaperman here, it was learned that our arrival here was known in Lagunillas from the very first night, thanks to a report brought by someone. We put pressure on Rodas' son and he confessed that his brother and one of Vides' peons had gone to collect the reward, which varies from $500 to $1000. We confiscated his horse in reprisal and let the detained peasants know of it.

El Frances asked to present the problem to the Englishman, and as proof of his good faith, to help them get out. Carlos accepted unwillingly and I washed my hands of it. We arirved at 21 to (TEXT MUTILATED) and continued the journey toward Muyupampa, where everything is calm, according to the reports of the peasants.

The Englishman accepted the conditions proposed by

Inti, which included a short anecdote which I prepared. At 23:45, after a cordial leavetaking of those departing, the march to take the town began. I stayed behind, with Pombo, Tuma and Urbano. It was intensely cold, and we made a small bonfire. At 1:00 Ñato arrived informing us that the town was in a state of alert and that army troops were quartered in groups of 20 and there were self-defense patrols. One of these, with two M-3s and two revolvers, surprised our outposts but the patrol surrendered without presenting combat. Instructions were asked for and I told them to withdraw, due to the lateness of the hour, permitting the Englishman, El Frances and Carlos to decide what they considered to be the best. At four, we began to return, without having reached our objective, but Carlos decided to stay and El Frances followed, this time unwillingly.

[20]

WE REACHED NEMESIO CARABALLO's house around 7 in the morning, having met him during the night when he offered us coffee. The man had gone, leaving the house locked, with only a few frightened servants remaining. We organized our meal right there, buying corn and *jocos* (*zapallos*) from the farm hands. About 13, a truck with a white flag appeared, bringing the subprefect, the doctor and the priest from Muyupampa, the latter a German. Inti spoke to them. They came in a peaceful manner, but peace on a national level, in which they offered to be intermediaries; Inti offered peace for Muyupama, on the basis of a list of items which were to be brought before 18:30, which they did not commit themselves to due to the fact that, according to them, the army was in charge of the town. They asked to be given a longer time, until 6 in the morning, but this was not accepted.

As a sign of good will, they brought two cartons of cigarettes and the news that the three who were leaving had been arrested in Muyupampa and two were compromised for having false documents. Things look bad for Carlos; Danton should come out well.

At 17:30, three AT-6's came and bombarded the very

98

house where we were cooking. One fell 15 meters away and Ricardo was slightly wounded by shrapnel. That was the army's answer. It is necessary to know the proclamations in order to thoroughly demoralize the soldiers who, if judging by those sent, are scared to death.

We left at 22:30 with two horses, the one that was confiscated and the other which had belonged to the newsman. We walked toward Ticucha until 1:30, when we stopped to sleep.

[21]

WE WALKED A SHORT DISTANCE until we reached the house of Roso Carrasco, who attended us well and sold us what was necessary. At night we walked as far as the highway crossing, Muyupampa-Montcagudo, to a place called Taperillas. The plan was to remain in the watering place and to make an exploration so as to make the ambush. An additional reason existed which was the news of the death of three mercenaries given out by radio, a Frenchman, an Englishman, and an Argentinian. This doubt must be cleared up in order to inflict an exemplary punishment.

Before eating, we paid a visit on veteran Rodas, who was the stepfather of Vargas, the death we had in Ñacachuasu, and gave an explanation that seemed to satisfy him. The vanguard did not understand and continued down the road, waking some dogs which barked unusually loud.

[22]

THE ERRORS BEGAN EARLY in the morning. After we had withdrawn, Rolando, Miguel and Antonio set out to explore for a place to establish an ambush, penetrating more deeply into the woods. They surprised several men from a small YPFB truck who were observing our tracks while a peasant was informing them of our nocturnaal presence, and they decided to arrest everyone. This changed the order of things, so we decided to ambush during the day and capture the supply trucks that passed and attack the army if they came. A truck with some merchandise and a large quantity of ba-

nanas and a considerable number of peasants were seized, but they let other small trucks of Yacimientos pass, including some that were also observing our tracks. The food, combined with the temptation of the bread that was offered but which never arrived, kept us there for a long time.

My intention was to load the small truck of Yacimientos with all the food and advance with the vanguard as far as the crossroads at Ticucha, located four kilometers away. At dusk, a plane began to circle around above our position, and the barking of the dogs in the neighboring houses became more insistent. At 20 we were ready to depart in spite of the evidence that our presence had been detected, when a short combat began and voices intimating us to surrender were heard. All of us were careless and did not have any idea of what was happening. Fortunately, all of our belongings and supplies were in the truck. Things were organized in a short while. Only Loro was absent, but everything indicated that nothing had happened to him because the clash was with Ricardo, who surprised the guards' guide when they were climbing the *firme* in order to encircle us. The guide might have been wounded. We left with the truck and all the available horses, six altogether; we alternated the men on foot and on horseback, ending up with everybody in the truck and six from the vanguard on horseback. We reached Ticucha at 3:30, and at El Meson, the priest's property, at 6:30 after we got stuck in a hole.

The result of the action was negative—lack of foresight and discipline on the one side, the loss of a man (I hope it is only temporary) on the other. Merchandise which was paid for and which we did not get, and last of all, a package of dollars which fell from Pombo's bag, were the results of the skirmish. Not taking into account that we were attacked by surprise and forced to withdraw by a group that could not have been large. There is still much to do to turn this into a combative force although the morale is quite high.

[23]

TODAY WAS DECLARED A DAY of rest and passed uneventfully. At midday the plane (an AT-6) flew over the zone; the

100

watch was reinforced but nothing happened. The instructions for tomorrow were given at night. Benigno and Aniceto will go to hunt for Joaquin—four days. Coco and Camba explored the trail to Rio Grande and are preparing it so it can be used—four days; we shall stay here near the corn, waiting to see if the army comes, until Joaquin joins us, having received orders to bring everyone, only leaving there one of the drifters, if sick.

The doubt about Danton, El Pelao and the English reporter still exists; there is press censorship and another clash was announced in which three or five prisoners were taken.

[24]

THE EXPLORING PARTY LEFT. We settled down at one kilometer up the creek, on a mound with visibility reaching as far as the last peasant's house, some 500 meters before arriving at the priest's farm (we found marijuana in the fields). The farmer arrived again and was nosing around; in the afternoon an AT-6 strafed the house twice. Pacho disappeared mysteriously; he was sick and stayed behind; Antonio pointed out the way to him and he marched off in the direction of the place where he should have arrived within five hours, but he did not return. We shall look for him tomorrow.

[25]

A BLACK DAY. At 10 in the morning Pombo returned from the lookout, warning that 30 soldiers were advancing toward the house. Antonio stayed at the point of observation. While we were making preparations, he arrived with the news that there were 60 and they were getting ready to continue. The observatory turned out to be inefficient in its mission to warn ahead of time. We decided to plan an improvised ambush on the road that leads to the camp; as fast as we could we chose a short stretch that bordered the creek with a visibility of 50 meters. I stayed there together with Urbano and Miguel with an automatic rifle; El Medico, Arturo and Raul occupied the position on the right to prevent escaping or ad-

vancing on this side. Rolando, Pombo, Antonio, Ricardo, Julio, Pablito, Dario, Willy, Luis and Leon occupied the lateral position on the other side of the creek, so as to completely cover the flank. Inti stayed in the river bed to attack those that returned to seek refuge there. Nato and Eustaquio went to the lookout with instructions to withdraw to the rear when the firing began. El Chino stayed in the rearguard in charge of the camp. My men, already scarce, were lessened by three: Pacho, lost, and Tuma and Luis out hunting for him.

A while later the vanguard arrived, which to our surprise was led by three German shepherd dogs and their master. The animals were excited, but it did not seem to me that they would give us away. Nevertheless they continued advancing, and I shot at the first dog and missed. When I was going to shoot at the guide, the M-2 jammed.

Miguel killed the other dog, as far as I could see, and nobody else entered the ambush. An intermittent firing began on the army's flank. When firing ceased, I sent Urbano to order the withdrawal, but he came with the news that Rolando was wounded; he was brought a short while later, already very weak, and died when he began to receive plasma. A bullet had fractured the femur and the whole nervous vascular bundle, and he had lost too much blood before anything could be done. We have lost the best man in the guerrilla and, naturally, one its pillars, my comrade from the time when he was a messenger in column 4 (then, almost a boy) until the invasion and now this new revolutionary adventure. Of his unknown and unheralded death for a hypothetical future that may crystallize, there is only to say: *"Tu cadáver pequeño de capitán valiente ha extendido en lo inmenso su metálica forma."*

The rest was a slow operation of withdrawal, gathering up all the things and carrying Rolando's (San Luis') body. Pacho joined us later; he had erred and reached Coco, taking the night to return. At 3, we buried the body under a thin layer of earth. At 16, Benigno and Aniceto arrived, informing us that they had fallen in ambush (or rather they had clashed with the army), losing their knapsacks but getting out unhurt. According to Benigno, this occurred

when they were just a short distance from Ñacahuasu. Both of the natural ways out are blocked, and we shall have to take to the mountains because the Rio Grande outlet is not suitable for two reasons: one that it is natural, and the other is that it will remove us further from Joaquin, from whom we have not heard anything. At night we reached the fork of the roads of the Ñacahuasu and of the Rio Grande, and we slept there. Here we shall wait for Coco and Camba so as to get our little troop together again. The result of the operation is highly negative; Rolando died, but not only that; the army losses cannot be more than two and a dog, at the most, as the position was neither well-studied nor prepared and the sharpshooters had not seen the enemy. Last of all, the visibility was very bad which prevented us from making preparations in time.

A helicopter descended over the priest's house twice; it is not known whether a wounded man was removed or not; the planes bombed our old positions, which means they have not advanced much.

[26]

WE WALKED A FEW METERS and ordered Miguel to hunt for a place to camp while we sent someone else to look for Coco and Camba, and he appeared at midday with both. According to them, they had worked for four hours on the road, loaded down, and there were possibilities of trying to scale the *firme*. However, I sent Benigno and Urbano to explore a possible escalade near the canyon of the creek that flows into the Ñacahuasu, but they returned at dusk with the news that it was very bad. We resolved to follow the trail opened by Coco in order to find another one which led to the Iquiri .

We have a mascot: Lolo, a baby fawn. We shall see if it survives.

[27]

COCO'S FOUR HOURS turned out to be two and a half. We thought we recognized the place where there are many

103

bitter orange trees as the point marked on the map as Masico. Urbano and Benigno continued to prepare the trail for another hour's journey. It is intensely cold at night.

The Bolivian news broadcast transmitted army comuniques in which they confirm the death of a civilian guide, the instructor of the dogs, and the dog, Rayo. They attribute two deaths to us: one, presumably a Cuban nicknamed Rubio, and the other a Bolivian. It is confirmed that Danton is imprisoned near Camiri; it is certain that the others are alive with him.

h=950

[28]

WE WALKED SLOWLY until 15:00. At this time the river had dried up and headed in another direction; therefore we stopped. It was too late to explore, so we returned towards the water to make camp. We have meager food for four days. Tomorrow we shall try to reach Ñacahuasu by means of the Ikiri and we shall have to cut through mountains.

[29]

WE TRIED OUT SOME RAVINES which were seen. The results were negative. At this point, anyway, we are in a canyon without faults. Coco thinks he saw a transversal canyon which he did not explore; tomorrow we shall do so with the entire troop. With much delay, message No. 35 was deciphered completely, which had a paragraph in it asking me for authorization to put my signature on a bill in favor of Vietnam, headed by Bertrand Russell.

[30]

WE STARTED TO TACKLE the hill. The supposed canyon disappeared into steep cliffs, but we reached a crevice which we climbed. Night surprised us near the peak, and there we slept, without being too cold.

Lolo, a victim of Urbano's impetuousness, died when he threw the rifle at her head.

Radio Habaña transmitted the news that Chilean news-men had pointed out that the guerrilla had so much strength that they are forcing the cities to take measures and that recently they had seized two military trucks full of food. The Revista Siempre interviewed Barrientos who, among other things, admitted that there were Yankee military advisors and that the guerrilla warfare had emerged as a result of the social conditions in Bolivia.

MONTHLY SUMMARY: *Things occurred within normal limits, although we regret two great losses: Rubio and Rolando; the death of the latter is a severe blow, as I had intended leaving him in charge of an eventual second front. We had four more actions; all of them were positive in general and one was very good: the ambush in which El Rubio died.*

On the other hand, the isolation continues to be complete; sickness keeps undermining the health of some of the comrades, obliging us to divide forces, which lowers effectiveness. We still have not been able to make contact with Joaquin; the peasant base is still not being formed, although it seems that through planned terror, we can neutralize most of them; support will come later. Not one person has joined up with us, and apart from the deaths, we have lost Loro, who disappeared after the action in Taperillas.

From the notes on military strategy, the following can be emphasized: a) The controls have not been effective up until now, due to their immobility and weakness; they disturb us but they do not prevent us from moving. Besides, after the last skirmish with the dogs and the instructor, it is to be presumed that they will be more careful on entering the wooded areas; b) the clamor continues, but now on both sides, and after the publication of my article in Havana, there can be no doubt about my presence here. It seems certain that the North Americans will intervene with force here and are already sending helicopters and, apparently, Green Berets, although they have not been seen here; c) the army (at least, one or two companies) has improved its technique: they surprised us in Taperillas and they were not demoralized at El Meson; d) the peasant mobilization does

not exist, except for informative duties which annoy us some-
what. They are neither very rapid nor very efficient; they
can be neutralized.

El Chino's status has changed, and he will be a com-
batant until the second or third front is formed. Danton and
Carlos, fell victims of their own haste, their near despera-
tion to leave, and of my lack of energy to stop them, so that
communication with Cuba has been cut off (Danton) and
the plan of action in Argentina (Carlos) has been lost.

To sum it up, it's been a month in which everything has
been resolved normally, taking into consideration the nec-
essary eventualities of the guerrilla. The morale is high for
all those combatants that have passed their preliminary test
as guerrilla fighters.

MAYO, 1967

[1]

WE CELEBRATED THE DATE by trailblazing, but we
walked very little; we have not yet reached the
dividing line of the water.

In Havana, Almeida spoke of me and the famous
Bolivian guerrillas. The speech was somewhat long but
good. We have sufficient food left for three days. Today
Ñato killed a little bird with his slingshot. We enter the
era of the bird.

[2]

A DAY OF SLOW PROGRESS and confusion with respect to
our geographical situation. We walked effectively only two
hours due to the difficulty in opening the paths. From a
height I was able to locate a point near the Ñacahuasu
which shows that we are very much to the north, but
there are no traces of the Iquiri. I gave orders to Miguel and
Benigno to keep trailbreaking all day long to try to reach

the Iquiri or at least water, since we are without it. There is food left for five days, though it's scarce. Radio Habaña keeps up its offensive with information on Bolivia, exaggerating the news.

h=reached 1760; we slept at 1730.

[3]

AFTER A DAY OF CONTINUOUS cutting, resulting in a good walk of a little more than two hours, we came to a creek with plenty of water which seems to run due north. Tomorrow we shall make the exploration simultaneously to see if it changes its course, and we shall keep on cutting. We have food left for only two days and it is scant. We are at a height of 1080 meters, 200 above the level of the Ñacahuasu. A faraway noise of motors is heard, the direction of which is unidentifiable.

[4]

IN THE MORNING, the path was continued while Coco and Aniceto explored the creek. They returned close to 13:00 asserting that the creek turned to the east and south; therefore it seemed to be the Iquiri. I gave an order to fetch the trailblazers and to continue walking down the river. We left at 13:30 and at 17 we stopped, already being sure the general course was east northeast; due to this fact it cannot be the Iquiri, unless it changes its course. The blazers reported that they had not found water and kept seeing *firmes;* it was resolved to keep going forward under the impression that we are going towards the Rio Grande. Only one *cacaré* was hunted and it was given to the *macheteros,* considering its minute size. We have little food for two days.

The radio gave the news of the detention of Loro, wounded in the leg; his statements are good so far. According to what everything seems to indicate, he was not wounded in the house but in some other place, presumably attempting to escape.

[5]

We walked effectively for five hours, some 12-14 kilometers, reaching a camp built by Inti and Benigno. We are, therefore, at the Congri creek which does not appear on the map and is very much more to the north than we had thought. This raises several questions: where is the Iquiri? Could it be the one where Benigno and Aniceto were taken by surprise? Could the aggressors be Joaquin's people? For the time being we are thinking of going to El Oso where there should be breakfast left for two days, and afterwards we shall go to the old camp. Today two big birds and one *cacaré* were killed; thereby we shall save food and continue having a reserve supply for two days: dehydrated soups in bags and canned meat. Inti, Coco and El Medico are ambushed to hunt. News was given that Debray will be tried by a military court in Camiri as presumed chief or organizer of the guerrillas; his mother is arriving tomorrow and there is a great to-do about the affair.

Nothing about Loro.

h=840

[6]

The calculations made for reaching El Oso failed. The distance to the little house on the creek turned out to be greater than the one estimated, and the trail was closed, so we had to open a new path. We reached the little house at 16:30 after going over heights up to 1400 meters, with the men reluctant to walk. The next to the last meal was eaten, very scant; only one partridge was hunted and we gave it to the *machetero* (Benigno) and the two that were directly behind him on the march.

The news is centered on the Debray case.

h=1100

[7]

We reached Oso's camp early in the morning and there we found eight cans of milk waiting for us, with which

we made a good breakfast. Some things were taken out from one of the caves nearby, among them a mauser with five anti-tank shells for Ñato who will be our bazooka man. He had a fit of vomiting and continues to be sick. Right after reaching the camp, Benigno, Urbano, Leon, Aniceto and Pablito went out to explore the little farm. We ate the last of the soups and the meat, but we have the provision of lard that was in the cave. Some footprints were seen, and there is some destruction that shows that soldiers have been here. In the early morning, the explorers arrived with empty hands; the soldiers are at the little farm and they have ruined the corn. (It's been six months since my arrival and the official initiation of the guerrilla.)

[8]

EARLY IN THE MORNING I insisted that the caves be repaired and that the can of lard be brought down for filling bottles, for that is all we have to eat. About 10:30, isolated shots were heard in the ambush; two unarmed soldiers were coming up the Ñacahuasu; Pacho thought it was a vanguard and wounded them, one in the leg and the other slightly in the abdomen. They were told that the shots were fired because they had not stopped when the signal for halting was given; naturally they didn't hear a thing. The ambush was badly coordinated and Pacho's nervous way of acting wasn't good. It was improved by sending Antonio and a few others to the right hand side. The statements of the soldiers establish that they are located near the Iquiri; but they really lied. At 12, two more were captured who were hurrying down the Ñacahuasu; they stated that they were going rapidly because they had gone out hunting, and on returning they found that the company had disappeared, so they went out looking for it. They also lied; they were really camped on the hunting plain and they were running away and looking for food on our farm because the helicopter had not come to supply them. Loads of toasted and raw corn and four cans of *caballa* plus sugar and coffee were captured on the former

group; these, together with the lard which was eaten in great amounts, solved today's problem. Some got sick.

Later the sentry reported repeated explorations by soldiers who reached the corner of the river and then turned back.

Everybody was tense when there arrived what seemed to be 27 soldiers. They had seen something strange and the group commanded by 2nd Lieutenant Loredo advanced; he himself started firing and was killed on the spot, together with two more recruits. Night was falling and we continued advancing, capturing six soldiers; the rest withdraw.

The total result shows: three dead and ten prisoners, two of them wounded; seven M-1's and four mausers, personal equipment, ammunition and a little food, which together with the lard served to assuage our hunger. We slept there.

[9]

WE AROSE AT 4 (I did not sleep), and we set the soldiers free after giving them a talking to. Their shoes were taken from them, their clothing was changed and the liars were sent off in their undershorts. They left for the little farm carrying the wounded one. At 6:30 we finished our withdrawal towards the Creek of the Monkeys by way of the cave, where we put away the spoils. Only lard is left for food. I was feeling faint and I had to sleep two hours in order to be able to keep on at a slow and staggering pace, the march thus being carried on. We ate lard soup at the first watering place. The people are weak and already there are some of us with edema. At night the army gave its report on our combat, naming their dead and wounded but not the prisoners, and announced big battles with heavy losses on our part.

[10]

WE KEEP ON ADVANCING SLOWLY. On reaching the camp where Rubio's tomb is, we found tallow and *charqui* which we had left, in bad condition. We picked up everything;

there were no signs of soldiers. We crossed the Ñacahuasu with caution and we started on the road to Pirirenda by way of a ravine which Miguel had explored, but the trail still wasn't finished. We stopped at 17:00 and ate the piece of *charqui* and the tallow.

h=800

[11]

THE VANGUARD went out first; I stayed behind listening to the news. In a while Urbano came to announce that Benigno had killed a wild pig *(pecari)* and asked for permission to start a fire and skin it; we decided to remain to eat the animal while Benigno, Urbano and Miguel kept on building the trail towards the lagoon. At 14 hours we started marching again, and pitched camp at 18. Miguel and the others went on ahead.

I must talk seriously with Benigno and Urbano, for the former ate a can of fish on the day of the battle but denied it, and Urbano ate part of the *charqui* at Rubio's camp.

They gave the news of the replacement of Colonel Rocha, chief of the 4th Division, who operates in the zone.

h = 1050

[12]

WE WALKED SLOWLY. Urbano and Benigno were opening the trail. At 15, the lagoon was seen to be about five kilometers away, and a little later an old trail was found. After an hour more we came across a tremendous corn field with *zapallos*, but there was no water. We prepared roasted *joco* with some lard, and we husked and toasted corn. The explorers arrived with the news that they had dropped in at Chico's house, the very same one who is mentioned as a good friend of Lieutenant Henry Loredo in his diary. He was not in his house, but four farm hands and a servant were. The servant's husband came to look for her and was retained. A big pig was cooked with rice and fritters and *zapallo*. Pombo, Arturo, Willy and Dario stayed to guard the knapsacks. The only bad

thing is that we have not located the water, apart from that at the house.

We withdrew at 15:30, at a slow pace and with almost everybody sick. The owner of the house had not arrived, and a note was left for him specifying the expenditures; the farm hands and the servant were each paid $10 for their work.

h=950

[13]

A DAY OF BELCHING, farting, vomiting and diarrhea; a genuine organ concert. We remained in absolute immobility trying to digest the pork. We have two cans of water. I was very sick until I vomited and recuperated. At night we ate corn fritters and roasted *zapallo*, plus the remains of the previous banquet, that is, those that were in condition to do so. All the radio stations were repeatedly giving out the news that a Cuban landing in Venezuela had been frustrated. The government of Leoni presented two men with their names and ranks. I do not know them, but everything indicates that something went wrong.

[14]

EARLY IN THE MORNING we left unwillingly in order to reach the Pirirenda lagoon by a trail that Benigno and Pombo had found on an exploration. Before going out, I gathered everybody together and held forth on the problems which had been faced, fundamentally the one on food. A criticism was made of Benigno for having eaten a can of fish and then denying it, of Urbano for eating *charqui* behind our backs, and of Aniceto for his eagerness to get in on everything where food is concerned and his reluctance to do anything else. During the course of the gathering we heard noises of trucks approaching. In a hiding place nearby we put away some 50 *jocos* and 200 pounds of husked corn for eventual needs.

When we were already out on our way, busy picking beans, volleys sounded nearby, and a little later we saw

112

the aviation "ferociously bombarding us" about two or three kilometers away from our positions. The lagoon appeared as we kept going up a little hill, and the soldiers continued their shooting. At dusk we approached a house which had recently been abandoned. It was very well supplied and had water. We ate a tasty fricassee of chicken with rice, and stayed until 4:00.

[15]

An uneventful day.

[16]

On starting to walk I was overcome by the most violent colic, with vomiting and diarrhea. They stopped it with Demerol, and I lost consciousness while they carried me in a hammock. When I woke up I was very much relieved but smeared all over like a suckling baby. They lent me a pair of pants, but having no water my stench reaches a league away. We spent the whole day there. I drowsed. Coco explored finding a road due south-north. At night we followed it while the moon was out and then we rested. Message No. 36 arrived, whereby our total isolation can be inferred.

[17]

We proceeded on the march until 13 hours when we came upon a sawmill having signs of being abandoned some three days ago. It had sugar, corn, lard, cornmeal and water in barrels, apparently having been transported from very far away. We camped there, while explorations were made of the paths that lead from the camp and end in the woods. Raul has a tumor on his knee which is intensely painful and keeps him from walking. He was given a strong antibiotic and tomorrow a puncture will be made. We walked some 15 kilometers.
h=920

[18]

WE REMAINED ambushed all day, in case the workers or the army come; nothing happened. Miguel went out with Pablito and found the water about two hours from the camp by a side road. A puncture was made on Raul, extracting 50 cc. of purulent liquid; he was given a general anti-infectious treatment. He can hardly take a step. I pulled a tooth for the first time in this guerrilla; the first victim: Camba. We ate bread baked in a small oven and at night had a barbarous stew which put me on the brink again.

[19]

THE VANGUARD left early taking position in the ambush at the crossing of the roads. Then we went out, one part replacing the vanguard while it returned to look for Raul and then took him to the crossing; the other part of the center guard went up to the watering place to leave the knapsacks and came back to fetch Raul, who is improving slowly. Antonio made a little exploration down the creek and found an abandoned camp of soldiers where we found some dry rations. The Ñacahuasu should not be far and I figure that we should come out below the Congri. It rained all night long, taking the experts by surprise.

We have food for ten days and there is *zapallo* and corn in the neighboring regions.
h=780

[20]

A DAY WITHOUT MOVEMENT. In the morning the center guard was sent to the ambush, and in the afternoon the vanguard, under the command of Pombo, whose opinion is that the position selected by Miguel is very bad. Miguel explored down the creek finding the Ñacahuasu after two hours of walking without his knapsack. A shot was clearly heard, without knowing who had fired it. On the shores

of the Ñacahuasu there are signs of another military camp with a couple of platoons. Luis was sanctioned "with the order not to go to the ambush" for his continuous protests about everything. He seems to have reacted well.

In a press conference, Barrientos denied the status of Debray as a newspaperman and announced that he will ask Congress to reestablish the death penalty. Almost every newspaperman and every foreigner questioned him about Debray; he defended himself with an incredible lack of intelligence. He is the most incapable man imaginable.

[21]

SUNDAY. No movement. The ambush was maintained by the rotation of ten men at noon. Raul improves slowly; a second puncture was made on him extracting 40 cc. of purulent liquid. He has no fever, but is in pain and can hardly walk; he is my present worry. At night we ate sumptuously: stew, corn meal, *charqui* and *zapallo* sprinkled with *mote*.

[22]

AT NOON, GUZMAN ROBLES, the man in charge of the sawmill, appeared with the driver and his son in a banged-up jeep, as was to be expected. At first, it looked like a move by the army to see what was going on, but he kept yielding and consented to go to Gutierrez at night, leaving his son as hostage; he should come back tomorrow. The vanguard will stay in ambush all night and tomorrow we shall wait until 15:00. They say it shall be necessary to withdraw because the situation will become dangerous. We had the impression that the man would not betray us, but we don't know if he can make purchases without arousing suspicions. He was paid for everything consumed in the *batey*. He gave reports about the situation in Tatarenda, Limon, Ipita, where there are no soldiers, except for a lieutenant stationed in the latter. He talks from hearsay of Tatarenda, since he has not been there.

A DAY OF TENSION. The one in charge of the sawmill did not return all day, and although there was no activity, we decided to withdraw at night and to take the big seventeen-year-old boy with us as hostage. We walked an hour along the trail by the light of the moon and slept on the road. We took a ten-day food supply with us.

IN TWO HOURS we reached the Ñacahuasu, which was free. We came out about four hours down the Congri Creek. We walked slowly, putting up with the reluctant pace and unwillingness of Ricardo, which today included Moro also. We arrived at the same camp that we had used on the first day of our first trip. We left no traces, nor did we see recent ones. The radio gave the news that Debray's petition for Habeas Corpus will be denied. I figure we are one or two hours away from the Saladillo; on reaching the top we shall decide what to do.

IN ONE AND A HALF HOURS we reached the Saladillo, leaving no traces. We walked about two hours up-creek, to the source of the river. There we ate and at 15:30 we walked another couple of hours until 18 when we camped at 1100 meters, without surmounting the *firme*. Then, according to the boy, a couple of leagues are left before arriving at his grandfather's *chaco* or, according to Benigno, a whole day's walk to Vargas' house on the Rio Grande. Tomorrow we shall make the decision.

AFTER TWO HOURS OF WALKING and the crossing of the 1200 meter peak, we reached the *chaco* of the brother of the boy's grandfather. Two farm hands who were working had to be detained because they were walking toward us. They

turned out to be brothers-in-law of the old man, married to a sister of theirs. They were sixteen and twenty years old. They gave the information that the father of the boy made the purchases but was arrested and confessed everything. There are 30 soldiers in Ipita and they patrol the town. Since the water in the area had to be transported in barrels from Ipita, we ate fried pork with *zapallos* charred with lard. At night we left for the *chaco* which the boys have; it is located eight miles away, four toward Ipita itself and four towards the west. We arrived at dawn. h=1100

[27]

A DAY OF LOAFING, and a bit of desperation; after all the marvelous promises, all they had was some old cane and the mill was useless. As was to be expected, the old owner of the *chaco* came at noon with his wagon, carrying water for the pigs, and when he saw something queer he returned to the place where the ambush was. He was apprehended together with the farm hand. They were held prisoners until 18 hours when we released them, together with the younger of the brothers. We told them to stay around until Monday and not to say anything. We walked two hours, and slept in a corn field, already on the road that will take us to Caraguataenda.

[28]

SUNDAY. We rose early and began to march; in one and a half hours we were within the limits of the *chacos* of Caraguataenda, and Benigno and Coco were sent to explore. They were seen by a peasant, so they apprehended him. A little later we had a colony of prisoners, without showing much fear, until an old woman began to shout, together with her children, when she was told to halt. Neither Pacho nor Pablo could make themselves detain her and she ran towards the town. We took the town at 14:00, posting ourselves at both ends. A little later a jeep from Yacimientos fell in our hands; so in all we took two jeeps

and two trucks; half were privately owned and half belonged to the oil company. We ate and drank coffee, and after 50 heated arguments, we left at 19:30 for Ipitacito. There we pried open a store and took $500 in merchandise which we left in the hands of the peasants, drawing up a very ceremonious affidavit. We continued our pilgrimage, reaching Itay where they received us very well in a house where we found the teacher that owns the store in Ipitacito, and we compared the prices. I partook in the conversation, and it seems that they recognized me; they had cheese and a little bread and they gave us some with coffee, but there was a dissonant note in the reception. We went on to Espino, along the railway route to Santa Cruz, but the Ford truck from which they had taken off the power gear broke down and it took us all morning to go three leagues from Espino. The motor of the vehicle became burnt out completely and stopped altogether two leagues from there. The vanguard took the ranch and had to make four trips to bring all of us.

h=880

[29]

THE ESPINO SETTLEMENT is relatively new, for the old one was wiped out by the alluvia of 58. It is a Guarani community whose members are very shy and speak or pretend to speak very little Spanish. Nearby, there were oil workers. We inherited another truck in which we could have loaded everything, but the opportunity was lost, since Ricardo got it stuck and it could not be pulled out. The stillness was absolute, as though we were in a world apart. Coco was placed in charge of information of the roads, but it was deficient and contradictory, to the extent that we were about to leave on a somewhat dangerous journey which would take us near the Rio Grande when, at the last moment, there was a change of plans and we were obliged to go to Muchiri, a place where there is water. With all the existing problems of organization, we left at 3:30, the vanguard in the jeep (six, seven with Coco) and all the others on foot.

The radio brings us the news of Loro's escape.

AT DAYTIME we reached the railroad line and found that the road shown as the one which would take us to Michuri did not exist. Looking around, we found a straight road 500 meters from the crossing which is used by the oil workers, and the vanguard followed it in a jeep. When Antonio was returning, a boy with a dog was coming along the road with a shotgun, and on being told to halt, ran away. Faced with that news, I left Antonio ambushed at the entrance to the road and we stationed ourselves about 500 meters apart.

At 11:45 Miguel appeared with the news that he had walked 12 kilometers due east without finding any houses or water; only a road turning towards the north. I gave him the order to take three men in a jeep and to explore these ten kilometers to the north and to come back before dusk. At 15, when I was pleasantly sleeping, shooting from the ambush woke me. The news arrived soon; the army had advanced and had fallen into the trap. Three dead and one wounded seems to be the result. Antonio, Arturo, Ñato, Luis, Willi and Raul participated in the action. Raul was weak. We withdrew and walked 12 kilos to the crossing without finding Miguel. At this point we received news that the jeep had broken down for lack of water. We found it about three kilometers from there; we all urinated into it and added a canteen of water and thus were able to reach our goal, where Julio and Pablo were waiting. At 2 everybody was already there, gathered around a bonfire on which we roasted three turkeys and fried the pork. We kept an animal to be used to test water, to remove all doubt.

We are coming down from 750; today we reached 650.

THE JEEP CONTINUED BUCKING ALONG, with a couple of canteens of water and some urine in it. Two events happened which changed the tempo: the road due north had ended; there Miguel suspended the march and one of the

security groups detained the peasant Gregorio Vargas on a side road. He was coming on his bike to prepare some traps, his trade. His attitude was not altogether clear, but he gave valuable information on the watering places. One of them was to our rear, and I sent a group of men to look for water and food. On arriving, accompanied with him as guide, they saw two army trucks and a hasty ambush was set for them, apparently wounding two men. When the first blank bullet that Ñato used to launch his anti-tank grenade missed, he used a regular war bullet and the thing exploded right under his nose. No harm was done to his person, but the trombone was destroyed. We kept on withdrawing without being harassed by planes and walked 15 kilometers, even though it was dark, until we found a second watering place. The jeep gave out its last gasps, due to lack of gasoline and overheating. We spent the night eating.

The army issued a dispatch yesterday admitting the death of a second lieutenant and a soldier and claiming to have "seen" some dead on our part. Tomorrow I intend to cross the railroad to look for mountains.

h=620

MONTHLY SUMMARY: *The negative point is the impossibility to make contact with Joaquin, notwithstanding our pilgrimage over the mountain ridges. There are indications that he has moved to the north.*

From the military point of view, three new combats, causing enemy losses without suffering any ourselves and the penetrations into Pirirenda and Caraguarenda, indicate success. The dogs have been declared incompetent and have been withdrawn from circulation.

The most important characteristics are:

1) Total lack of contact with Manila, La Paz and Joaquin, which reduces the group to 25 men.

2) Complete lack of incorporation of the peasants, although they are losing their fear of us, and we are succeeding in winning their admiration. It's a slow and patient task.

3) The party, through Kolle, offers its collaboration, apparently without reservations.

4) The repeated clamor about the Debray case has given more belligerency to our movement than ten victorious combats.

5) The guerrilla continues acquiring a predominant and secure morale which, well-managed, is a warranty of success.

6) The army goes on without being organized and its technique does not improve substantially .

The news of the month is the apprehension and escape of Loro, who should now come back to us or go to La Paz to make contact.

The army issued the communication about the detention of all the peasants who collaborated with us in the zone of Masicuri. Now comes the period when both sides shall exert pressure upon the peasants but in different ways; our triumph will mean the necessary qualitative change for a leap in development.

JUNIO, 1967

[1]

I SENT THE VANGUARD to station themselves along the way and to explore for three kilometers as far as the crossing of the road that leads to the oil fields. Aircraft have begun to circle around the zone, which confirms the information given on the radio, in the sense that the weather had made action difficult during the last few days, but that now it would be reinitiated. A strange dispatch was given out concerning two dead and three wounded, but it is impossible to know whether they are referring to the old ones or the new ones. After eating at 5, we headed toward the road. Seven or eight kilometers were covered uneventfully, walking one and a half along the road and then taking an abandoned lane, which should lead us

to a *chaco* seven kilos from here, but everybody was tired and we slept halfway there. During the entire journey, only one far-off shot was heard.

[2]

WE MADE THE SEVEN KILOMETERS predicted by Gregorio and reached the *chaco*. There we caught a fat pig and killed it, but at that very moment Braulio Robles' cowhand, with his son and two farm hands, appeared. One of them turned out to be Symuni, the owner's *achacao*.

We carried the butchered pig on their horses for three kilos, until we reached the river. There we held them while we hid Gregorio, whose disappearance was known. Just as we were reaching the center, an army truck with two little soldiers and some barrels passed, an easy prey, but it was a day of frolic and pork. We spent the night cooking and at 3:30 we released the four peasants, paying them $10 each for the day. At 4:30 Gregorio was going to go, but he waited to eat. We gave him $100. The water from the creek is bitter.

h = 800

[3]

WE LEFT AT 6:30 along the left border of the riverbed and walked until 12, when Ricardo and Benigno were sent to explore the road, finding a good place for the ambush. Ricardo and I took position at 13, each with a group in the center, Pombo at the end, and Miguel, with the entire vanguard, in an ideal place. A truck with pigs which we let go by passed at 14:30; at 16:20 a truck with empty bottles passed and at 17 the same army truck as yesterday went by with two little soldiers wrapped in blankets in the back of the vehicle. I didn't have the courage to shoot at them and my brain didn't function fast enough to detain them, so we let them pass. We left the ambush at 18, and continued down the way until we reached the creek again. Just as we arrived, four trucks in a row and later three more passed, apparently without troops.

[4]

WE CONTINUED WALKING along the edge of the creek with the intention of setting up another ambush, if the conditions were favorable, but we came across a trail that led to the west and we followed it; later it continued along a dry ravine and turned to the south. At 14:45 we stopped to make coffee and oatmeal beside a puddle of muddy water, but it took a long time and so we decided to camp right there. At night, the strong south wind let loose with a steady drizzle that lasted all night.

[5]

WE LEFT THE TRAIL and continued cutting through the woods under a persistent south wind drizzle. We walked until 17 hours, actually two and a quarter hours, breaking through the heavy thicket on the slopes of the mountains in this region. Fire became the great God of the journey. It was a blank day with respect to food; we saved the salty water in our canteens for tomorrow's breakfast.
h=250

[6]

AFTER A MEAGER BREAKFAST, Miguel, Benigno and Pablito went out to open the trail and explore. At approximately 14 hours, Pablo returned with the news that they had reached an abandoned *chaco* with cattle. We all began the move, following the course of the river, crossing the *chaco* and reaching the Rio Grande. From there an exploratory mission was sent out to take a house if they saw one close by and isolated. They succeeded, and the first news showed that we were three kilometers from Puerto Camacho, where there are 50 soldiers. They are connected by a path. We spent the night cooking pork and *locro*. Today's march was not all we had expected, and we departed at dawn, tired.

[7]

WE WALKED AT A MODERATE PACE, rejecting old ranches, until the guide, one of the owner's sons, announced that

there were no more. We continued along the beach until we found another *chaco,* which he had not spoken of, with *jocos,* cane, bananas, and a few beans. We made camp here. The boy who was acting as guide began to complain of severe abdominal pains; we did not know whether it was so or whether he was pretending.

h=560

[8]

WE MOVED THE CAMP approximately 300 meters away so as to be free from a double vigilance from the beach and the *chaco,* although later on we found out that the owner had not made a road and always came by barge. Benigno, Pablo, Urbano and Leon left to try to make a trail that would cut across the cliff, but returned in the afternoon, saying that it was impossible. I had to admonish Urbano for his injudicious manner. We agreed to make a raft tomorrow, near the cliff.

News is being given out concerning the state of siege and the threats of the miners, but it all means nothing.

[11]

A DAY OF ABSOLUTE TRANQUILLITY; we stayed in ambush but the army did not advance; only a small plane flew over the zone for a few minutes. It is possible that they are waiting for us at the Rosita. The trail across the *firme* almost reaches the top of the hill. We shall leave tomorrow at any rate. We still have enough food for five or six days.

[12]

WE UNDERTOOK THE MARCH, believing that we would be able to reach the Rosita, or at least the Rio Grande again. Upon reaching a small watering place, the situation began to look difficult, so we stayed there, waiting for news. At 15, another report arrived that there was a larger watering place further along, but it was not possible to go down yet. We decided to stay here. The day began to take a turn for

the worse, and finally, the heavy south wind gifted us with a cold, wet night. There was an interesting piece of news on the radio tonight—the newspaper *Presencia* announced one dead and another wounded on the army's side during the clash on Saturday. This is very good and almost certainly true, which means we are maintaining a tempo of clashes with deaths. Another broadcast announces three more deaths, among them Inti, one of the guerrilla chiefs. They also announce the foreign composition of the guerrilla: 17 Cubans, 14 Brazilians, 4 Argentinians, 3 Peruvians. It is necessary to find out where they got the information; the number of Cubans and Peruvians is correct.

h=900

[13]

WE WALKED ONLY AN HOUR, until we reached the next watering place, as the *chaqueadores* reached neither the Rosita nor the river. It is very cold. They may arrive tomorrow. We have barely enough food for five days.

The interesting thing is the political upheaval in the country, fabulous numbers of pacts and counterpacts that are in the air. Seldom has the possibility of catalyzing the guerrilla been seen so clearly.

h=840

[14]

CELITA (4?)

We spent the day in the cold watering place, next to the fire, waiting for news from Miguel and Urbano, who were the *chaqueadores*. The time set for moving was 15, but Urbano arrived late, believing the Rio Grande could be reached because they had reached a creek and had seen some trail marks. We stayed there, eating the last of the stew; the only thing we have left is a ration of peanuts and three of *mote*.

I have reached thirty-nine, and inexorably the age is approaching which forces me to think of my future as a

guerrilla fighter; however, for the time being I am sound.
h = 840

[15]

WE WALKED FOR A little less than three hours in order to reach the edge of the Rio Grande, to a place familiar to us. I calculate it to be about two hours from the Rosita; Nicolas, the peasant, said three kilometers. He was given $150 and the opportunity to leave, and he took off in a flash. We stayed in the very place where we arrived; Aniceto made an exploration and said that the river can be crossed. We ate peanut soup and a little boiled *palmito de totai* fried in lard. We only have *mote* left for three days.
h=610

[16]

WE HAD WALKED A KILOMETER when we saw the men of the vanguard on the other side. Pacho had found the ford and had crossed it while exploring. We crossed with the icy water up to our waists and with some current—without mishap. We arrived at the Rosita an hour later, where we noticed some old footprints, apparently the army's. We then became aware that the Rosita was deeper than we had foreseen and that there are no traces of the trail marked on the map. We walked for an hour in the icy water and then decided to camp so as to take advantage of the *palmito de totai* and to try to find a beehive that Miguel had seen while exploring yesterday; we did not find it, and ate only *mote* and *palmito* with lard. There is still food for tomorrow and the day after *(mote)*. We walked for three kilometers down the Rosita and another three down the Rio Grande.
h = 610

[17]

WE WALKED 15 KILOMETERS down the Rosita in five and a half hours, crossing four creeks, even though the Abapocito was the only one marked on the map. Many signs were

found indicating recent transit. Ricardo killed a *hochi* and this plus some *mote* was our food for the day. There is some *mote* left for tomorrow, but we shall probably find something while hunting.

[18]

MANY OF US BURNED OUR BRIDGES by eating all the *mote* for breakfast. At 11, after a two and a half hour march, we arrived at a *chaco* which had *yuca,* cane—with a mill to grind it—*jocos* and rice. We prepared a protein-free meal and sent Benigno and Pablo out to explore. They arrived two hours later with the news that they had come across a peasant whose house was 500 meters away and that there were others coming farther back, who were apprehended when they arrived.

At night we changed our campsite, sleeping at the boy's ranch, which was located close to the beginning of the road which comes from Abapo, seven leagues from here. Their houses are 10-15 kilometers away from the juncture of the Mosquera and Oscura Rivers, situated on the latter.
h=680

[19]

WE WALKED SOME 15 kilometers in order to reach a ranch that was made up of three houses containing the same number of families. The Galvez family lives two kilometers away, right near the junction of the Mosquera and the Oscuro. It is necessary to hunt down the inhabitants to be able to talk with them, for they are just like little animals. In general, we were well-received, but Calixto, who had recently been named mayor by a military commission which had just passed through here a month ago, was reserved and reluctant to sell us a few little things. At dusk, three pork merchants with a revolver and mauser rifle arrived; the vanguard sentry let them pass. Inti, who interrogated them did not take their weapons away, and Antonio, who kept watch on them, did it carelessly. Calixto assured me

that they were traders from Postrer Valle and that he
knew them.
h=680

There is another river that flows into the Rosita on the
left side, which is called Suspiro; nobody lives along its
course.

[20]

IN THE MORNING, Paulino, one of the boys from the ranch
down below, informed us that the three individuals were
not traders either: one was a lieutenant and the other two
did not belong to that trade. The information was obtained
from Calixto's daughter, who is his girlfriend. Inti went
with several men and gave them until 9 to make the officer
come out. If not, all would be shot. The officer came out
immediately, crying. He is a second lieutenant of the police
force who was sent with a carabineer and the Postrer Valle
teacher who came as a volunteer. They were sent by a
colonel who is stationed in this town with 60 soldiers. Their
mission included a long trip for which they were given four
days, including other points along the way of the Oscura
River. Killing them was considered, but I later decided to
send them back after a severe warning about the rules of
war. When investigating to see how they had passed, it was
confirmed that Antonio had abandoned the watch to call
Julio, and that during this lapse, they had gotten through.
Also, Aniceto and Luis were found sleeping on sentry duty.
They were sanctioned with seven days' kitchen duty and
one without eating roasted or fried pork or the stew which
was abundantly served. The prisoners shall be stripped of
all their belongings.

[21]

MOTHER

After two days of profuse dental extractions for which
I became named Fernando Sacamuelas (alias) Chaco, I
closed my consulting office and we left in the afternoon,

walking a little more than an hour. I rode a mule for the first time in this war. The three prisoners were taken down the road of the Mosquera for an hour's journey or more and stripped of all their belongings, including watches and brogues. We intended to take Calixto, the mayor, as a guide, together with Paulino, but he was sick, or pretended to be, and we left him with a strict warning, but it probably won't be any good. Paulino has promised to go to Cochabamba with my message. A letter will be given to him to take to Inti's wife, plus a coded letter for Manila and the four communiques. The fourth explains the composition of the guerrilla and clears up the lie surrounding Inti's death; it is (text mutilated). We shall now see whether we can establish contact with the city. Paulino pretended to be our prisoner.

h=750

[22]

WE MARCHED FOR THREE HOURS, leaving the Oscura or Morocos River in order to reach a watering place in a spot called Pasiones. We checked on the map and everything indicated that we were no less than six leagues from Florida or from the first place where there were houses, Piray, where one of Paulino's brothers-in-law lives, but he did not know the way. We intended to continue, taking advantage of the moon, but it was not worthwhile due to the distance.

h = 950 ms.

[23]

WE ONLY WALKED AN HOUR EFFECTIVELY, as the trail had been lost and it took all morning and part of the afternoon to find it; we spent the rest of the day preparing it for tomorrow. St. John's Eve was not so cold as could be imagined according to its fame.

h = 1050

Asthma is threatening me seriously and there is very little medicine in reserve.

[24]

WE WALKED ABOUT TWELVE KILOMETERS in all, four hours effectively. There were intervals where the way was clear and could be seen, but there were others where we had to guess. We descended an incredible cliff following the tracks of some cattlemen who were herding cattle. We camped near a brook on the slopes of the Cerro Duran. The radio brings news of the miners' struggle. My asthma is getting worse.
h=1200

[25]

WE CONTINUED ALONG the path made by the cattlemen without reaching them. In the middle of the morning, there was a pasture on fire and a plane flew over the zone. We did not know what the relation was between the two facts, but we continued, and at 16 hours reached the residence of Paulino's sister in Piray. In this zone there are three houses; one was abandoned, nobody was at home in the other, and Paulino's sister with four children was in the third. Her husband had gone to Florida with Paniagua, the neighbor from the other house. Everything seemed to be in order. Paniagua's daughter lives one kilometer away and it was there where we decided to make camp, buying a calf, which was butchered immediately. Coco, together with Julio, Camba, and Leon were sent to Florida to do some purchasing, but they found out that the army was there, some 50 men. They were expecting another 70 or 80 to arrive. The owner is an old man, who is called Fenelon Coca.

The Argentine radio gives the news of 87 victims, the Bolivian news does not even mention the number (Siglo XX). My asthma continues getting worse and now I cannot sleep well.
h=780

[26]

A BLACK DAY FOR ME. It seemed that everything was going well and five men had been sent to replace the ones sta-

tioned in ambush on the road to Florida, when shots were heard. We went there rapidly on horseback and came across a strange sight: in the midst of silence, four dead little soldiers were lying in the sun on the sands of the river. We could not take the weapons because the enemy position was unknown; it was 17 hours and we were waiting for nightfall to take the guns. Miguel sent someone to warn that he had heard the sound of branches being broken on his left; Antonio and Pacho went and the order was not to shoot without seeing. Almost immediately firing was heard, which rapidly spread to both sides, and the order was given to withdraw, as we were bound to lose under these conditions.

The withdrawal was slow and a report of two wounded was brought: Pombo wounded in the leg and Tuma in the abdomen. They were rapidly taken to the house to be operated on, with whatever we had. Pombo was only slightly wounded, and his lack of mobility will bring only headaches. Tuma's liver was crushed and he had abdominal perforations; he died during the operation. He had been an inseparable comrade of mine throughout the preceding years, loyal until the end, and whose absence I shall always feel like that of a son. When he fell in combat, he asked that I be given his watch, and as it was not taken so as to attend him, he took it off and gave it to Arturo. This gesture revealed his wish to have it given to his son, whom he has never seen. This I had done with the watches of the two other comrades who have also been killed. I shall carry it with me throughout the war. We carried his body and took it to be buried far from there.

We took two more spies as prisoners; a lieutenant of the carabineers and a carabineer. They were given a lecture and set free. Due to a misinterpretation, they left wearing only their undershorts, as I had said that they were to be stripped of everything that could be useful to us.

[27]

I CARRIED OUT the grievous task of badly burying Tuma. We continued on the journey arriving in Tejeria by day. The vanguard left on a 15 kilometer trek at 14 and we at

14:30. The trip was long for the latter, who were overtaken by the nightfall and had to wait for the moon, reaching Paliza's house—where the guides were from—at 2:30.

We returned two animals to the owner of the house in Tajeria who is a nephew of the old Lady Paniagua, so he would send them to her.

h=850

[28]

A GUIDE WAS OBTAINED for $40 who offered to take us to the crossroads that led to Don Lucas' house; but we decided to stay in another house which had a watering hole. We left late, and the last two, Moro and Ricardo, took an extremely long time so I could not hear the news. We averaged a kilometer an hour. According to the reports, the army, or some radio station, spoke of three deaths and two wounded in a clash with guerrillas in the zone of Mosquera; it has to be a reference to our combat, but four corpses were seen with almost absolute certainty, unless one of them managed to pretend to be dead.

We found the house of a certain Zea, which was not inhabited, but it had several cows whose calves were closed in.

h=1150

[29]

I HAD A SERIOUS CONVERSATION with Moro and Ricardo about the delay, especially with Ricardo. Coco and Dario, from the vanguard, left on horseback with their knapsacks, together with Moro. El Ñato took his knapsack—as well as mine and Pombo's—on a mule, since he is in charge of the animals. Pombo was able to arrive with relative ease on a mare; we lodged him in Don Lucas' house, who lives on the peak, 1800 high, and was there with two daughters; one of them had a goiter. There are two more houses; one of them belongs to a sporadic worker, who has almost nothing, and the other is well off. The night was cold and rainy. The reports say that Barchelon is a half-day walk, but according to two peasants who came down the trail, the road

132

is very bad; the owner of the house does not say the same and assured us that it can be repaired easily. The peasants came to visit the owner of the other house and were detained for being suspicious.

On the way, I had a conversation with our troop, now composed of 24 men. I pointed out Chino as an example among the men; I explained the meaning of the deaths and what the loss of Tuma meant to me personally, whom I considered almost my son. I criticized the lack of self-discipline and the slowness of the march and promised to give some basic instructions so that the same thing that happened in the ambush would not happen again, useless losses of life for not obeying rules.

[30]

OLD LUCAS gave some information about his neighbors, which shows that the army has already been making preparations out here. One of them, Andulfo Diaz, is the secretary general of the Farm Workers Union in the zone, in favor of Barrientos; the other is an old, talkative man who was let go because he was paralytic, and another is a coward who may talk so as not to have problems—according to his colleagues. The old man promised to accompany us and to help open the way to Barchelon; the two peasants will follow us. We spent the day resting, as it was rainy and disagreeable.

On the political side, the most important news is the official declaration by Ovando that I am here. Besides that, he said that the army was facing a perfectly trained guerrilla, which even included Viet Cong majors who had defeated the best North American regiments. It is based on Debray's declarations which, it seems, revealed more than necessary, though we do not know what implications this has, nor what the circumstances were under which he said what he did. It is also rumored that Loro was murdered. I am attributed to being the one who inspired the insurrectional plan in the mines, coordinating it with the one in Ñancahuasu. Things are looking up; within a short time I shall stop being Fernando Sacamuelas. A message was re-

ceived from Cuba, in which the slow development of the Peruvian situation was explained, wherein they barely have arms or men and have spent large sums of money and speak of a so-called guerrilla organization among Paz Estensoro, a Colonel Seano and a certain Ruben Julio, the wealthy *muvista* from the zone of Pando; would (TEXT MUTILATED) yamirin. It is (TEXT MUTILATED).

MONTHLY ANALYSIS: *The negative points are: the impossibility to make contact with Joaquin and the gradual loss of men, each of which constitutes a serious defeat, although the army does not know it. We have had two small combats during the month, causing the army four deaths and three wounded, according to their own information.*

The most important characteristics are:

1) The almost total lack of contacts continues, which reduces us to 24 men, with Pombo wounded and the mobility reduced.

2) We continue to feel the lack of peasant incorporation. It is a vicious circle: to obtain this incorporation we need to carry out permanent action in populated territory, and to do this we need more men.

3) The guerrilla legend grows and grows; we are now invincible supermen.

4) The lack of contacts extends to the party, although we have made an attempt through Paulino, which may be successful.

5) Debray continues being news, but now as related to my case, in which I appear as leader of this movement. We shall see the result of this step taken by the government and find out whether it is positive or negative.

6) The morale of the guerrilla continues to be solid, and the decision to fight is increasing. All the Cubans are examples in combat and there are only two or three weak Bolivians.

7) The army continues to be nil with respect to military tasks, but they are working on the peasants in a way that must not be underestimated, as they transform all the members of the community into informers, whether by fear or by deceiving them with respect to our objective.

8) The massacre in the mines has well cleared up the panorama for us and if the proclamations can be spread, it will help greatly to clear things up.

Our most urgent task is to re-establish contact with La Paz, to be resupplied with military equipment and medicine and to obtain the incorporation of 50-100 men from the city, even though the number of active combatants will be reduced to 10-25.

JULIO, 1967

[1]

BEFORE THE DAY HAD CLEARED completely, we left in the direction of Barchelon, Barcelona on the map. Old man Lucas lent a hand to repair the road, but despite everything, it remained quite abrupt and slippery. The vanguard left in the morning and we left at noon, spending all afternoon going up and down the ravine. We had to stay and sleep in the first *chaco* and were separated from the vanguard who had gone ahead. There were three boys by the family name of Yepez, exceedingly shy. Barrientos held a press conference in which he admitted my presence here, but predicted that within a few days we would be wiped out. He made the usual string of stupid statements, calling us rats and vipers, and repeated that he intended to punish Debray.

$h = 1550$ ms.

We detained a peasant called Andres Coca, whom we ran into on the road and took Roque and his son Pedro along with us.

[2]

IN THE MORNING we joined the vanguard which had camped on the hill at the house of Don Nicomedes Arteaga,

where there is an orange grove. They sold cigarettes to us. The main house is farther down the Piojera River and we went there, eating sumptuously. The Piojera River runs through a very narrrow and steep canyon and it is necessary to travel downstream on foot in the direction of the Angostura; the way out is towards the Junta, another point on the same river, which cuts through a rather high hill. It is important because it is a junction. This place is 950 meters high and is much more temperate; here the *garapatilla* is exchanged for *marigui*. The settlement is comprised of the residences of Arteaga and his children. They have a small coffee plantation where people from nearby places come to work on a share basis. Now there are about six farm hands from the San Juan zone.

Pombo's leg is not healing fast enough, which is probably due to the endless trips on horseback, but he has no complications nor are they feared any longer.

[3]

WE REMAINED THERE ALL DAY, trying to give Pombo's leg a chance to rest. High prices are being offered to make purchases, and this causes the peasants to mix fear with interest and to get the things for us. I took some pictures and this aroused their interest. Let's see how we get them developed, enlarged and delivered to them: three problems. An airplane flew over in the afternoon, and at night somebody talked of the danger of night bombardments, but everybody went out anyhow when we stopped them and explained that there was no danger. My asthma keeps bothering me.

[6]

WE WENT OUT EARLY in the direction of Peña Colorada, crossing an inhabited zone where we were received with terror. At dusk we reached the Palermo Height, 1600 meters, and started the descent toward the place where there is a little *pulperia*. There we made purchases just in case.

136

It was already night when we came upon the highway where there was only the small house of an old widow. The vanguard did not carry this out as well as they could have, due to indecisions. The plan was to take a vehicle coming from Sumaipata to find out the prevailing conditions and to leave for there with the driver of the vehicle, take the DIC, do buying in the drugstore, raid the hospital, buy some canned goods and delicacies and then return.

The plan was changed because there were no vehicles coming from Sumaipata, and news was received that they were not detaining vehicles in that locality, which meant that the barrier had been lifted. Ricardo, Coco, Pacho, Aniceto, Julio and Chino were commissioned for the action. They stopped a truck that was coming from Santa Cruz without anything happening, but another was coming behind that stopped to offer help and so it was to be detained; there the give and take began with a lady who was traveling in the truck and who did not want to take her daughter out. A third truck stopped to see what was happening and then the road became obstructed, a fourth due to the indecision of the men. Things were settled and the four vehicles stayed on one side and a driver said he was resting when asked about it. The men left in a truck, arrived at Sumaipata, captured two carabineers, and then Lieutenant Vacaflor, chief of the post. We forced the sergeant to give the watchword, and they took the post with ten soldiers in a lightning action, after a good skirmish of cross-fire with a soldier who resisted. They succeeded in capturing five mausers and one Z-B-30 and placed the ten prisoners in a truck, leaving them naked one kilometer from Sumaipata.

In the order of events, the action was a failure; Chino allowed himself to be influenced by Pacho and Julio, and nothing useful was bought. They didn't buy the medicine that I needed, although they did buy the most indispensable for the guerrilla. The action was carried out in front of a large group of travelers and in front of the whole town so the word will travel like wildfire. By 2, we were walking back with the booty.

[7]

WE WALKED WITHOUT any rest until we reached the same field where we had been well-received by a man the last time we were there—which is one league away from Ramon's house. Fear continues to run rampant among the people; the man sold us a pig and was amiable, but warned us that there were 200 men in Los Ajos and that his brother had just arrived from San Juan and had announced that there were 100 soldiers there. I wanted to pull some of his teeth but he didn't want me to. My asthma is getting worse.

[8]

WE WALKED CAUTIOUSLY from the house where the cane was, to River Piojera and the way was clear. There weren't even rumors about soldiers, and the people coming from San Juan denied that there had been any there either. It seems to have been a trick on the part of the man to make us go. We walked about two leagues along the river to El Pavo and another league from there to the cave, where we arrived when night was falling. We are near El Filo.

I injected myself several times in order to be able to go on, ending up using a 1:900 adrenalin solution prepared for collyrium. If Paulino has not fulfilled his mission, we will have to return to the Ñacahuasu to get medicine for my asthma.

The army issued the dispatch about the action, acknowledging one dead which must have resulted from the shooting when Ricardo, Coco and Pacho took the small military post.

[9]

ON LEAVING, we lost our way and we spent the morning looking for it. At noon we followed a path which was not very clear and which took us to the highest altitude reached up to now, 1840 meters. Shortly afterwards, we arrived at a *tapera* where we spent the night. There is no certainty about the road to El Filo.

The radio gave out news of a 14 point agreement between the workers of Catavi and Siglo XX and the Comibol Enterprise; this means total defeat for the workers.

[10]

WE LEFT LATE because a horse had been lost which later appeared. We passed by the highest altitude of 1900 meters by way of a seldom-used road. At 15:30 a *tapera* was reached where we decided to pass the night, but we had a disagreeable surprise when we learned that the roads were ending. An exploration of unused trails was made but they led nowhere. In front there are some *chacos*, which could be El Filo.

The radio gave out news of a clash with guerrillas in the zone of El Dorado, which does not appear on the map and is located between Sumaipata and Rio Grande; they acknowledged one wounded and claimed that we have two dead.

On the other hand, the statements by Debray and Pelao are not good; especially in that they have made a confession about the intercontinental purpose of the guerrilla, something they did not have to do.

[11]

RETURNING ON A RAINY, FOGGY day, we lost all roads and became separated from the vanguard who had gone to reopen an old trail. We killed a calf.

[12]

WE SPENT THE WHOLE DAY waiting for word from Miguel, but it was not until dusk that Julio arrived with the news that the descent had been made to a creek running due south. We remained in the same place. My asthma gave me a hard time.

Now the radio is giving different news; the most important part seems to be true. A combat on the Iquira is mentioned, claiming one dead on our part, whose body

they took to Lagunillas. The euphoria about the corpse shows that there is some truth in the matter.

[13]

IN THE MORNING, considering how bad the weather was, we went down a steep and slippery hill finding Miguel at 11:30. I had sent Camba and Pacho to explore a trail which turned away from the one following the course of the creek, and he came back an hour later with the news that *chacos* and houses could be seen, and they had entered an abandoned one. We moved there and then, by following the course of the little creek, we reached the first house where we spent the night. The owner of the house came later and told us that a woman, the mayor's mother, had seen us and must have already informed the soldiers who are in the rancho of El Filo itself, which is a league from here. A watch was kept all night.

[14]

AFTER A NIGHT OF CONSTANT DRIZZLING, it continued the same way all day, but at 12 we went out with two guides, Pablo, the mayor's brother-in-law and Aurelio Mancilla, the man in the first house. The women were left weeping. We came to a point where the roads branch off; one goes to Florida and Moraco and the other one to Pampa. The guides proposed the one to Pampa so a recently opened trail to the Mosquera could be followed, and it was accepted. But when we had walked some 500 meters we ran across a little soldier and a peasant who were carrying a load of corn meal on a horse and a message for the 2nd lieutenant in El Filo from his colleague in Pampa, where there are 30 soldiers. We decided to change course and entered the road to Florida, pitching camp a while later.

The PRA and the PSB withdrew from the Revolutionary Front, and the peasants warned Barrientos of an alliance with Falange. The government is disintegrating rapidly; it is too bad that we do not have 100 more men at this moment.

[15]

WE WALKED ONLY A LITTLE due to the bad road, abandoned many years ago. On the advice of Aurelio, we killed one of the mayor's cows, eating sumptuously. My asthma is somewhat better.

Barrientos announced the Operation Cintia to wipe us out in a few hours.

[16]

WE STARTED MARCHING very slowly, due to the intensive work of cutting the underbrush, and the animals suffered greatly due to the bad conditions of the road. We came to the end of our journey without any major incident, reaching a canyon where it is impossible to continue with the loaded horses. Miguel and four men from the vanguard went on ahead and slept apart.

There was no news on the radio worth of attention. We reached an altitude of 1600 meters near Duran Peak, which was on our left.

[17]

WE KEPT ON WALKING but slowly because the trail was difficult to follow. We had hoped to arrive at an orange grove which the guide had pointed out, but when we did, we found the trees were dry. There is a pond which was suitable for camping. We didn't march more than three hours effectively. It looks like we shall end up on the road we used to reach Piray. We are beside El Duran. h = 1560 ms.

[18]

AFTER ONE HOUR on the road, the guide lost the route and said that he didn't know any more. At last an old trail was found and, while it was being opened, Miguel followed it, cutting through the thicket, and he reached the crossing of the road to Piray. On arriving at a creek where we

camped, the three peasants and the little soldier were re-
leased, after I gave them a lecture. Coco went out with
Pablito and Pacho to find out whether Paulino had left
anything in the hole; they should come back tomorrow
night if everything goes well. The little soldier says he is
going to desert.

$h = 1300$ ms.

[19]

WE WENT A SHORT STRETCH to the old camp, and there
we remained. We reinforced watch, waiting for Coco who
arrived at 18:00, announcing that nothing had changed
there; the rifle is in its place and there are no traces of
Paulino. On the contrary, there are many traces of the
passing of troops, and they have also left their tracks in
the part of the road where we are.

The political news is about a tremendous crisis, the
outcome of which cannot be predicted. In the meantime,
the agricultural unions of Cochabamba have formed a polit-
ical party "of Christian inspiration" which supports Barri-
entos who has asked to be "allowed to govern for four
years." It is almost an imploration. Siles Salinas threatens
the opposition by saying that our rise to power will cost the
heads of everyone and clamors for national unity, placing
the country in a state of war. He seems to be imploring on
one side and demagogical on the other; perhaps he is pre-
paring for a substitution.

[20]

WE WALKED CAUTIOUSLY until reaching the first of two
little houses where one of the Paniagua boys and Paulino's
son-in-law were found. They did not know anything about
him, except that the army was looking for him because
he had been our guide. The footprints correspond to a
group of 100 men who had passed a week after we did and
who continued on to Florida. It seems that the army suf-
fered losses of three dead and two wounded in the ambush.
Coco, with Camba, Leon and Julio were ordered to explore
Florida and buy whatever they could find.

They came back at four with some food and a man called Melgar, the owner of two of our horses, who has offered to be of service to us. He brought detailed and quite certain information from which the following could be deducted: four days after our departure Tuma's corpse was discovered, eaten by the animals; the army advanced only the day after the combat and after the appearance of the naked lieutenant. The action of Sumaipata is known in minute detail and with a few things added and is cause for mockery by the peasants; they found Tuma's pipe and a few scattered belongings; a major called Soperna seemed to sympathize with us or to be an admirer; the army reached the house of Coca where Tuma had died and from there went on to Tejeria, returning to Florida. Coco considered using the man to carry the letter, but it seemed more prudent to me to test him first by sending him to purchase some medicine. Megar talked to us about a group that is coming here, in which there is a woman, having learned this in a letter from the mayor of Rio Grande written to the one here. As the man is on his way to Florida, we sent Inti, Coco and Julio to interview him. He denied having news of another group but in general confirmed the statements of the other one. We passed a miserable night because of the water. The radio gave the news of the identification of the corpse of the dead guerrilla as that of Moises Guevara, but Ovando, in a press conference, was very cautious with respect to this and blamed the identification on the Ministry of Interior. The possibility exists that the whole thing is a farce or the supposed identification invented.

h = 680 ms.

[21]

WE SPENT A CALM DAY. A conversation was held with the old man Coca about a cow that he had sold us which was not his, and then he later said that he had not been paid for it. Shortly after that, he emphatically denied the fact. We told him that he had to pay for it.

At night we went to Tejeria, buying a big pig and

chancaca. Inti, Benigno and Aniceto, who are the ones who went there, were received very well.

[22]

WE LEFT EARLY, with a heavy load on the men and the animals, with the intention of misleading everybody about our presence here. We left the road that leads to Moroco and took the one to the lagoon, one or two kilometers to to the south. Unfortunately, we did not know the rest of the way, and we had to send out explorers. In the meantime, Mancilla and the Paniagua boy appeared near the lagoon herding cattle. They were warned not to say anything but now things are very different. We walked a couple of hours sleeping by the edge of a creek which has a trail due southeast, following its course and others less noticeable to the south.

The radio brings the news that the wife of Bustos (Pelao) confirms that he saw me here, but she says he came with other intentions.

h = 640 ms.

[23]

WE STAYED IN THE SAME CAMP while explorations of the two possible trails were being made. One of them leads to the Rio Seco, at a point where the waters of the Piray pour into it and have not yet been absorbed by the sand; that is, between the ambush we set and Florida. The other one leads to a *tapera* some two to three hours away and, according to Miguel, who made the exploration, it is possible to come out at the Rosita from there. Tomorrow we shall take that trail, which could be one of Melgar's, according to the stories that he told Coco and Julio.

[24]

WE WALKED ABOUT THREE HOURS following the explored trail, which made us go over heights of 1000 meters, camping at 940 meters along the shore of a creek. The roads

end here. The whole day tomorrow must be spent looking for the best way out. Here there is a series of *chacos* in production which show their relation to Florida; it could be the place called Canalones. We are trying to decipher a long message from Manila. Raul talked at the graduation of officers of the Maximo Gomez School and, among other things, he refuted the qualifications made by the Czechs in my message on many Vietnams. The friends call me a new Bakunin, regretting the blood spilled and that to be spilled in case of three or four Vietnams.

[25]

WE SPENT THE DAY RESTING, sending three pairs to explore different points with Coco, Benigno and Miguel in charge. Coco and Benigno came out at the same place, and from there it is possible to take the road to Moroco. Miguel reported with absolute certainty that the creek flows into the Rosita, and that it is possible to walk along it opening the trail with a machete.

Two actions are reported, one in Taperas and another one in San Juan del Potrero, which could not have been carried out by the same group, and the unknown factor emerges as to whether it really happened and, if it did, whether the facts are true.

[26]

BENIGNO, CAMBA AND URBANO were commissioned to build a road by the creek that bypasses Moroco. The rest of the personnel stayed in the camp, and the center set an ambush in the rear. Nothing happened. The news of the action in San Juan del Potrero was spread in detail by the foreign radio broadcasts; the capture of 15 soldiers and one colonel, spoils and liberty—our technique. That point is on the other side of the Cochabamba-Santa Cruz back road. At night I gave a short talk on the meaning of the 26th of July; rebellion against oligarchies and revolutionary dogmas. Fidel mentioned Bolivia.

[27]

WE HAD EVERYTHING ready to leave, and the men in ambush had received the order to set it automatically at 11, when Willie arrived—just a few minutes before that time—and announced that the army was there. Willie, Ricardo, Inti, Chino, Leon and Eustaquio went there and carried out the action together with Antonio, Arturo and Chapaco.

This is how it happened: eight soldiers appeared at the top, walked toward the south, followed an old path and returned shooting some mortar shells and signaling with a piece of cloth. Once, the name Melgar was called out; he could be the one from Florida. After resting awhile, the eight little soldiers started the march toward the ambush. Only four fell into it, for the rest were walking slowly; there are three dead for sure and probably a fourth who, if not dead, is wounded. We withdrew without taking their arms and equipment, because it was very difficult, and we took off down the creek. A new ambush was set past the fork of another ravine; the horses advanced as far as the road. My asthma was hard on me and those miserable sedatives are almost used up.

h = 800 ms.

[28]

COCO, TOGETHER WITH PACHO, Raul, and Aniceto were sent to stand guard at the outlet of the river which we believe to be the Suspiro. We walked for a while, opening a trail through a rather closed-in canyon. We camped apart from the vanguard, because Miguel had advanced too fast for the horses, which sank into the sand or suffered because of the stones.

h = 760 ms.

[29]

WE CONTINUED WALKING through a canyon which goes to the south and has good hiding places at the side and is in a zone with plenty of water. At approximately 16 hours, we met Pablito, who told us that we were at the outlet of the

Suspiro, but there was nothing new. I thought for a while that the canyon was not that of the Suspiro, because it runs due south, but on its last turn it runs to the west and flows into the Rosita.

At approximately 16:30 the rearguard arrived and I decided to continue traveling to move away from the outlet. But I didn't allow myself to insist that the men make the necessary effort to reach beyond Paulino's *chaco*. We made camp on the border of the road, a one-hour march from the outlet of the Suspiro. At night I asked Chino to refer to the independence of his country, the 28th of July, and then explained why this camp was badly located, and gave the order to rise at 5 to take Paulino's *chaco*.

Radio Habaña gave the news of an ambush where some numbers of the army fell and were rescued by helicopters, but this report was not heard well.

[30]

MY ASTHMA BOTHERED ME a lot and I was kept awake all night. At 4:30, when Moro was making coffee, he said he could see a beam of light coming across the river. Therefore, he and Miguel, who was also awake for the change of watch, went to arrest whoever was coming. I heard the following dialogue from the kitchen:

"Listen, who goes there?"

"Destacamento Trinidad."

Right then the shooting began and a moment later Miguel brought back an M-1 and a cartridge belt of one of the wounded together with the news that there were 21 men on the way to Abapo and another 150 in Moroco. Other losses were inflicted on them, but they could not be well-defined because of the prevailing confusion. It took a long time to load the horses, and the black one was lost along with an ax and a mortar which had been taken away from the enemy. It was already near 6 and still more time was lost when part of the load fell off. The final result was that the last crossing was made under fire from the little soldiers who had become bold. Paulino's sister was in her *chaco*

147

and she received us calmly, informing us that all the men in Moroco had been arrested and were in La Paz.

I hurried up the men and we left with Pombo, again under fire, for resistance could be organized at the river canyon where the road ends. I sent Miguel, together with Coco and Julio to take a forward position while I spurred on the cavalry. To protect the withdrawal, seven men were left from the vanguard, four from the rearguard and Ricardo, who fell behind to reinforce the defense. Benigno with Dario, Pablo and Camba were on the right side; the rest were coming on the left. I had just given the order to rest, in the first acceptable position, when Camba arrived with the news that Ricardo and Aniceto had fallen crossing the river; I sent Urbano with Ñato and Leon with two horses and sent for Miguel and Julio, leaving Coco as forward watch. They got through without receiving instructions from me.

In a while Camba again came with the news that they had surprised them, together with Miguel and Julio, and that the soldiers had advanced a great deal, and that the former had moved back and waited for instructions. I sent Camba to him again plus Eustaquio and only Inti, Pombo, Chino and I remained. At 13 hours I sent for Miguel, leaving Julio as forward watch, and I withdrew with the group of men and the horses. When I was reaching the height of Coco's post they reached us with the news that all the survivors had appeared; Raul was dead and Ricardo and Pacho wounded.

Things happened this way: Ricardo and Aniceto crossed imprudently through open space, the former being wounded. Antonio organized a firing line and Arturo, Aniceto and Pacho rescued him, but Pacho was wounded and they killed Raul with a shot in the mouth. The withdrawal was made with great difficulty, dragging the two wounded, with little help on the part of Willie and Chapaco, especially the latter. Then Urbano joined them and his group with the horses and Benigno with his men, leaving the other wing through which they advanced ungarrisoned, surprising Miguel. After a strenuous march through the woods, they came out on the river and joined us.

Pacho was coming on horseback, but Ricardo could not ride, and they had to carry him in a hammock. I sent Miguel, with Pablito, Dario, Coco and Aniceto to take the outlet of the first creek, on the right edge, while we cured the wounded. Pacho has a superficial wound that pierces the buttocks and the skin of the testicles, but Ricardo was very seriously wounded, and the last plasma was lost along with Willie's knapsack. At 22:00 Ricardo died, and we buried him near the river in a well-hidden place so the soldiers cannot locate him.

[31]

AT 4, WE LEFT by the river and, after taking a short cut, we moved down-river without leaving any traces. We reached the creek by morning where Miguel was ambushed. He had not understood the order and had left tracks. We walked up-river some four kilometers and entered the woods, erasing our footprints, and camped near a tributary of the creek.

At night I explained the mistakes of the action: 1) The camp was badly located; 2) the wrong use of time which allowed them to shoot at us; 3) excess confidence which caused the wounding of Ricardo and then Raul while rescuing him; 4) lack of determination to save all the impedimenta: 11 knapsacks were lost with medication, binoculars, some confliction equipment like the tape recorder where messages from Manila are copied, Debray's book with my own notes and a book of Trotsky, not to mention the political fortune which the capture means for the government and the confidence it instills in the soldiers.

We calculated two dead and up to five wounded among them, but there are two contradictory news items: one, of the army, acknowledging four dead and four wounded on the 28th, and another from Chile which talks about six wounded and three dead on the 30th. The army gave another dispatch later wherein it announced that a corpse had been taken and that a second lieutenant was out of danger. Of our dead, it is difficult to catalog Raul due to his introspection: he was not much of a fighter or worker,

but it was observed that he was constantly interested in political problems, even though he did not ask many questions. Ricardo was the most undisciplined of the Cuban group and the one with the least determination to face everyday sacrifice, but he was an extraordinary fighter and an old comrade in adventures from the first failure of Segundo, in the Congo and now here. It is another regrettable loss due to his quality. We are 22; two wounded, Pacho, Pombo, and I with my asthma at full steam.

MONTHLY ANALAYSIS: *The negative points, the same as the previous months, continue to be: i.e., the impossibility of making contact with Joaquin or the outside and the loss of men; now there are 22 of us, three being crippled, including myself, and this decreases our mobility. We have had three encounters, including the taking of Sumaipata, causing the army seven dead and ten wounded, which are approximate figures according to confused dispatches.*

We lost two men and one was wounded.

The most important characteristics are:

1) The total lack of contact continues.

2) The lack of incorporation of the peasants continues to be felt, although there are some encouraging signs in the reception given to us by old peasant acquaintances.

3) The legend of the guerrilla is acquiring continental dimensions; Ongania closes the border and Peru takes precautions.

4) Failure in the attempt to make contacts through Paulino.

5) The morale and the fighting experience of the guerrilla increase with each combat; Camba and Chapaco remain weak.

6) The army keeps on without making head or tail of the situation, but there are units which seem to be more combative.

7) The political crisis in the government increases, but the U.S.A. is giving small credits which are a great help on the Bolivian level and contribute to ease the discontent.

The most urgent tasks are: to reestablish the contacts, incorporate fighters and obtain medicine.

AGOSTO, 1967

[1]

A QUIET DAY, Miguel and Camba started the trail but only advanced a little over one kilometer due to the difficulties of the terrain and the vegetation. We killed a sly colt which should give us meat for five to six days. The small trenches to set an ambush were built in case the army should come around. If they should come tomorrow or the day after, the idea is to let them go by; if they don't discover the camp, to shoot them later on. h = 650 ms.

[2]

THE TRAIL SEEMS TO HAVE ADVANCED well thanks to Benigno and Pablo who have followed it. It took them almost two hours to come back and reach the camp from the end of the road. They haven't given any news about us on the radio, since they announced the transfer of the corpse of an "anti-social one." My asthma struck me very hard and I have already used up the last anti-asthmatic injection; there is nothing left but tablets for about ten days.

[3]

THE ROAD TURNED OUT to be a fiasco; Miguel and Urbano took 57 minutes to return today; they advanced very slowly. There is no news. Pacho is recovering very well, but I, on the contrary, am ill. The day and the night were hard on me and a quick recovery is nowhere in sight. I tried the intravenous injection of novocaine to no avail.

[4]

THE MEN CAME TO A CANYON which takes a course due southwest and may flow into the creeks which go into the Rio Grande. Tomorrow two pairs will cut the underbrush

and Miguel will climb our canyon to explore what seems to be old *chacos*. My asthma has improved some .

[5]

BENIGNO, CAMBA, URBANO AND LEON divided themselves into pairs to make better progress, but they came to a creek that flows into the Rosita and so today continued cross-country. Miguel went to explore the *chaco* but did not find it. We finished the horsemeat; tomorrow we shall try fishing, and the day after tomorrow we shall slaughter another animal. Tomorrow we will go as far as the new watering place. My asthma was implacable. Despite my reluctance for separation, I will have to send a group in advance. Benigno and Julio offered to be volunteers. Ñato's position needs to be examined.

[6]

THE TRANSFER OF THE CAMP was made; unfortunately there were not three hours on the road but one; which shows that we still have far to go. Benigno, Urbano, Camba and Leon continued breaking through, while Miguel and Aniceto went out to explore the new creek as far as its junction with the Rosita. By night they had not returned, and therefore precautions were taken, more so because I had heard something like a faraway mortar shot. Inti, Chapaco and I said a few words referring to today. Bolivian Independence Day. h = 720 ms.

[7]

AT 11 IN THE MORNING I had given up Miguel and Aniceto for lost, having ordered Benigno to advance cautiously as far as the outlet into the Rosita and study the direction they took, if they had gone that far. However at 13 the missing ones appeared. They had simply met with difficulties on the way, and night overtook them before reaching the Rosita. It was a bitter pill that Miguel made me swallow. We remained in the same place, but the trailbreakers found an-

other creek, and tomorrow we shall move to it. Today our old horse Anselmo died. Now the only one we have left is our horse of burden. My asthma continues the same, and I am running out of medicine. Tomorrow I shall make a decision to send a group to the Ñacahuasu. Today marks exactly nine months since our arrival and the constitution of the guerrilla. Out of the first six, two are dead, one has disappeared and two are wounded; I have asthma which I do not know how to stop.

[8]

WE WALKED EFFECTIVELY something like an hour, which seemed more like two to me due to the weariness of the little mare. In a moment of temper, I struck her in the neck with a whip, wounding her badly. The new camp must be the last one with water until the arrival at the Rosita or the Rio Grande; the *macheteros* are 40 minutes from here (two to three kilometers). A group of eight men were assigned to fulfill the following mission: they are to leave here tomorrow to walk all day long; the next day Camba should return with the news about whatever has happened; on the day after. Pablito and Dario should return with the news of that day. The remaining five will keep on until they reach Vargas' house and from there Coco and Aniceto should return with the news about how things are. Benigno, Julio and Ñato will go as far as the Ñacahuasu to look for my medicine. They should move with great care to avoid ambushes; we shall follow them and the points of meeting will be: the house of Vargas or further up, according to our speed, and the creek that is facing the cave in the Rio Grande, the Masicuri (Honorato) or the Ñacahuasu. The army announced that they have discovered a deposit of arms in one of our camps.

At night I brought everybody together and gave them the following lecture: we are in a difficult situation; Pacho has gotten better today but I am just a human carcass, and the episode of the little mare proves that at some moments I have lost control; that will be modified, but the situation

153

must weigh squarely on everybody and whoever does not feel capable of sustaining it should say so.

It is one of those moments when great decisions must be taken; this type of struggle gives us the opportunity not only to turn ourselves into revolutionaries, the highest level of the human species, but it also allows us to graduate as men; those who cannot reach either one of these two stages should say so and leave the struggle.

All of the Cubans and some of the Bolivians expressed their desire to continue to the end; Eustaquio did the same but also criticized Muganga because he carried his knapsack on the mule instead of wood for fuel which provoked an angry reply from the latter; Julio chastized Moro and Pacho because of similar things, and there was a new angry answer, this time from Pacho. I finished the discussion by saying that there were two things being debated here of very different categories: one was whether the will to continue exists or not; the other deals with little grudges or internal problems of the guerrilla which wrests greatness from such a major decision. I did not like the questions raised by Eustaquio and Julio, but neither did I like the answers of Moro and Pacho. The essence is to be more revolutionary and set the example.

[9]

THE EIGHT EXPLORERS LEFT in the morning. The *macheteros*, Miguel, Urbano and Leon continued some 50 minutes more away from the camp. They opened an anthrax in my heel, which permits me to set my foot on the ground, but it is still very painful and feverish. Pacho is very well.

[10]

ANTONIO AND CHAPACO went out to hunt and caught an *urina* or *guaso* and a turkey; they explored the first camp where there was nothing new but brought a load of oranges. I ate two and immediately I had a slight asthmatic reaction. At 13:30 Camba arrived, one of the eight, with the following news: yesterday they slept without water and

they continued until 9 today, still without finding any. Benigno had already explored the place and he was continuing towards the Rosita to obtain water. Pablo and Dario are to return only in case they reach the water.

There was a long speech by Fidel in which he assails the traditional parties, and, above all, the Venezuelan; it seems that the quarrel behind the scenes was great.

They again cured my foot. I'm improving, but I am not well. Notwithstanding that, tomorrow we must depart to bring our base closer to the *macheteros* who advanced only 35 minutes today.

[11]

THE MACHETEROS ADVANCED VERY SLOWLY. At 16 hours Pablo and Dario arrived with a note from Benigno in which he announced that he is near the Rosita, and he figures that it is three days more to Vargas' house. At 8:15 Pablito left the watering place where they spent the night and at approximately 15 he met Miguel, so they still have a long way to go before reaching the place. It seems that the turkey did not agree with me, for I had a slight asthmatic reaction, and so I made a present of it to Pacho. We changed camps in order to locate ourselves in a new creek that disappears at noon and reappears at midnight. It rained but it is not cold. There are many *marigüi*.

h = 740 ms.

[12]

A GRAY DAY. The *macheteros* advanced a little. Here, there was nothing new and neither was there much food; tomorrow we shall kill another horse which should last six days. My asthma is not so bad. Barrientos announced the decline of the guerrillas and again threatened with an intervention in Cuba; he was as stupid as he always is.

The radio announced a combat near Monteagudo, resulting in one dead on our part: Antonio Fernandez, of Tarata. It sounds like the real name of Pedro, who is from Tarata.

[13]

MIGUEL, URBANA, LEON AND CAMBA left in order to camp at the watering place discovered by Benigno and to advance from there. They took with them chunks of Pacho's horse slaughtered today, enough to last them about three days. Four animals are left and everything seems to indicate that it will be necessary to kill another one before suppertime. If all goes well, Coco and Aniceto should arrive here tomorrow. Arturo hunted two turkeys which were given to me because there is hardly any corn left.

Chapaco keeps showing more signs of becoming unbalanced. Pacho improves at a good rate, but my asthma has become worse since yesterday; now I take three tablets a day. My foot is almost well.

[14]

A BLACK DAY. It was gray as to the activities and there was nothing new, but at night the radio announcer gave reports about the taking of the cave which our messengers were to go to, with details so precise that it is not possible to doubt it. Now I am doomed to suffer asthma for an indefinite time. They also took all types of documents and photographs of every type. It is the hardest blow they have ever given us; somebody talked. Who? That is what we don't know.

[15]

EARLY IN THE MORNING, I sent Pablito with a message to Miguel that he should take two men to fetch Benigno, provided Coco and Aniceto had not arrived, but he met them on the road and so the three came back. Miguel sent word that he would stay where the night overtook him and asked for some water. Dario was sent with the warning that early tomorrow we should by all means leave, but he came across Leon coming to tell us that the road was completed.

A radio broadcasting station in Santa Cruz mentioned

that two men from the Muyupampa group were taken prisoners by the army. Now no doubt remains that this is Joaquin's group. They must be very harassed and, on top of that, those two prisoners talked. It was cold but I did not have a bad night; another abscess in the same foot must be cut open. Pacho already has been declared cured.

Another clash in Chuyuyako was announced, without any losses on the army's side.

[16]

WE WALKED ON A RELATIVELY GOOD ROAD for 3.40 hours and then rested for another hour. My mule neatly threw me off my saddle after being hurt by a stick, but nothing happened to me. My foot is getting better. Miguel, Urbano and Camba continued using the machetes and reached the Rosita. Today was the day on which Benigno and his comrades should have reached the cave and the airplanes flew over the zone several times. It could be due to some evidence they had left near Vargas or to a troop coming down the Rosita or advancing along the Rio Grande. At night I warned the people about the danger of the crossing and we took the necessary precautions for tomorrow.
h = 600 ms.

[17]

WE LEFT EARLY REACHING the Rosita at 9. There Coco thought he heard a couple of shots and an ambush was set, but nothing happened. The rest of the way was slow because of being continuously lost due to misinterpretations, and on reaching the Rio Grande at 16:30 we camped there. I thought we should take advantage of the moon, but the men were very tired. We have enough rationed horsemeat for two days and I have *mote* for one. We will have to do some slaughtering, the way it looks. The radio announced that it would present documents and proof of the four caves of the Ñacahuasu, which indicates that the monkey cave was also found. My asthma is treating me rather well, considering the circumstances.

h = 640 ms. (illogical, if it is taken into account that yesterday it was 600).

[18]

WE LEFT EARLIER than usual, but we had to ford the creek four times, one of them being rather deep, and also had to open trails in some places. Because of all this we arrived at the creek at 14 hours and the men were dead tired. There was no more activity. There are clouds of *nibarigüisis* in the zone and the nights are still cold. Inti told me that Camba wants to leave; according to him, his physical condition does not permit him to keep on, and besides he does not see any future in it. Naturally, it is a typical case of cowardice and it would be healthier to let him go, but since he already knows our future route to try to join Joaquin, he cannot leave. Tomorrow I will talk with him and Chapaco.

h = 680 ms.

[19]

MIGUEL, COCO, INTI AND ANICETO went out to explore to try to find a better road to Vargas' house where we think there is a detachment, but there was nothing new, and it looks like we must follow the old trail. Arturo and Chapaco went out hunting and got an *urina* and Arturo, while standing watch with Urbano, shot an elk and this created tension in camp because seven shots were fired. The animal will provide meat for four days, and the *urina* for another, and there is a reserve of beans and sardines; in all, food for six days. It looks like the white horse that is the next on the list, has an opportunity to be saved. I talked with Camba, telling him that he could not leave until after we take our next step which is the meeting with Joaquin. Chapaco said that he would not leave because that is cowardice, but that he wants some hope of being able to leave after six months or one year, and so I gave it to him. He talked about a series of unconnected things. He is not well.

The news is all about Debray. There is nothing said about the others. No news from Benigno; he could be here already.

[20]

THE MACHETEROS, MIGUEL AND URBANO, and my "public works department," Willy and Dario, advanced only a little and because of this we resolved to stay right here another day. Coco and Inti had no luck, but Chapaco hunted a monkey and an *urina*. I ate *urina* and at midnight I had a strong attack of asthma. El Medico continues to be sick, apparently with lumbago, and his condition has turned him into an invalid. There is no news from Benigno, and as of now there is reason to be worried.

The radio announces the presence of guerrillas 85 kilometers from Sucre.

[21]

ANOTHER DAY IN THE SAME PLACE and another day without news from Benigno and his comrades. Five monkeys were shot by Eustaquio and one by Moro. The latter's lumbago is still bad, and he was injected with meperidina. My asthma doesn't get along with the *urina*.

[22]

FINALLY WE MOVED, but before that there was an alarm because a man was seen who apparently was fleeing along the beach; it turned out to be Urbano, lost. I gave local anesthesia to El Medico, and with this he could travel on the mare, although he arrived in pain. He seems a little better. Pacho made the trip on foot. We made camp on the right hand side, and only a little more clearing has to be done to prepare the way to Vargas' house. There is elk meat left for tomorrow and the day after, but from tomorrow on hunting won't be possible. There is no news from Benigno; it's been ten days since they separated from Coco. h = 580 ms.

[23]

THE DAY WAS VERY LABORIOUS, for a very bad cliff had to be skirted; the white horse refused to go ahead and they left him sunk in the mud without even taking advantage of his bones. We came to a hunting cabin with signs of having been inhabited recently; we set an ambush and in a little while two fell. Their alibi was that they had set ten traps and that they had gone out to examine them. According to them, there are troops in Vargas' house, in Tatarenda, Caraguatarenda, Ipita and Yamon. A couple of days ago there was a clash in Caraguatarenda and one soldier was wounded. This could be Benigno driven by hunger or the encirclement. The men announced that the army would come to fish tomorrow, and that they would come in groups of 15-20 men. Elk and a few fish caught with a bag were distributed; I ate rice, which agreed with me very well; El Medico is a little better. The postponement of the trial of Debray was announced for September.

h = 580 ms.

[24]

THE REVEILLE today was at 5:30 and we went toward the ravine we expected to follow. The vanguard started the march, and we had walked a few meters when three peasants appeared on the other side. Miguel was called with his men and everybody was ambushed. Then eight soldiers appeared. The instructions were to let them cross the river by way of the ford which is in front and shoot at them when they were approaching, but the soldiers didn't cross; they just made a few turns and passed in front of our rifles, and we didn't shoot at them. The civilians taken prisoners claimed to be hunters. Miguel and Urbano, along with Camba and Dario and Hugo Guzmán, the hunter, were sent to follow a trail that runs a course due west, but we don't know where it leads. We remained ambushed all day. At dusk the *macheteros* came back with the traps, having caught a condor and a putrid cat. Everything was eaten

160

including the piece of elk, all we have left is beans and whatever else may be hunted.

Camba is reaching the limit of moral degradation; he already trembles at the very thought of the soldiers. El Medico continues to be in pain and taking talamonal; I am quite well but ravenously hungry. The army gave a dispatch saying that they had taken another cave and that there are two slightly wounded on their part "guerrilla casualties." Radio Habaña gave news of an unconfirmed combat in Taperias with one wounded on the army's side.

[25]

THE DAY PASSED without anything new. Reveille was at 5 and the *macheteros* went out early. Seven soldiers came within a few steps of our position but they did not attempt to cross. They seem to be calling the hunters with their shots; tomorrow we shall attack them, should the occasion arise. We did not continue the trail. Miguel ordered making contact with Urbano who transmitted it incorrectly and at a time when nothing could be done.

The radio announced a combat at Monte Dorado, which seems to be under the jurisdiction of Joaquin, and the presence of guerrillas within three kilometers from Camiri.

[26]

EVERYTHING WENT WRONG; the seven came but they divided up, five going down river and two crossed. Antonio, who was responsible for the ambush, shot ahead of time and missed, permitting the two men to flee and call for reinforcements. The other five withdrew on the run. Inti and Coco ran after them but they went behind parapets and fired back at them. Observing the hunting I saw how the bullets strafed around them, due to shots from our side. I ran out and found that Eustaquio was shooting at them, because Antonio had not wanted him. I was so furious that I lost control of myself and ill-treated Antonio.

We left slowly because of El Medico, while the army,

recovered, was advancing along the island in front of us in numbers of 20-30. It was not worth our while facing them. They may have two wounded, at most. Coco and Inti distinguished themselves by their decision. Everything went well until El Medico was exhausted and began to delay the march. At 18:30 we stopped without having reached Miguel, who was, nevertheless, a few meters away and made contact with us. Moro remained in a ravine without being able to climb the last stretch and we slept divided into three groups. There are no signs of pursuit.

h = 900 ms.

[27]

THE DAY WAS SPENT in a desperate search for a way out, which has not been found yet; we were near the Rio Grande and we had already passed Yumon, but there were no new fords according to the reports, so the only thing to do was to skirt Miguel's cliff. But this was impossible on account of the mules. There is a possibility of crossing a small range of mountains and then continuing towards Rio Grande-Masicuri, but not till tomorrow shall we know if it is feasible. We have crossed over heights as high as 1300, approximately the highest of the zone, and we slept at 1240 meters in the cold. I am quite well, but El Medico is rather ill, and the water has been used up, only a little remains for him.

The good news or the best event, was the appearance of Benigno, Ñato and Julio. Their odyssey was great because there were soldiers in Vargas and Yumon and they almost clashed with them. Then they followed some troops that went down the Saladillo and came up the Ñacahuasu, and they found that the Congri creek has three ascents made by the soldiers. The Oso cave, where they arrived at 18 hours, is an anti-guerrilla camp which quarters about 150 soldiers. They were almost taken by surprise there but succeeded in returning without being seen. They were in grandfather's *chaco*, where they obtained *jocos*, the only thing that there was, for everything has been abandoned. They went by the soldiers again, hearing our shooting and stayed to sleep nearby in order to follow our tracks until they reached us.

According to Benigno, Ñato behaved very well, but Julio got lost twice and he was a little afraid of the soldiers. Benigno is of the opinion that some of Joaquin's people were around there a few days ago.

[28]

A GRAY DAY and full of anguish. We quenched our thirst with cakes of *caracari,* which just fool the throat. Miguel sent Pablito alone with one of the hunters to look for water, and to make it worse, had only a small revolver. At 16:30 he had not arrived and I sent Coco and Aniceto to look for him; they did not return the whole night. The rearguard remained at the resting place so the radio could not be heard; there seems to be a new message. At last we slaughtered the little mare, after having accompanied us for two painful months; I did everything possible to save her, but hunger was growing more intense, and, at least, now we only suffer from thirst. It looks like we shall not reach water tomorrow either.

The radio gave the information of a wounded soldier in the Tatarenda zone. What I would like to know is: Why, if they are so scrupulous in announcing their losses, would they lie in the rest of their dispatches? And, if they do not lie, who are the ones causing them losses in such far off places as Caraguatarenda and Taperillas? This could only be so if Joaquin's group has been divided into two parts or if new independent groups exist.

h = 1,200 ms.

[29]

AN UNPLEASANT DAY and quite full of anguish. The *macheteros* advanced very little and on one occasion took the wrong route believing they were going toward the Masicuri. We pitched camp at 1600 meters in a relatively humid place which has some small cane, the pulp of which quenches the thirst. Some of the comrades, Chapaco, Eustaquio and Chino, are falling to pieces from the lack of water. To-

morrow it will be necessary to go straight towards the place where the water is. The muleteers endure quite well.

By radio there was no big news; the most important thing being the trial of Debray which keeps being postponed from one week to the next.

[30]

THE SITUATION WAS BECOMING anguished; the *macheteros* were suffering fainting spells. Miguel and Dario were drinking their own urine and Chino was doing likewise, with the ominous results of diarrhea and cramps. Urbano, Benigno and Julio went down a canyon and found water. They sent word to me that the mules could not come down and I decided to stay with Ñato, but Inti came up again with water and the three of us stayed there eating mare meat. The radio remained below so that there was no news.

h = 1,200 ms.

[31]

IN THE MORNING, Aniceto and Leon went out to explore down below, returning at 16 hours with the news that from there on there was passage for the mules from the camp to the watering place. I studied this and found that the worst part came first and the animals did have the possibility of passing, so I ordered Miguel to make a short cut for us on the last cliff tomorrow and to continue on the path ahead, and said that we would bring the mules down. There is a message from Manila but it could not be copied.

SUMMARY OF THE MONTH: *It was, without any doubt, the worst month we have had since the war started. The loss of all the caves containing the documents and medicine is a hard blow, above all psychologically. The loss of two men at the end of the month and the subsequent march on horsemeat demoralized the men and provoked the first case of giving up, Camba, which would be advantageous under different circumstances, but not under these. The lack of contact with the outside, with Joaquin and the fact that*

164

prisoners taken from him have talked, also demoralized the troop a little. My illness caused uncertainty in several others and all this was reflected in our only encounter, in which we should have caused several enemy losses but only wounded one. On the other hand, the difficult march through the mountains without water brought out some negative aspects of the men.

The most important characteristics:

1) We continue without contacts of any kind and without reasonable hope of establishing them in the near future.

2) We continue without any incorporation on the part of the peasants, logical to understand if we take into account the little contact we have had with them in recent times.

3) There is a lowering of the fighting morale; I expect that it be momentary.

4) The army does not increase its effectiveness nor its combativeness.

Our morale and revolutionary legend have reached a new low. The most urgent tasks continue to be the same as those of last month, i.e., to restablish in the contacts; to incorporate fighters, to supply ourselves with medicine and equipment.

It should be taken into accoun that Inti and Coco excel ever more firmly as revolutionary and military cadres.

SEPTIEMBRE, 1967

[1]

EARLY IN THE MORNING we brought down the mules, after some incidents which included a spectacular fall into the gorge by one of them. El Medico has not recovered, but I have, and walk perfectly well leading the mule. The trail was longer than expected and not till 18:15 did we realize that we were at the creek at Honorato's house. Miguel continued at full speed but had only reached the main road by the time it was completely dark. Benigno

and Urbano advanced cautiously and did not notice anything abnormal; they occupied the empty house noticing that it had been enlarged with several barracks for the army, which had abandoned it for the present. We found corn meal, lard, salt. We killed two goats and had a banquet together with the corn meal, although the cooking made us spend all night on guard. In the early morning we withdrew, leaving a sentry at the little house and at the entrance to the road.

h=740

[2]

EARLY IN THE MORNING we withdrew as far as the *chacos*, leaving an ambush set in the house made up of Coco, Pablo and Benigno with Miguel in charge. On the other side a sentry remained. At 8 Coco came to warn us that a muleteer had stopped to look for Honorato; there were four and he was ordered to let the other three pass. All this took time because it was an hour from our point to the house. At 13:30 several shots were heard, and later it was learned that a peasant was coming with a soldier and a horse; Chino, who was on sentry duty together with Pombo and Eustaquio, shouted: "a soldier" and cocked his rifle; the soldier shot at him and ran away and then Pombo shot, killing the horse. My reaction was spectacular, as this was the limit of incompetence. Poor Chino was overwhelmed.

We freed the four, who had passed in the meantime, plus our two prisoners, sending everybody up the Masicuri. A yearling was bought from the muleteers for $700 and Hugo was given $100 for his work and $50 for some things that were taken from him. The horse that was killed turned out to be one that had been left in Honorato's house because it was crippled. The muleteers said that Honorato's wife had complained about the army because they had beaten her husband and eaten everything they had. When the muleteers went by, eight days ago, Honorato was in Valle Grande recovering from a tiger bite. Anyway, there had been somebody in the house, as a fire had been found burning when we arrived.

Due to Chino's mistake I decided to leave at night by the same route as the muleteers and to try to reach the first house, assuming there were few soldiers there and that they continued to withdraw. We left very late and crossed the ford at 3:45 hours without finding the house and later sleeping on a cow trail waiting for daybreak.

We heard disagreeable news on the radio about the liquidation of a group of ten men led by a Cuban called Joaquin in the zone of Camiri; however, the news was broadcast by the Voice of America and the local stations have said nothing.

[3]

SINCE TODAY IS SUNDAY, there was a clash. At dawn, we looked down the Masicuri to its outlet and then we went a short distance up the Rio Grande; at 13 hours Inti, Coco, Benigno, Pablito, Julio and Leon went out to try to reach the house and, if the army was not there, to buy the merchandise which makes life more pleasant. First the group captured two farm hands, who said that neither the owner nor the soldiers were there and that plenty of food could be obtained. Other information was that yesterday five soldiers went galloping by without stopping at the house. A couple of days ago, Honorato went to his house with two of his sons. On reaching the house of the land-owner, they found that 40 soldiers had just arrived, resulting in a confusing encounter in which our men killed at least one soldier, the one who had brought along a dog. The soldiers reacted by surrounding them, but later withdrew because of the shouting; not even one grain of rice could be taken. The airplane flew over the zone and shot some small rockets, apparently over the Ñacahuasu. Other information from the peasants was that around this zone they had not seen guerrillas, and the first information that they had received was from the muleteers who had passed by yesterday.

Once more the Voice of the United States gave information about a combat with the Army and this time it mentioned Jose Carrillo as the only survivor of a group of ten

men. Since this Carrillo is Paco, one of the drifters, and the liquidation occurred at Masicuri, everything seems to indicate that it is a phony story.
h=650

[4]

A GROUP OF EIGHT MEN under the command of Miguel were ambushed on the road from Masicuri to Honorato until 13 hours without anything happening. Meanwhile, Ñato and Leon were struggling to bring a cow, but later two magnificent tamed oxen were obtained. Urbano and Camba walked about ten kilometers up-river; they had to cross four fords, one of which is somewhat deep. The yearling was killed and volunteers were solicited to make an incursion to look for food and information: Inti, Coco, Julio, Aniceto, Chapaco and Arturo were selected, under the command of Inti. Pacho, Pombo, Antonio and Eustaquio also offered to go. The instructions to Inti were to reach the house in the early morning, observe the movements and obtain all the supplies if there were no soldiers. If there were soldiers, they should surround it and move forward, and try to capture one, remembering that the fundamental thing was not to suffer losses and that the greatest of caution was to be recommended.

The radio gives the news of one dead in Vado del Yeso in a new clash, near where the group of ten was liquidated, which makes it seem that the information on Joaquin is a farce. On the other hand, they gave all the evidence that Negro, the Peruvian doctor, had died in Palmarito and had been transferred to Camiri. His identification was made by Pelao. It looks like this is indeed a real death; the others may be fictitious or members of the drifters. Anyway, the tone of the dispatches, which now are transferred to Masicuri and Camiri, is strange.

[5]

THE DAY PASSED WITHOUT ANYTHING NEW, but waiting for the results. At 4:30 the group returned, bringing a mule

and some merchandise. In the house of Moron, the planter, there were soldiers who were on the brink of discovering the group by using dogs. By the looks of it, they move by night. They surrounded the house and were cutting through the woods as far as Montaño's house, where there was nobody, but there was some corn of which 100 pounds was brought. At approximately 12 they crossed the river and came upon the two houses on the other side. Everybody escaped from one house and the mule was requisitioned there; in the other there was very little collaboration and it was necessary to resort to threats. The information they gave was that until now they had not seen any guerrillas except for the group that went to Perez' house before the carnival (us). They returned by day and waited until the night to by-pass Moron's house. Everything was going perfectly, until Arturo got lost and went to sleep on the trail, therefore losing two hours looking for him. They have left some footprints that could be tracked down, if the cattle do not wipe them out, along with a few things fallen by the roadside. The spirit of the men changed at once. The radio reports that the dead guerrillas could not be identified but that there would be news at any moment. A message received was entirely deciphered. It said that OLAS was a triumph but that the Bolivian delegation was a pile of shit; Aldo Flores of the B.C.P. pretended to be the representative of the E.L.N., but he was proven to be a liar. They have asked that one of Kolle's men go for discussion. Lozano's house was raided and he is underground; he thinks that they could exchange Debray. That is all. Evidently, they did not receive our last message.

[6]

BENIGNO

Benigno's birthday looked promising; in the early morning we made corn meal with what was brought and drank some *mate* with sugar. Then Miguel, commanding eight men went into ambush while Leon caught one more yearling to take along. Since it was rather late, a little past 10 and they had not returned, I sent Urbano to warn them

that at 12 they should suspend the ambush. A few minutes later a shot was heard, then a short burst of gunfire and one shot was heard in our direction. When we were taking positions, Urbano came running; he had clashed with a patrol which was bringing dogs. With nine men on the other side, and not knowing their exact location, I was desperate: the path was improved without reaching the border of the river and in this way it was possible to send Moro, Pombo and Camba with Coco.

I intended to transfer the knapsacks and to keep contact with the rearguard, if they allowed me, until they were reincorporated in the group, which, on the other hand, faced the possibility of falling into ambush. However, cutting through the woods Miguel returned with all his men. What happened was this: Miguel advanced without leaving any sentry on our path and dedicated himself to look for cattle. Leon heard the barking of a dog and Miguel decided to go back just in case; at that moment they heard the shots and noticed that a patrol had passed by a trail between them and the woods, and that they already were ahead of them; then they cut through the woods. We withdrew with ease, with the three mules and the three heads of cattle and crossed four fords, two of them of strong current, then made camp about seven kilometers from the former. We slaughtered a cow, eating sumptuously. The rearguard reported that prolonged shooting was heard in the direction of the camp, with heavy machine gun fire.

h=640

[7]

SHORT TRAIL. Only one ford was crossed and then we encountered difficulties due to the cliffs, so Miguel decided to make camp and wait for us. Tomorrow we will make better explorations. The situation is the following: the aviation is not looking for us around here, despite having reached the camp, and the radio reported that I am the chief of the group. The question is: Are they afraid? It is not very probable. Do they consider the ascent impossible? With the experience of what we have done and what they

know, I don't think so. Do they want to let us advance and wait for us at some strategic point? It is possible. Do they believe that we will insist on the zone of Masicuri to obtain our supplies? This is also possible. El Medico is much better, but I had a relapse and I could not sleep all night long.

The radio gives the news about the valuable information given by Jose Carrillo (Paco); it is necessary to punish him as an example. Debray refers to the imputations of Paco against him, saying that he was seen with a rifle because he went hunting at times. Radio Cruz del Sur announces finding the corpse of Tania, the guerrilla fighter, on the shores of the Rio Grande; it is news that does not have the aspects of veracity as does the report about Negro. According to this broadcasting station, her corpse was taken to Santa Cruz, but not according to Altiplano's.

h=720

I talked to Julio; he is very well but he feels the lack of contact and of the lack of incorporation of the people.

[8]

A QUIET DAY. From morning till night ambushes of eight men were set under the command of Antonio and Pombo. The animals ate well in a *chuchial* and the mule is recovering from her blows. Aniceto and Chapaco went to explore up-river and came back with the news that the road was relatively good for the animals; Coco and Camba crossed the river with the water up to their chests and climbed up a hill in front, but without acquiring any new information. I sent Miguel out with Aniceto and the result of a longer exploration is that, according to Miguel, it will be very difficult to get the animals through. Tomorrow we shall insist on this side, since the possibility always exists that the animals could pass unloaded through the water.

The radio gave the information that Barrientos had been present at the burying of the remains of Tania, the guerrilla fighter, who was given a "Christian burial," and then he went to Puerto Mauricio, where Honorato's house is.

He made a proposal to the deceived Bolivians who had not been paid the promised salaries, saying that if they go with their hands upon their foreheads to the army posts no measures will be taken against them. A small airplane bombed from Honorato on down so as to make a demonstration for Barrientos.

A Budapest daily criticizes Che Guevara, a pathetic and apparently irresponsible figure. It hails the Marxist attitude of the Chilean Party which assumes practical attitudes in the face of practice. How I would like to take power if only to unmask cowards and lackeys of every kind and rub their noses in their own dirty tricks.

[9]

MIGUEL AND ÑATO went out to explore, coming back with the news that it is possible to pass but that the animals will have to cross swimming; the men have fords. There is a rather large creek on the left shore where we will make the camp. The ambushes were still made up of eight men with Antonio and Pombo in charge. There was nothing new. I talked with Aniceto; he seems to be very firm, although he thinks that there are several Bolivians who are weakening. He complains of the lack of political work on the part of Coco and Inti. We finished the cow, of which only the four legs remain for broth in the morning. The only news on the radio is the suspension of the trial of Debray until the 17th of September, at least.

[10]

A BAD DAY. It began under good signs, but then the animals got balky because the road was so bad. Finally the mule remained because he would not walk, and we had to leave him on the other side. The decision was taken by Coco due to a quick rise of the river, but four weapons, among them those of Moro and three anti-tank shells for Benigno's arm, remained on the other side. I crossed the river swimming with the mule but I lost my shoes and now I have only brogues, a thing that does not make me happy at all.

172

Ñato made a bundle with his clothes and weapons wrapped in an oil cloth, and jumped in when the rising waters were wild, losing everything in the crossing. The other mule got stuck and jumped in to cross by herself, but it was necessary to bring her back because there was no passage, and on attempting a new crossing with Leon, he and the mule were almost drowned for the rushing waters had arrived. Finally all of us reached our goal which was the creek, but El Medico was in very bad shape, complaining later about the neuralgia in his limbs all night. Up to now our plan had been to make the animals swim to the other side, but with the rising waters that plan has to be interrupted, at least until the river has gone down. Besides, airplanes and helicopters have been flying over the zone; I do not like the helicopters at all, for they could be leaving ambushes on the river. Tomorrow explorations will be sent out up-river and up-creek to try to find out our exact position.

h=780 meters. Road=3-4 kilometers.

I almost forgot to emphasize the fact that today, after something like six months, I bathed. It constitutes a record that several are already reaching.

[11]

A QUIET DAY. The explorers went up-river and up-creek; those up-river returned at dusk with the news that very probably it can be crossed when it goes down, and there are beaches on which the animals can walk. Benigno and Julio went to make an exploration of the creek, but it was very superficial and by 12 they had returned. Ñato and Coco, supported by the rearguard, went to look for the things left behind, crossing the mule and leaving only a bundle with the belts for the machine gun bullets.

There was a disagreeable incident in which Chino came to tell me that Ñato had roasted and eaten a whole fillet in front of him; I was mad as hell at Chino for he should have prevented it, and after investigation, the matter became more complicated for it could not be determined whether or not Chino had permitted him to do it. Chino asked to

173

be substituted and I again appointed Pombo to the position. Even so, for Chino it was a bitter pill.

The radio gave the news in the morning that Barrientos asserted that I had been dead for a long time and everything was propaganda. At night they spoke of an offering of $50,000 ($4200 U.S.) for data that could facilitate my capture dead or alive. It looks like the armed forces gave him a *sorepate*. Probably they threw leaflets over the area describing me. Requeteran says that Barrientos' offer may be considered psychological since the tenacity of the guerrillas is well-known as is the fact that they are preparing for a prolonged war.

I talked a long time with Pablito. As is everyone, he is worried by the lack of contact, and he considers that our main task is to reestablish it with the city. However, he proved to be firm in his decision of *Patria o Muerte* till the end.

[12]

THE DAY BEGAN WITH A TRAGIC-COMIC episode: just at 6, the hour of reveille, Eustaquio came to announce that people were coming along the creek. He called us to arms and everybody was mobilized. Antonio had seen them, and when I asked him how many there were, he showed his five fingers. At the end, it turned out to be an hallucination, dangerous for the morale of the troop, for right away they began to talk about psychosis. Then I talked with Antonio and, evidently, he is not normal; tears welled up in his eyes but he denied that he was worried and said that only the lack of sleep was affecting him, because he has had extra duty for six days due to the fact that he went to sleep on the post and then denied it. Chapaco disobeyed an order and was also sanctioned to three days' extra duty. At night he asked me to change him to the vanguard for, according to him, he is not congenial with Antonio but I refused to do it. Inti, Leon and Eustaquio left to explore the creek to see if it were possible to cross over to the other side of a great range that can be seen far away. Coco, Aniceto, and Julio went up-river to try to

explore the fords and find a way to take the animals in case we go through there.

It appears that Barrientos' offer has provoked some sensation. In any case, a merciful newspaperman was of the opinion that $4200 U.S. was little money considering my being so dangerous. Radio Habaña reported that OLAS had received a message of support from the E.L.N.; my achievements in telepathy.

[13]

THE EXPLORERS RETURNED: Inti and his group spent all day up-creek; they slept at a rather high altitude and it was quite cold. The creek apparently springs from a range that is in front and runs due north; it does not offer passage for the animals. Coco and his comrades tried unsuccessfully to cross the river; they skirted 11 cliffs before reaching the canyon of what must be La Pesca River, where there were signs of life; burned *chacos* and an ox; the animals must cross to the other side, unless all of us can make it on the raft together, which is what we shall try to do.

I have talked to Dario, raising the question of his leaving, if he so desires. First he answered that to leave was very dangerous but I warned him that this is not a refuge and if he decides to stay it is for once and for all. He said yes and that he would correct his defect. We shall see.

The only news on the radio was that Debray's father had been shot at, and that from his son they had abducted all the documents preparatory to his defense, using the pretext that they do not want it to be turned into a political pamphlet.

[14]

A DAY OF FATIGUE. At 7 Miguel went out with the entire vanguard and Ñato. They carried instructions to walk as far as possible on that side and then to build a raft where it became difficult to pass; Antonio remained ambushed with the entire rearguard. A pair of M-1's were left in a

little cave that Ñato and Willie know about. At 13:30 nothing having happened, we started the march.

They could not advance on muleback and I, with the beginnings of an attack of asthma, had to leave my animal for Leon and continue on foot. The rearguard received orders to start the march at 15, if there were no counter-order. At approximately that time, Pablito arrived with the news that the ox was in front of the crossing and that the raft was being built one kilometer farther up. I waited for the animals to come and they finally did so at 18:15 after the men were sent to help them. At that time, the two mules crossed (the ox had done so before) and we continued at our tiring pace up to where the raft was, finding that 12 men were still on this side; only ten had crossed. There we spent the night, in separate places, finishing the last ration of half-putrified ox.

h=720. March=two to three kilometers.

[15]

THIS TIME we traveled a little farther: five to six kilometers, but we did not reach the La Pesca River, for we had to cross the animals twice, and one of the mules refused to cross. There is still one more and we must explore to see if the mules can make it.

The radio brings the news of Loyola's arrest. The photos must be to blame. Our only remaining bull died at the hand of the executioner, naturally.

h=780

[16]

THE DAY WAS SPENT BUILDING the raft and crossing the river. We walked some 500 meters up to the camp where there is a little spring. The crossing was carried out un-eventfully on a good raft which was pulled with ropes from both shores. Later, when they were left alone, Antonio and Chapaco had another run-in and Antonio gave six days' punishment to Chapaco for insulting him. I respected the decision, although I am not sure it is just. That

night there was another incident about an accusation of Eustaquio concerning an extra meal that Nato had eaten. It turned out to be some suet from the hides. Another painful situation had been caused by food. El Medico brought up another little problem to me, about his sickness and the opinion the men have of it, due to some comments made by Julio, the whole of which seems unimportant.
h=820

[17]

PABLITO

Dentist's day. I pulled Arturo and Chapaco's teeth. Miguel made an exploration as far as the river and Benigno explored the trail; they say that the mules can make it, but before that they must swim, crossing and recrossing the river. Some rice was made for Pablito because he is twenty-two years old today and is the youngest of the guerrilla.

The radio brings only the news about the postponing of the trial and a protest about Loyola Guzman's arrest.

[18]

THE MARCH WAS STARTED AT 7, but soon Miguel came with the news that three peasants had been seen around the bend. We did not know if they had seen us so it was ordered to detain them. Chapaco staged the unavoidable scene, by accusing Arturo of having stolen 15 bullets from his magazine. He's sinister, and the only good thing is that, although his run-ins are with the Cubans, none of the Bolivians pay any attention to him. The mules went all the way without swimming, but when crossing a gorge, the black mule escaped from us and got hurt, for she rolled down some 50 meters. Four peasants were taken prisoner when they were going with their little donkeys to Piraypandi, a river located one league away up-stream. They reported that Aladino Gutierrez was hunting and fishing with his people on the shore of the Rio Grande. Benigno committed the grave error of letting himself be seen and allowed him, his wife and

177

another peasant to leave. When I learned of this, my blood boiled and I called this an act of treason, which provoked a crisis of crying on Benigno's part. All the peasants have been warned that tomorrow they will have to leave with us to Zitano, the ranch where they live, six to eight leagues from here. Aladino and his wife are rather slippery and it cost a lot to have them sell us food. Now the radio brings the news that Loyola attempted suicide twice "for fear of reprisals on the part of the guerrillas," and the detention of several teachers who, if they are not involved, at least sympathize with us. It seems that they took many things from Loyola's house and it would not be strange if this all leads from the taking of the photos from the cave.

At dusk a small plane and the mustang flew over the zone suspiciously.

h=800

[19]

WE DID NOT LEAVE VERY EARLY because the peasants could not find their animals. At last, after giving a good lecture, we left with the caravan of prisoners. We walked slowly with Moro and when we arrived at the stopover on the river we got the news that three more prisoners had been taken and that the vanguard had just left and was expected to reach cane plantations two leagues away. They were long leagues, as long as the first two seemed to be. Near 9 at night, we reached the fields which turned out to be only one cane field. The rearguard arrived past 21.

I had a conversation with Inti about some of his weaknesses concerning food, and he answered me very vexed that it was true and that he would make a public self-criticism when we were among ourselves, but he did deny accusations. We passed heights of 1440 meters and now we are at 1000. It takes three hours to go from here to Lucitano, perhaps four, according to the pessimists. At last we ate pork and the ones that liked sweets were able to fill themselves with *chankaka*.

The radio kept repeating the Loyola case and that the

178

teachers are out on full strike. The pupils of the high school where Higueras, one of the arrested, worked, are on a hunger strike, and the oil workers are about to strike because of the establishment of the oil enterprise. A sign of the times, I have run out of ink.

[20]

I DECIDED TO LEAVE AT 15 in order to reach Lucitano's ranch by dusk, because they said it could easily be reached in three hours, but many problems delayed the trip until 17, and complete darkness caught up with us on the hill. Despite the fact that we lit a storm lamp, we didn't reach Aladino Gutierrez' house until 23. It was not much of a *pulperia*. We got some cigarettes and other small items but no clothing. At 3, after drowsing a little, we started for Alto Seco which they claim is four leagues away. We took the mayor's telephone, but found it hasn't worked for years, and besides the line had fallen. The mayor is called Vargas and he's only had this position a short time.

The radio does not say anything of importance; we climbed heights of 1800 meters and Lucitano is at 1400 meters.

About two leagues were walked to get to the ranch.

[21]

AT 3 WE LEFT by the light of a good moon on a trail that we had found out about beforehand, and we walked until almost 9 without coming across anybody, having crossed heights of 2040 meters, the highest reached. At that time we ran into a couple of muleteers who showed us the way to Alto Seco, still two leagues away. Part of the night and part of the morning was used to walk only two leagues. On reaching the first houses on the way down, we bought some food and we went to make a meal at the house of the mayor. Later we went to a corn mill run by hydraulic power on the shore of the Piraymini (1400 meters high). The people are scared and try to avoid us and we have

lost much time due to our limited mobility. The two leagues to Alto Seco took us from 12:15 to 5.

[22]

WHEN WE, THE CENTERGUARD, arrived at Alto Seco, we found that the mayor had apparently gone out yesterday to warn that we were near. As a reprisal, we took everything in his *pulperia*. Alto Seco is a little village of 50 houses, located at an altitude of 1900 meters where we were received with a mixture of fear and curiosity. The provision machinery began to function, and soon we had a respectable amount of supplies in our camp, which was an abandoned house near the watering place. The small truck which should have come from Valle Grande did not arrive, seeming to confirm the version that the mayor went to inform on us. I had to stand the crying of his wife who, in the name of God and his children, asked for payment, a thing I did not consent to. At night Inti gave a short lecture at the local school (1st and 2nd grades) to a group of 15 amazed and silent peasants, explaining to them the scope of our revolution. The teacher was the only one who intervened, asking if we would fight in the towns. He was a mixture of a foxy peasant and a lawyer with boyish candor; he asked a lot of things on socialism. A big boy offered to be our guide, but warned against the teacher whom they say is a fox. We left at 1:30 for Santa Elena which we reached at 10.
h=1300

Barrientos and Ovando gave a press conference where they offered all the data from the documents and considered Joaquin's group liquidated.

[23]

THE PLACE WAS A MOST BEAUTIFUL orange grove which still has much fruit. The day was spent resting and sleeping, but it was necessary to keep close watch. At 1, we arose and left at 2, heading towards Loma Larga, which we reached at dawn. We passed over heights of 1800 meters.

The men were heavily laden and the march was slow. I got indigestion from Benigno's cooking.

[24]

WE ARRIVED AT THE RANCH called Loma Larga, I myself with a liver attack and vomiting and the men very exhausted by the long walks which have had few results. I decided to spend the night at the junction on the way to Pujio. A pig was killed, sold by Sostenes Vargas, the only peasant who stayed in his house. The others flee when they see us. h=1400

[25]

WE ARRIVED EARLY AT PUJIO, but there were people who had seen us below the day before. It must be that we are being announced by word of mouth. Pujio is a little ranch located on a height, and the people who ran away when they first saw us later came closer and treated us well. Early in the morning a carabineer left. He had come from Serrano in Chuquisaca to arrest a debtor. We are at a zone where the three departments converge at a point. Walking with mules is becoming dangerous, but I try to let El Medico continue as much as possible, for he is still weak. The peasants say that they know nothing about the army in this entire zone. We walked over stretches until we reached (TEXT MUTILATED) where we slept by the side of the road, since Miguel did not take the precautions which I had demanded he take. The mayor of Higueras is in the area, and we gave the order to the sentry to arrest him. h=1800

Inti and I talked with Camba, and he agreed to accompany us to Higuera, a point located near Pucara and to try to leave for Santa Cruz from there.

[26]

DEFEAT. At daybreak we arrived at Picacho, where everybody was celebrating (the highest point we have ever

reached, 2280 meters). The peasants treated us very well and we continued without undue concern in spite of the fact that Ovando had asserted that my capture could take place at any moment.

On reaching Higuera, everything had changed: the men had disappeared and there were only a few women. Coco went to the telegraph house, for there was a telephone, and brought a communication made on the 22nd in which the sub-prefect of Valle Grande had communicated to the mayor that there was news about the presence of guerrillas in the zone and any news should be sent to Valle Grande where they would pay the expenses. The man had run away, but his wife asserted that they had not talked today because in Jaguey, the next town, there was a celebration.

At 13, the vanguard left to try to reach Jaguey and there make a decision about El Medico and the mules; a little later I was talking with the only man in the town, who was very frightened, when a merchant in *coca* arrived, saying he had come from Valle Grande and Pucara and had not seen anything. He was also very nervous, but attributed it to our presence and I let the two go despite the lies they had told us. When I went out towards the summit of the hill at approximately 13:30, the shots from all over the *firme* announced that our men had fallen into ambush. I organized the defense in the little town, waiting for the survivors and decided to give a road leading to the Rio Grande as a way out. A few moments later Benigno arrived wounded and then Aniceto and Pablito, the latter with his foot in bad shape. Miguel, Coco and Julio had fallen and Camba had disappeared, leaving his knapsack.

Rapidly the rearguard picked up the trail and I followed it, still leading the two mules; those in the rear were fired on from very near and were delayed, and Inti lost contact. After waiting for him half an hour in a small ambush, and after having received more fire from the hill, we decided to leave him behind, but a little while later he reached us. At that moment we saw that Leon had disappeared, and Inti reported that he had seen his knapsack in the ravine through which we had had to get away. We saw a man who was walking rapidly through the canyon and drew

the conclusion that it was he. In order to mislead them, we let the mules go down the canyon and we followed another little canyon later, which had bitter water, sleeping at 12, for it was impossible to advance.

[27]

AT 21 HOURS WE RESTARTED the march, trying to find a place to ascend, which we achieved at 7, but on the opposite side of the one we wanted. There was a barren hill in front that looked harmless. We climbed a little more to some sparse woods in order to be safe from the aircraft, and there we discovered that the hill had a trail, although nobody had traveled on it all day long. At dusk, a peasant and a soldier climbed up the hill as far as the middle and played there for a while, without seeing us. Aniceto had just made an exploration and saw a good-sized group of soldiers in a house nearby. This was the easiest trail for us, and now it was cut. In the morning, we saw a column of soldiers shining in the sun as they climbed a nearby hill. Later, at midday, isolated shots were heard and there were a few shell bursts and later the shout of: "There he is;" "Come out of there;" "Are you coming out or not," accompanied by more shots. We do not know the fate of the man and we assumed that it could have been Camba.

We left at dusk to try to get down to the water on the other side and we stayed in a thicket a little more dense than the former; it was necessary to look for the water in the same canyon because a cliff does not permit us to do it here.

The radio brought the news that I had clashed with the Galindo Company leaving three dead. They were being transferred to Valle Grande for their identification. It seems that Camba and Leon have not been aprpehended. Our losses have been very great this time; the most grievous loss is Coco, but Miguel and Julio were magnificent fighters and the human value of the three is beyond all praise. Leon looked promising.
h=1400

A DAY OF ANXIETY which at one moment seemed to be our last one. In the early morning, water was brought in, and almost right away Inti and Willi went out to explore another possible descent to the canyon. But they came back right away because the whole hill in front was marked by a trail, and a peasant on horseback was traveling it. In front of us, 46 soldiers with their knapsacks on left at 10, taking centuries to go afar. At 12 another group appeared. This time with 77 men—and to top it all off a shot was heard at that moment and the soldiers took positions. The officer ordered going down into the ravine, which surely looked like ours. But, finally, they communicated by radio and, seemingly satisfied, reinitiated the march. Our refuge has no defense against an attack from above and the possibilities of escaping would have been remote if they had discovered us.

A soldier who had fallen behind passed with a tired dog, for they were pulling him to make him walk, and later a peasant returned after a while, and then nothing else happened. But the anguish of the shot at the moment had been great. All the soldiers left with their knapsacks, which gave the impression that they were withdrawing, no fires were seen in the little house at night and no shots were heard with which they habitually greet the dusk. Tomorrow we shall explore all day at the ranch. There was a light rain but it seemed to me it was not enough to wipe out our tracks.

The radio gave the identification of Coco and confusing news about Julio. They confuse Miguel with Antonio, whose position in Manila was given. At the beginning they spread the news about my death, later they retracted it.

ANOTHER TENSE DAY. The exploration: Inti and Aniceto went out early to guard the house all day. Early in the morning there was movement on the road, and by midmorning there were soldiers without knapsacks traveling

in both directions, plus others leading empty donkeys from below, which later returned loaded. Inti arrived at 18:15, reporting that the 16 soldiers that came down went into the *chaco* and could not be seen anymore and that the donkeys seemed to have been loaded there. According to his news, it was difficult to decide to use this road, the easiest and most logical one, since it is possible for the soldiers to be ambushed, and anyway, there are dogs in the house which would reveal our presence. Tomorrow two explorers will leave; one for the same place and the other one to try to walk up the *firme* as far as possible to see if there is a way out, probably crossing the trail the soldiers use.

The radio did not give any news.

[30]

ANOTHER DAY OF TENSION. In the morning, Radio Balmaseda of Chile announced that high army sources said that they had corraled Che Guevara in a wild jungle canyon. The local broadcasting stations were silent. It seems like treason, or else the certainty of our presence in the zone. In a while the movement of soldiers began from one side to the other. At 12, 40 of them left separate columns with arms ready, and they went to stop at the little house where they had pitched camp and established a nervous watch. Aniceto and Pacho reported this. Inti and Willi came back with the news that the Rio Grande was about two kilometers straight ahead and that there are three houses up the canyon and camp could be pitched in places where we would not be seen from any side. Water was obtained, and at 22 we started a tiresome nocturnal march delayed by Chino who walks very badly in the darkness. Benigno is very well, but El Medico still hasn't recovered.

MONTHLY ANALYSIS: *It should have been a month of recuperation and it was on the point of being so when the ambush into which Miguel, Coco and Julio fell spoiled everything, and put us in a dangerous position, besides losing Leon. As to Camba it is a net gain.*

185

We had small clashes in which we killed a horse, killed and wounded a soldier and Urbano exchanged shots with a patrol, plus there was the ominous ambush in la Higuera. We left the mules behind ,and I believe that for a long time we shall not have any more animals of that type, unless I should relapse into an asthmatic condition.

On the other hand the news about the other group seems to be true, and it should be considered the end, although it is possible that a little group is roaming, avoiding contact with the army, because the news of the joint death of the seven may be false, or at least exaggerated.

The characteristics are the same as those of last month, except that now the army is showing more effectiveness in action, and the mass of peasants does not help us at all and have become informers.

The most important tasks are to escape and look for more propitious zones and to reestablish contacts, despite the fact that the whole apparatus is badly disjointed in La Paz where they have also given us hard blows. The morale of the rest of the men has been sustained fairly well. My only doubts are about Willi, who may take advantage of some clash to try to escape by himself unless I have a talk with him.

OCTUBRE, 1967

[1]

THIS FIRST DAY OF THE MONTH went by without anything new. At dawn we arrived at a scant thicket where we made camp, placing sentries at the various points of approach. The 40 men went down a canyon which we thought we would take by firing a few shots. At 14 hours the last shots were heard; nobody seemed to be in the little houses, although Urbano saw five soldiers come down who weren't following any particular trail. I decided to remain here one

186

more day because the place is good and has the withdrawal guaranteed, since all of the movements of the enemy troops can be seen. Pacho, with Ñato, Dario and Eustaquio went out to look for water and returned at 21. Chapaco made fritters and we divided up some *charqui* which assuaged our hunger somewhat. There was no news.

h=1600

[2]

ANTONIO

The day passed without any sign of soldiers but some little goats led by shepherd dogs passed by our positions, and the animals barked. We decided to try to pass by one of the *chacos* that is nearer to the canyon and started the descent at 18 hours, with plenty of time to arrive comfortably and cook before crossing—except that Ñato got lost and was obsessed to go on. When we decided to return, we got lost and had to spend the night on the top, without being able to cook or to drink water. The radio gave the explanation for the deployment of the soldiers on the 30th; according to the news from La Cruz del Sur, the Army communicated having had a clash in Abra del Quiñol with one small group of ours, without losses on either side, although they said they had found traces of blood from our retreat. There were six men in the group according to the same dispatch.

[3]

A LONG DAY, unnecessarily intense: while mobilizing to reach our camp base, Urbano arrived with the news that he had heard some peasants who were passing by comment: "Those are the ones who were talking last night," while we were on the road. It appears that the report is inaccurate, but I decided to proceed as if it were perfectly real, and without quenching our thirst we again climbed up to a *firme* that overlooks the road of the soldiers. The rest of the day was perfectly calm, and at dusk all of us went down and made coffee, which tasted like heaven despite the bitter

water and greasy kettle in which it had been made. Then we cooked corn meal to eat here and rice with elk meat to take with us. At three we started the march, after a previous exploration, and we eluded the *chaco* with great ease coming out at the ravine selected, which has no water but does have signs of having been explored by the soldiers.

The radio gave out the news about two prisoners: Antonio Dominguez Flores (Leon) and Orlando Jimenez Bazan (Camba); the latter acknowledges having fought against the army; the former says he surrendered, trusting the presidential word. Both gave abundant news about Fernando, his illness and everything else, not to mention what they said which has not been published. Thus ends the story of two heroic guerrillas.

h=1300

An interview with Debray was heard, very courageous when faced by a student provocator.

[4]

AFTER RESTING IN THE RAVINE, we followed it for half an hour downwards, until we came to another one that joins it, which we climbed up, resting until 15 to keep away from the sun. At that time we began the march again for a little more than half an hour. There we reached the explorers who had arrived at the end of the small canyons without finding any water. At 18 we abandoned the ravine and followed a cattle trail until 19:30, at an hour when nothing could be seen, and so we stopped until 3.

The radio announced the change of the Advanced Post of the General Staff of the 4th Division from Lagunillas to Padilla, to take better care of the Serrano zone where it is assumed that the guerrillas could attempt to flee. Also there is commentary that should I be captured by forces of the 4th Division they will judge me in Camiri, and if the ones of the 8th do it, in Santa Cruz.

h=1650

[5]

ON RESTARTING THE MARCH we walked with great difficulty

until 5:15 hours, when we left the cattle trail and went into a thin woods which was tall enough to protect us from indiscreet onlookers. Benigno and Pacho made several explorations to look for water and they completely covered the house nearby without finding any, but probably there is a little well by the side of it. On finishing the exploration, they saw six soldiers arriving at the house, apparently on their way off. We left at dawn, the men exhausted due to the lack of water and Eustaquio made a scene crying for a mouthful of water. After a very bad march with many stopovers, by early morning we had reached some woods where the dogs could be heard barking nearby. There is a high and barren *firme* close by.

We cured Benigno who has a little pus on his wound and I injected El Medico. As a result of the cure, Benigno complained of pains during the night. The radio reported that our two Cambas were transferred to Camiri to serve as witnesses at Debray's trial.

h=2000

[6]

THE EXPLORATION SHOWED THAT we had a house nearby but also showed that there was water in a ravine farther away. We went there and cooked all day long under a big ledge which served as a roof, despite the fact that I did not spend the day very calmly because we had gone near somewhat populated places by full daylight, and we were in a hollow. Since the supper was delayed until 6, we decided to leave in the early morning for a tributary near this little creek and from there make a more exhaustive exploration to determine its future course.

La Cruz del Sur reported an interview with the Cambas; Orlando was a little less crafty. The Chilean radio reported censored news that shows that there are 1800 men in the zone looking for us.

h=1750

[7]

ELEVEN MONTHS since our inauguration as guerrilla; the

day was being spent without complications, even bucolicly, until 12:30 when an old woman shepherding her goats came into the canyon where we had camped and it was necessary to apprehend her. The woman gave no truthful news about the soldiers, saying that she didn't know anything, as it was a long time since she had gone there. She only gave information about the roads; and according to her report, it shows that we are approximately one league from Higueras and another from Jaguey and about two from Pucara. At 17:30, Inti, Aniceto and Pablito went to the old woman's house where she has two daughters, one crippled and the other half-dwarfed. 50 pesos were given to her with the request that she not say a word, but with little hope that she would keep her promises.

The 17 of us left under a waning moon, the march was very tiresome and we left many traces in the canyon where we were. There are no houses nearby, but there are some potato fields irrigated from the same creek. At 2 we stopped to rest, since it was useless to continue advancing. Chino becomes a real load when it is necessary to walk at night.

The army gave strange information about the presence of 250 men in Serrano to prevent the passage of those encircled, saying there were 37, and giving our refuge as being between the river Acero and the Oro. The news seems to be diversionary.

h=2000

GLOSSARY

ELEVADOR: *a particular kind of a mountain terrain suitable for guerrilla activities*

CAMBA: *a native of the eastern region of Bolivia*

ANTA: *American tapir*

BAGRE: *a whiskered river fish, typical of the zone*

GONDOLA: *popular Bolivian term for a bus*

BORO: *a fly which deposits larva when it bites*

CHOCLO: *sweet corn on the cob*

AYMARA: *an Indian of the high plains of Bolivia; his native tongue*

TATU: *armadillo*

CHACO: *land cultivated with fruits and vegetables*

CHAQUEO: *the preparation of land for the growing of fruits and vegetables*

HUMINTA: *rolls made with cornmeal*

TAPERA: *an abandoned Indian hut or a cabin for provisional use*

SACAMUELA: *tooth puller, a humorous term referring to a dentist*

PALMITO DE COROJO: *palm nut*

PALMITO: *palm heart*

TOTAI: *Bolivian term equivalent to the Cuban term "corojo"*

FIRME: *a level stretch at the top of a hill*

URINA: *fawn*

MOTE: *dried corn kernels, boiled without salt*

CHARQUI: *meat dried by the sun*

ACHACAO: *son of the wife; stepson*

JOCOS: *winter squash*

ZAPALLOS: *summer squash*

CACARE: *a small mountain bird which announces the arrival of men or animals with its call*

GUAJIRO: *Cuban term for peasant*

CHANCHO: *pig*

LOCRO: *soup made with rice, charqui, potatoes and other root vegetables typical of the eastern region of Bolivia*

HOCHI: *species of rodent*

YUCA: *root vegetable*

ABARCAS: *rustic sandals, brogues*

COTUDA: *having a goiter*

CHILCHEO: *fine rain*

CHANKAKA: *candy made from unrefined sugar*

CARACORE: *Indian term for fig*

CHUCHIAL: *bamboo field*